KB104143

“모든 것을 의심 할 때, 과학은 진보 한다“

When you doubt everything science advances

이 한권의 책으로, 우주 만물의 법칙을 깨달을 수 있다.

with this one book,

understand the laws of oll things in the universe

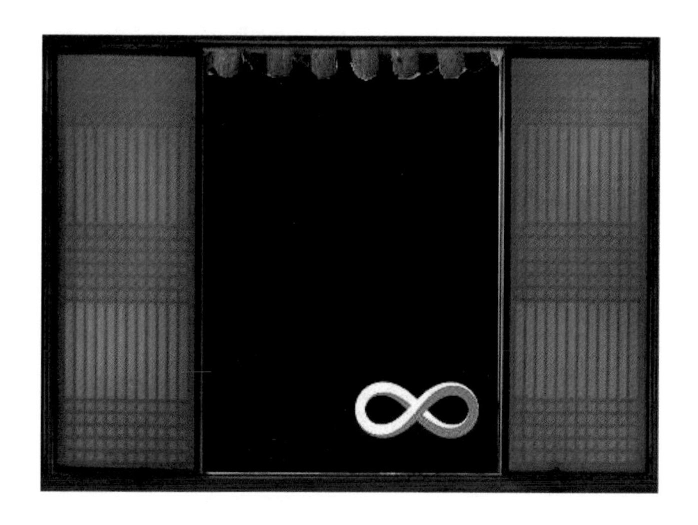

무주(無宙)는 영겁이요.
Muju is eternal space and time.

우주(宇宙)는 억겁이다.

The universe is a world that repeats itself indefinitely.

태양(Sun)

태양은 지구의 어머니요.

The sun is the mother of the earth.

지구(Earth)

지구는 인간의 어머니다.
Earth is the mother of humans.

원자(aton)

나는 우주만물의 법칙을 깨닫는데 38년이 걸렸다.
It took me 38years to realize the laws of the universe.

원자핵(nucleus)

그리고,

End,

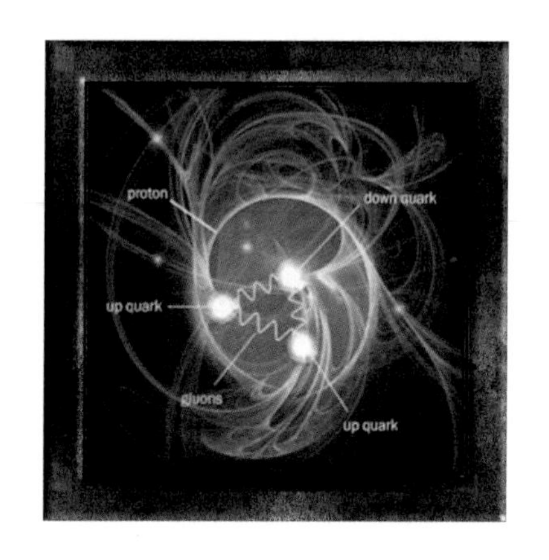

양성자(proton)

이 책을 완성하는데 9년이 걸렸다.
It took 9years to complete this book.

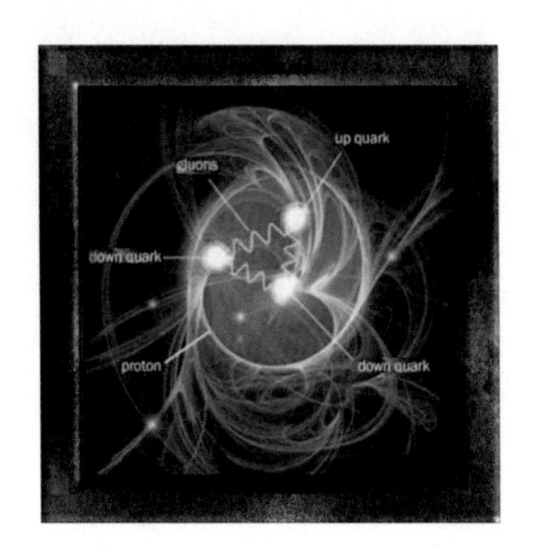

중성자(neutron)

도대체!

Why!

쿼크(quark)

이 우주의 본질이 무엇이고!

What is the nature of this universe!

양자도약
(Atomic electron transition)

내가 어디서 와서 어디로 가는지!
Where do I come from and where am I going!

양자얽힘
(quantum entanglement)

그 근본을 쫓아!
Follow the root

양자중첩
(Quantum superposition)

답을 찾고자 한다!
Trying to find an answer

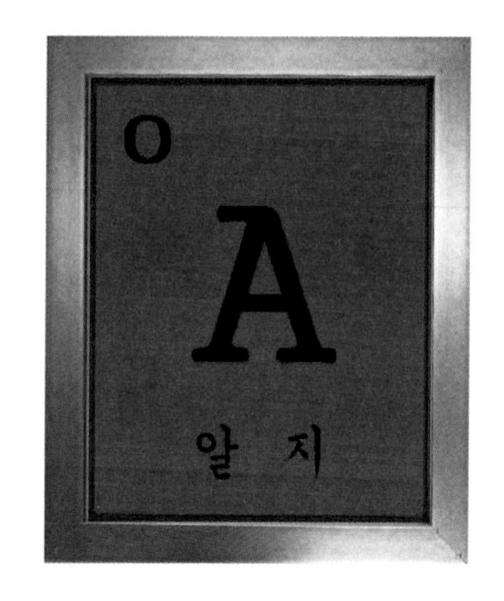

Arlji

알지, 암흑물질

Arlji, dark matter.

이 책에서 말하는 암흑물질은 과학자들이 찾는 암흑물질이 아니다.
"알지"는 인간의 눈으로는 절대로 볼 수 없는 수소를 만들어 내는 물질로써 우주에서 가장 작고 가벼운 근본 물질이거나 메커니즘이다. "알지"가 없다면 세상은 존재하지 않는다.

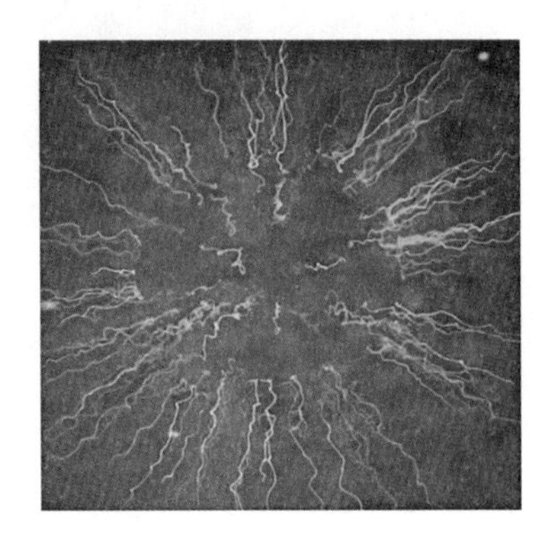

힉스보손

힉스보손(Higgs boson).

물질에 질량을 부여 한다.

Gives mass to matter

신의 입자 "힉스"가 내가 찾는 "알지"일 수도 있다는 가정은 열어둔다. 하지만 힉스도 입자이기에 힉스를 존재 하게 하는 메커니즘은 반드시 존재해야 만 한다.

목 차

과학철학자. 건축사.

이름 : 김 길 성
호 : 푸루미아
직업 : 건축사. 미래전략컨설턴트.
너는 우주의 집중으로 피어난 꽃이다.

좋아하는 인물: 석가모니,코페루니쿠스,조르다노브루노,포이어바흐
아이작뉴턴,닐스보어,하이젠베르크,법정스님

가족 아내 이 신영(대보살)
자녀 김 다정(딸)
김 범진(아들)
김 겨울(웰시코기)

이메일 : pulumia@daum.net
좌우명 : 뜻이 있는 곳에 길이 있다.

조르다노 브루노

이탈리아 철학자이자 수학자

1,600년 우주는 무한하다고 주장

1장. 글을 쓰게 된 동기

공간 · 시간 · 물질 · 의식 · 빛 · 어둠
우주 만물의 법칙을 찾아서.

독자들의 메모장

당신의 의견을 적어 보세요.

1.글을 쓰게 된 동기.

지천명이면 하늘의 뜻을 안다고 하였다.
현재 내 나이 만56세, 과연 나는 우주만물의 이치를 알고 있는가!
19세 때부터 고찰해왔던 우주 만물의 법칙을 그동안 축적된 과학적 지식과 나의 철학적 통찰력으로 그 해답을 찾고 싶었다.

나의 세계관과 우주관을 통해 살펴본 현 빅뱅우주론은 과학적이지 못한 내용들로 가득하여 도저히 받아 들일수가 없었기에, 빅뱅이론의 비논리적 비 물리적 접근 방식에 의문을 제기하고자 하며,

공간, 시간, 물질, 의식, 빛, 어둠, 이들의 세계에 대한 인간의 앎은 매우 미미하고 우주를 구성하고 있는 거시세계의 탄생의 역사는 나에게는 미완의 숙제였다, 나는 이 것 들에 대한 근본을 쫒아 해답을 찾고자 한다.

아침에 눈을 뜨면 태양이 솟아 빛을 선물하고, 오후에 태양이 지면 어둠을 선물 한다. 빛과 어둠, 공간과 시간, 물질과 의식, 이들의 하모니는 세상을 만들어내는 메커니즘 이다.

빛, 어둠, 공간, 시간, 물질, 의식, 이들은 도대체 어디서 와서 내안에 있는 것 일까? 나는 우주의 집중으로 피어난 꽃과 같다. 저 우주는 무기물질들의 세상이지 결코 나의 세상은 아니다.

우주의 빛과 무기물질들은 기적처럼 인간들을 만들어 냈으며, 이 인간은 또 다시 기적 같은 사건으로 호모사피엔스로 진화에 성공을 하였다.

우주에 수많은 크고 작은 별들과 행성들, 이들이 모여 있는 은하들, 이들의 규칙적인 운동과 에너지, 시공간의 존재, 어우러진 빛과 물질들의 향연, 그 안의 나. 이 모든 우주적 현상들에 대한 모든 퍼즐을 맞추고 싶은 욕구가 생겼다.

“무주-->우주계-->초국부은하단-->우리은하-->태양계-->지구의탄생-->물의기원-->식물의 탄생-->동물의 탄생-->인류의 탄생-->인류의 진화-->인류 문명의 시작-->나의시조 출현-->시조의역사-->나의역사“에 이르기까지 우주 태초부터 지금까지 연대기로 모든 퍼즐을 맞추어 기록 해 보고 싶었다.

공간과 시간의 존재는 무엇이며, 빛과 어둠은 무엇이고, 의식과 물질은 어떻게 만들어 졌는가? 여러 과학 서적을 찾아 봐도 명쾌하게 나를 이해시키는 책들은 없었다. 나는 비로소 이 숙제를 풀기위해 양자역학 세계에 뛰어들었고 물질의 생성 메커니즘을 알고 난 후 저 우주를 이해 할 수가 있었다.

21세기에 들어와서 아직도 과학은 종교적 관점에서 벗어나지 못하고 있음을 느낀다. 그래서 탄생한 빅뱅이론, 과학적 접근과 철학적 통찰력으로 빅뱅이론에 대한 반론을 제기 하고 싶었고, 이 우주 만물의 법칙을 깨달을 수 있는 과학적 본질을 찾고자 했다.

이 책은 과학적으로 입증이 불가한 영역에서는 나의 철학적 직관과 통찰력으로 해석 하며 기술 하였고, 최대한 과학적 논리에서 벗어나지 않기 위해 노력 하였으며 역사적 사실에 근거 하였다.

또한 나의 자서전 부분에서는 한 인간의 삶을 통해 호모사피엔스의 진화 과정과 정신적 고통을 성장으로 승화시키려는 처절한 몸부림을 담고 싶었으며, 이는 우리 호모사피엔스가 앉고 있는 정신적 현상들에 대한 깨달음이 필요함을 이야기 하고 싶었다.

호모사피엔스의 위대한 문명은 이 우주에서 매우 특별한 존재임을 인식하며 이들이 우주에서 탄생하고 지금까지 진화에 성공한 것은 지구의 자원을 효과적으로 활용 할 줄 알았기 때문이다. 그러나 호모사피엔스의 진화 해 가는 방향이 지속 가능한 방향으로 가지 못하고 있음을 인식 하고 그 방향을 제시 하고자 한다.

태초의 무주에서 우주가 만들어지고 태양계에서 독특한 지구라는 행성이 탄생 한 후 인류의 시조에서 호모사피엔스까지 대 역사를 아우르는 억겁의 STORY를 연대기별로 기록 해 두고 싶었다.

비 과학자의 입장에서 우주의 본질을 찾아 떠나는 여행이 사뭇 무모한 도전이라고 일갈 할 수도 있으나, 오랜 나의 목마름은 죽기 전에 꼭 해결해야 한다는 숙제와도 같은 것이어서 결코 덮고 갈 수가 없었다.

그리고 기후온난화로 인한 기후위기를 해결 하고자 하는 인류의 노력이 난무한 상황에서 우리 인류가 멸종의 길로 갈 것인지 아니면 호모사피엔스답게 지혜와 기술을 찾아 생존에 성공 할 것인지 관심있게 지켜봐야 할 상황이지만, 다급하고 안타까운 마음으로 대안을 제시 하고자 한다.

80억 명이나 되는 세계 인구를 줄여야 해결 될 수 있다는 매우 이기적인 생각을 하는 정치집단도 있으나 냉정하게 생각해서 틀린 말은 아니기에 지금은 이기적 사고보다는 이타적인 지구 공동체의 집단의 힘으로 이 위기를 극복해 나가야 할 것이다.

“알지“라는 책은 현 빅뱅우주론과 상대성이론의 오류를 발견하고 비판하며 또 다른 관점에서 대안을 제시함으로써 우주의 본질을 이해하고 이 우주가 언제 어떻게 만들어지고 언제 사라지는지 과학적 지식과 나의 철학적 직관과 통찰력으로 정리해서 모든 퍼즐을 맞추어 놓은 책이다.

그리고 “알지“는 모든 과학적 진실들이 확증되기 전까지 또는 확증할 수 없는 단계에서 세계의 기득권 집단들이 자신들의 종교적 관점과 사상의 테두리 안에서 정설을 만들어 버리는 세계 과학계의 관행들을 바로 잡고자 하는 의지로 쓰여 진 책이다.

세계 과학계는 나의 우주관을 하나의 가설로 받아들이고 입증해 나가는 노력을 해 주었으면 하면서 한국계 과학자들이 그 선봉에서 하나씩 하나씩 업적을 축적 해 나갔으면 한다.

그럼 “알지”속으로 들어가 보자.

2장. 창조론, 정상우주론, 빅뱅우주론.

종교적 관점에서 벗어나지 못한 빅뱅우주론을 비판한다.

독자들의 메모장

당신의 의견을 적어 보세요.

2.창조론, 정상우주론, 빅뱅우주론.

1)창조론(Creationism)

아브라함 계열 설화나 신화로 신앙에 바탕 하여 인간, 생명, 지구, 우주 등 만물이 신에 의해 창조 되었다는 신학 사상이다. 현재에는 기독교 창조론이 대중적으로 알려져 하나님이 이 세상 모든 만물을 창조 했다는 기독교의 모태로 받아들여지고 있다.

창세기 1장 1절
"태초에 하나님이 천지를 창조 하시니라"

첫째 날-시간 창조
빛과 어둠을 나누어 빛을 낮이라 하고 어둠을 밤이라 했다.

둘째 날-우주공간창조
공간의 확산을 하늘이라 하고 하늘 아래의 물과 하늘 위의 물을 분리했다.

셋째 날-지구창조
하늘 아래의 물이 한곳으로 모여 바다가 되고 물이 마른 곳은 육지가 되었다. 이 육지에 식물이 번성하게 했다.

넷째 날-태양 창조
태양과 달, 별을 만들어 하늘에 두었다. 이렇게 하여 빛과 사계가 생겼다.

다섯째 날-피조물 창조
물속에 있는 물고기 등의 생물이 무리를 지어 번성하고, 지상에는 새가 날고 번성하게 했다. 식물 다음으로 나타난 것은 수생식물이다. 문어 오징어 등 연체동물과 어류 파충류 그 뒤를 이어 조류가 출현 했다. 본능의 의지 지능을 갖는 동물은 영양을 섭취하기 위해 침을 갖추고 있다는 점에서 식물과는 전혀 다르다. 생육하고 번성하여 여러 바닷물에 충만하여라. 하나님은 동물을 창조하고 처음으로 축복을 내렸다.

여섯째 날-인간 창조
하나님은 사람이 살 수 있는 모든 환경을 만들고 비로소 자신의 형상대로 사람을 창조하되 남자와 여자를 창조 했다. 인간의 창조는 하나님이 행하신 창조 과정의 절정이다.

과학의 발전이 가로막혀 있었던 과거 기독교 문화권 등에서 세상의 창조가 객관적이고 절대적인 진리로 받아 들여졌으나, 인본주의 철학이 등장하면서 도전받기 시작하였고, 현대에는 과학의 발달로 입자물리학, 지질학, 진화학, 유전학, 합성생물학, 인공생명, 천체물리학, 자연의 기원 및 역사학 등과 모순되는 점이 많고 실증되지 못하기에 현대에는 절대적인 진리로 받아들여지지 못하고 신학과 형이상학적 영역에만 머물러 있다.

창조론은 인본주의 철학자들에 의해 많은 수난을 격었는데, 그 대표적인 사람이 19세기 독일의 철학자이자 법학자였던 포이에르 바흐다. 바흐는 하이델베르크 신학과에 입학했으나 맹목적인 신앙의 강조나 합리적인 짜깁기에 불과한 궤변으로 강의를 주도하는 신학 교수들에게 실망하고 베를린 대학으로 옮겨 헤겔 철학을 공부 하였다.

포이에르 바흐는 [기독교의 본질이]라는 책에서 “신이 인간을 창조한 것이 아니라, 인간이 신을 창조 했다”고 주장하여 종교계에 큰 파장을 일으키기도 했다. 지금은 과학의 발전으로 우주의 본질이 조금씩 세상에 알려지면서 창조론은 입지가 좁아졌고, 대중들뿐만 아니라 기독교인들조차도 점차 하나님의 부재를 인지하면서 외면하고 있는 실정이다.

2)정상우주론(네이버 지식백과)

정상우주론을 주장한 대표적인 프레드 호일은 천문학자면서, 이론물리학자다. 팽창(빅뱅)우주론과 진화론에 대해 비판적이었던 과학자였지만, 역설적이게도 한 라디오 방송에서 팽창우주론을 비판하면서 빅뱅이라는 용어를 처음 사용하였고 팽창우주론은 빅뱅우주론으로 명칭이 확정되게 만들어준 사람이다.

정상우주론과 빅뱅우주론은 35년간 논쟁을 이어 갔지만, 허블-드메트르 법칙 정립으로 우주가 팽창한다는 것은 확정 사실로 받아들여진 이후, 우주의 기원을 설명하기 위해 빅뱅우주론이 제기 되었을 때, 프레드 호일을 비롯한 빅뱅우주론이 마음에 들지 않았던 과학자들이 제기한 또 다른 우주 이론이다.

정상우주론은 아인슈타인이 주장한 우주가 팽창하지 않는다는 정적우주론과는 다르다. 정상우주론은 빅뱅우주론과 마찬가지로 허블 법칙 이후에 등장했기 때문에 기본적으로 우주 팽창을 전제로 할 수 밖에 없었다. 초기에는 빅뱅이론과 첨예하게 대립 하였으나, 이후의 천문학 발전이 점차 빅뱅 이론을 지지하는 결과를 내면서 1990년대 이후로는 완전한 비주류 이론으로 남게 되었다.

정상우주론은 우주가 확장되면 확장될수록, 그 확장된 진공공간을 메꾸기 위해 사람이 관측할 수 없을 정도로 극도로 적은 수소원자가 저절로 생성되어 우주 평균 밀도 값이 항상 일정하다는 가설이다. 아무 것도 없는 공간에서 질량 보존 법칙을 무시하고 물질이 생성된다는 주장은 매우 황당해 보이지만, 그런 견해에 대해서는 "빅뱅이 된다면 저절로 생기는 게 안 될 건 또 뭐야?" 라는 반론이 대표적이다. 빅뱅이론도 제기될 당시에는 그만큼 상식 밖의 이론이었다.

그리고 정상우주론이 지지받은 원인에는 어쩌면 창세기와 비슷해 보이는 빅뱅 이론을 인정하기 싫었던 것도 한몫 했다. 빅뱅이론은 시간이 빅뱅과 함께 시작되었다고 설명하지만 그 당시 사람들은 시간이 출발점을 가진다는 생각을 좋아 하지 않았다. 따라서 그의 이론은 빅뱅의 가능성을 피하려는 여러 차례의 시도 중 가장 유력했던 이론이라 할 수 있다.

사실 빅뱅 이론과의 경쟁 과정에서 천문학 발달에 좋은 영향을 끼치기도 했는데, 당시 빅뱅 이론은 우주에 존재하는 대다수의 헬륨의 형성을 설명 가능했지만, 정작 헬륨보다 무거운 중 원소는 설명하지 못하는 상황이었다. 이에 프레드 호일은 빅뱅 핵융합의 대체재로써 항성의 핵융합 과정을 통해서도 중원소가 생성됨을 완벽하게 설명해냈다. 현재 천문학에서는 빅뱅과 항성 양쪽에서 핵융합이 이루어진 결과로 현재 우주의 화학적 조성이 형성되었다고 설명한다.

정상우주론은 빅뱅이론을 무력화 시킬 만큼 논리는 빈약했다고 생각한다. 우주가 팽창 하고 있는 것을 인지하면서 어떻게 빈 공간을 수소가 자연 발생하여 채울 수 있는지를 좀 더 합리적인 논리를 제시 하지 못한 것에 대한 아쉬움은 있다.

하지만 내가 볼 때 정상우주론의 빈약한 논리보다는 공간도 없는 상태에서 대폭발을 했다는 빅뱅이론의 논리의 빈곤이 더 문제라고 생각한다.

굳이 내가 이 본 저서에서 창조론과 정상우주론을 언급한 것은 빅뱅우주론에 대한 모순을 알리기 위함이다. 한 점에서 대폭발을 일으켜 수초 내에 우주 시공간이 만들어졌다는 빅뱅우주론과 하나님이 세상을 6일 만에 창조 했다는 창조론은 공통점이 있다.

창조론과 빅뱅우주론은 매우 빠른 시간에 우주가 만들어졌다는 것이다. 창조론은 6일이 걸렸는데 빅뱅이론은 단 1초가 걸렸다는 것인데 과히 신을 뛰어넘는 이론이 아닐 수 없다.

도저히 현대 물리학으로는 설명될 수가 없는 논리인데도 세계과학계는 빅뱅우주론을 정설로 인정하고 있다. 창조론은 창조자가 조물주였다 라는 논리라도 있지만, 빅뱅이론은 이유가 없다. 그냥 한 점에서 고도의 에너지가 폭발을 했다고 한다. 빅뱅이론보다는 창조론이 더 논리적이고 설득력이 있어 보인다.

세계 과학계가 빅뱅우주론을 정설로 인정한 후 바티칸 성당의 교항은 "환영 한다"는 성명서를 발표 했다고 한다. 그 도 그럴 것이 "세상은 빛으로 시작하리라"라는 창세기의 문구를 뒷받침 할 수 있는 빅뱅이론이기 때문에 환영의 성명서를 발표 했을 것이다. 창조론과 빅뱅이론은 그 탄생이 물리법칙을 무시한 비과학적인 논리라는 측면에서 공통점이 있다. 그럼 세계 과학계가 정설로 받아들이고 있는 빅뱅우주론 속으로 들어가 보자.

3)빅뱅우주론(네이버 지식백과)

우주가 팽창하고 있다면 어떻게 우주의 기원을 설명하는 이론으로 발전할 수 있었을까? 우주가 점점 팽창하고 있다는 사실을 거꾸로 뒤집으면 과거로 거슬러 올라갈수록 우리 우주는 점차 작아질 것이다. 꽃이 피는 장면을 찍은 필름을 거꾸로 돌리면 꽃봉오리가 다시 오므라지고 돋았던 싹이 땅 속으로 들어가 버리듯이 팽창하는 우주 역시 거꾸로 돌린다면 차츰 축소되어 마침내는 우주가 아주 작은 하나의 덩어리가 될 것이다.

그 덩어리는 다시 작아지고 작아져서 하나의 점이 되고 언젠가는 우리 우주 즉 그 점이 처음 탄생하는 순간이 있었을 것이다. 그렇다면 우리 우주는 처음부터 줄곧 있어 온 것이 아니라 갓난아기가 어머니 뱃속에서 태어나듯이 아득히 먼 어느 날 처음 태어나서 오늘날까지 팽창을 계속해 온 것이 아닐까?

바로 이러한 의문들이 “빅뱅” 즉 대폭발 이론을 탄생하게 만들었다. 허블의 관측 결과와 프리드먼, 르메트르의 선구적 연구를 토대로 1956년 러시아 출신의 미국 학자 조지 가모프는 우주의 초기 상태를 규명하려 했던 것에서 빅뱅이론을 제안하였다. 가모프는 한때 프리드먼의 제자이기도 했다.

빅뱅이론이란 간단히 말해서 우주가 어떤 한 점에서부터 탄생한 후 지금까지 팽창하여 오늘의 우주에 이르렀다는 이론이다. 얼핏 생각하기엔 황당하기도 하고, 138.2억 년 전의 우주를 어떻게 알 수가 있을까 하는 생각도 들지만 무시하지 못할 많은 과학적인 증거들을 가지고 있다.

빅뱅이론은 현재 우주모델의 표준이 되는 것으로 상당히 강력한 과학적 증거들을 가지고 있다. 우주가 특이점에서 생겨나 지금까지 약 138.2억년 정도의 나이를 가졌다는 것과 양자론, 일반 상대성이론으로 플랑크 타임(10에 마이너스 43초) 이후의 우주 진화를 설명할 수 있고 예측할 수도 있다.

물론 예전에 평평함의 문제(Flatness problem)라는 것과 지평선 문제(Horizom problem), 자기 단극자 문제(monople problem)가 대두되어 위기를 맞기도 했으나 구스의 인플레이션이론으로 인해 어느 정도 해결이 되었다. 하지만 이 인플레이션 이론 역시 완벽하지 않다는 문제점을 가지고 있다.

천문학자들은 빅뱅이 공간 안에서 일어난 것이 아니라 오히려 대폭발로 인해 공간이 창조 되었다고 생각하였다. 빅뱅이전에는 공간도 시간도 물질도 존재하지 않았고, 그것들은 모두 빅뱅으로 창조된 것이라고 믿었다. 즉 “무(無)”라는 상태라고 할 수 있는 것이다. 이 무라는 것은 상상하기 쉽지 않고 설명이 쉽지 않다.
빅뱅으로부터 터져 나온 물질은 입자들이 빽빽이 모여 있는 가스 형태였을 것이다. 이 가스 구름은 팽창하면서 냉각했고 몇 백만 년 뒤 더 작은 가스구름들로 부서지기 시작했을 것이다. 때로 이 구름들은 부분적으로 뭉쳐져 은하를 형성하기도 했으며, 오늘날에도 우리는 은하들 사이의 공간이 팽창함으로써 이들 은하들이 여전히 멀어지고 있는 것을 볼 수 있다.

빅뱅이론에 의하면 우리 우주는 상상할 수 없을 정도로 뜨거운 불덩이에서 시작되었다고 할 수 있다. 그런데 빅뱅 이론으로는 우주가 탄생한 순간을 제대로 설명할 수가 없다. 정확하게 말하면 우주 탄생 약 1초 후 부터는 설명이 가능하다.

“1초” 라 하면 우리 생활에서는 짧은 시간이지만 우주의 탄생 과정에서 최초의 1초는 굉장히 중요한 순간이다. 빅뱅이론으로 우주의 기원에 대한 의문은 풀렸지만 가장 중요한 문제는 여전히 해결되지 않고 있는 셈이다.

갓 태어난 우주는 약 10에 마이너스33cm 밖에 안 되는 아주 작은 우주였을 것이다. 그러나 그 속에는 무한이라 할 수 있는 진공의 에너지로 가득 차 있었다. 일반 상대성 이론에 따르면, 진공 에너지는 음(마이너스)의 압력을 가지고 있어서 공간을 급격히 팽창시킨다. 우주 탄생으로부터 10에 마이너스36초 후, 우주는 광속을 훨씬 넘는 속도로 팽창을 시작하여 짧은 시간 사이에 엄청난 크기로 커졌다. 이것을 “인플레이션(inflation)” 이라고 한다.

이러한 인플레이션이 일어났었던 원인으로는 진공에너지에 의한 팽창을 가속시키는 효과에 있다고 본다. 보통 진공이라고 해도 전자기파 등의 다양한 요동은 존재한다. 그리고 이러한 요동이 있으면 당연히 그 에너지도 있기 마련이다.

또한 공간은 원자보다도 훨씬 작은 마이크로의 규모로 보면 복잡하게 구부러져 있다. 그 공간의 구부러짐에 의한 에너지가 있을 가능성도 있다. 결국 입자가 없는 진공이라는 상태에서도 그들의 에너지가 어떠한 이유로 상쇄되지 않는 한, 공간에는 에너지로 가득 차 있게 되는 것이다.

결론적으로, 빅뱅이론은 알 수 없는 에너지가 특정 한 점에서 대폭발을 일으켜 단 1초 만에 시공간과, 우주물질들을 만들어 냈다는 것이다. 믿을 수 없는 사건이기에 나는 과학적이고 물리법칙에 맞는 상식의 범주에서 빅뱅우주론을 조목조목 반론을 제기 해 볼까 한다.

3장. 빅뱅우주론에 대한 반론.

우주는 빅뱅으로 시작 하지 않았다.

독자들의 메모장

당신의 의견을 적어 보세요.

3.빅뱅우주론에 대한 반론.

(첫 번째 의문점)
-시간의 시작이 있다는 것인가?

빅뱅이라는 대 사건이 일어난 직전부터 과거는 시간도 공간도 물질도 존재 하지 않았다는 “무”의 개념으로 덮어버리는 논리는 “당신이 태어나기 전에는 세상은 없었어”라고 하는 것과 똑 같은 논리다.

시간의 시작이 있다고 하는 것은 세상의 시작을 의미한다. 다시 말해서 “빅뱅으로 세상은 시작 되었어“가 된다. ”이 세상은 하나님이 창조 하셨어“와 ”세상은 빛으로 시작 되리라“라는 창세기의 교리와 무슨 차이가 있을까!

(두 번째 의문점)
-대폭발을 일으킨 에너지원이 무엇인가?

우주가 한 점에서 대폭발로 시작 되었다는 세계 과학계의 정설을 뒤받침 하려면 대폭발을 일으킨 에너지원이 무엇인지 대중에게 정확히 알려주어야 한다. 내가 볼 때 빅뱅우주론은 창조론에 버금가는 신화 같은 주장에 불과 하지 않는다고 생각한다.

최소한 빅뱅이론이 창조론과 다르다는 것을 보여주려면 대폭발을 일으킨 에너지원이 무엇인지 가설이라도 있어야 한다는 것이다. 어떤 물질에 의해서 대폭발을 일으켰는지, 아니면 수소핵융합으로 쪼그라들어서 다시 폭발을 일으킨 것인지, 하는 물리적 상식 범주 내에서 과학계의 공식적인 언급이 있어야 하는 것이다. 막연하게 한

점에서 폭발이 발생 했다는 식의 비과학적인 접근 방식은 대중을 혼란스럽게 할 뿐이고 빅뱅우주론이 근거 없이 짜 맞추기식 주장이라는 오해를 살 수 있는 것이다.

대폭발을 일으킨 에너지원이 무엇인지 단서조차 밝혀내지도 못한 상황에서 한 점에서 대폭발로 우주가 탄생했다는 과학계의 주장은 받아들이기 힘들다.

창조론과 무엇이 다른가?
창조론에서는 하나님이 세상을 만들어 내는데 6일이 걸렸다고 하였는데, 빅뱅우주론에서는 밑도 끝도 없이 대폭발 후 시공간이 만들어졌으며 단 1초 만에 우주가 만들어졌다고 하는 것은 물리학적으로 봐도 말도 안 되는 주장이라고 본다.

(세 번째 의문점)
-공간이 없는데 폭발이 어떻게 일어 날수 있는가?

어떤 에너지원이 폭발을 하려면 공간이 있어야 한다. 폭탄이 터지는 경우도 그렇고, 우주에 있는 별이 수명이 다해서 폭발하는 경우도 그렇고, 하다못해 화산폭발도 모두 공간이 있어야 폭발이 있어난다
공간이 없으면 절대로 폭발이 일어나지 않는다.

대폭발 직전, 세상은 아무것도 존재하지 않았다는 빅뱅 론 자 들의 주장으로 볼 때, 폭발당시 공간은 존재하지 않았다는 것이 확실해진 만큼 빅뱅우주론은 물리적 논리의 허점이 크다.

터질 수 있는 에너지원이 있고 공간이 있어야 폭발이 일어난다는 것은 상식이다. 대폭발을 일으킨 에너지원이 무엇인지도 모르고 공

간도 없는 상태에서 폭발이 일어났다고 하는 빅뱅우주론은 다시 검증 받아야 한다.

(네 번째 의문점)
-물질이 시공간을 만들어 낼 수 있는가?
관측 가능한 우주와 관측이 불가능한 우주까지 통틀어 우주에 있는 모든 은하와 항성 행성 그리고 가스구름까지 우주의 모든 물질들이 하나의 점에서 출발 한 응축된 에너지원이라 할지라도 이러한 물질로 비롯된 에너지원의 폭발로 시공간을 창출 할 수 있다는 발상은 창조론보다도 더 논리적이지 못한 모순이 아닐 수 없다.

우주는 시공간 안에서 물질들이 태동하고 소멸하는 과정을 통해서 만들어 진다. 물질들의 대 폭발은 새로운 물질을 만들어 내는 자연스러운 우주적 현상이다. 이러한 물질들의 상호작용은 시공간을 창조 해 낼 수가 없다. 시공간이 물질을 지배하는 것이지 물질이 시공간을 지배 할 수 없는 것이다.

(다섯 번째 의문점)
-시공간과 물질들을 1초 만에 만들어 낼 수 있는가?

물질이 시공간을 만들어 냈다는 것도 황당한데 1초 만에 세상을 만들어 냈다고 하는 주장은 더욱 황당하다. 그 당시 인간은 존재 하지도 않았었는데 그 1초라는 시간의 근거가 무엇이란 말인가?
태양이라는 항성의 나이가 지금 현재 45억6,721만 살이라고 한다.

태양이 만들어지기 위해서는 무수히 많은 수소원자의 결합이 이루어져야 한다. 헤아릴 수 없는 수소들의 핵융합이 이루어지려면 많은 수소가 필요하다. 이 수소들이 만들어지는 시간도 헤아릴 수 없는 시간이 필요 할 것이다. 빅뱅 당시 무수한 가스가 퍼져 나갔다고 했는데 그 가스들의 정체는 무엇이란 말인가, 어떻게 단 1초 만에 이러한 사건들이 벌어질 수가 있단 말인가! 물리법칙을 벗어난 빅뱅이론은 우주를 알아가는 과정에서 하나의 가설일 뿐이다.

(여섯 번째 의문점)
-우주가 가속 팽창 하고 있다면 팽창 직전의 밖은 무엇인가?

지금도 우주가 팽창하고 있는데 팽창 직전의 외부는 무엇으로 설명할 것인가. 앞서 빅뱅이 일어나기 전은 "무"라는 논리로 덮어 버렸지만 그렇다면 빅뱅이 일어 난지 138.2억년이 지난 지금 저 우주 밖은 무엇으로 설명 할 것인가. 팽창 직전의 우주 바깥 세계도 "무"로 덮어 버릴 것인가. 아니면 계속 회피 할 것인가?

백보 양보해서 상상 할 수 없는 엄청난 대 폭발로 우주가 탄생 했다고 치자, 그 폭발력이 사라진 지금 가속 팽창 하고 있는 저 우주를 어떻게 설명 할 것인가? 지금은 암흑물질과 암흑에서지가 우주를 계속 해서 팽창 시킨다고 해야 할 것인데,

암흑물질과 암흑에너지가 어떻게 시공간을 지속적으로 만들어 낼 수 있단 말인가! 설령 암흑물질과 암흑에너지가 발견이 되었다고 해도 암흑물질과 암흑에너지는 시공간을 만들어 낼 수가 없다. 시공간은 물질이 아니고 개념이다 물질은 물질끼리만 상호작용한다. 개념과 물질은 상호작용할 수가 없다.

(일곱 번째 의문점)
-암흑물질(dark matter)과 암흑에너지(dark Energy)는 존재 하는 것인가?

현재 과학계에서는 암흑물질과 암흑에너지를 찾아내기 위한 활동들을 활발하게 진행하고 있다. 빅뱅우주론을 뒷받침 할 만 한 또 다른 근거가 되기 때문에 암흑물질과 암흑에너지의 존재 여부는 과학계의 뜨거운 감자다.

또한 빅뱅우주론의 증거뿐만 아니라 우주가 가속 팽창 하고 있는 현상에 대한 이유를 설명하기 위해서라도 암흑물질과 암흑에너지를 반드시 찾아야 하는 절박함도 있다. 만약에 암흑물질과 암흑에너지를 찾지 못한다면 세계 과학계는 빅뱅우주론에 대한 정설을 포기해야 할 것이다.

나는 암흑물질과 암흑에너지의 존재를 믿지 않는다.
이유는 딱 하나, 세상에는 중력에만 반응하는 물질은 없다는 것이 나의 생각이다.

중력에 반응을 한다는 것은 질량을 갖고 있다는 것이고 질량을 갖고 있다는 것은 물질끼리 상호 작용을 해야 하는 것이며, 물질끼리 상호작용을 한다는 것은 어떠한 형태로든지 우리 눈으로 관측이 가능해야 한다는 것이다.

1.질량을 가지고 있고,
2.우주 전체 질량의 27%를 차지하는 어마어마한 물질이고,
3.우주의 나이만큼 오래되고 안정된 물질이고,
4.육안이나 전파 망원경으로 보이지 않는 물질이고,
5.전자기력과 상호작용이 전혀 없거나 약한 상호작용하는 물질이고,
6.속도가 광속보다 느리면서 무거운 물질이고 차가운 상태의 물질,

위 6가지의 조건을 충족하는 암흑 물질은 우주에 존재 할 가능성보다는 존재 하지 않을 가능성이 더 높을 것으로 보고 있다. 우주 질량의 27%를 차지하는 엄청난 양의 물질이 위 조건을 충족한다는 것은 거의 불가능에 가깝다고 생각 한다.

이스라엘의 물리학자 모르더하이 밀그롬이 주장한 것처럼 암흑물질은 존재 하지 않을 것이며, 수정뉴턴역학과 새로운 우주 물리법칙에 의해 밝혀 낼 수 있을 것이다.

은하 가장자리가 은하 중심부의 중력에 잡혀 빠르게 돌고 있는 이유는 암흑물질 때문이 아니라 우주 공간에서 우리가 아직 발견하지 못한 물질의 운동법칙이 있다고 추론 해 볼 수 있다. 또한 우주는 공기의 저항이 없다 그러기에 은하 가장자리에 있는 물질들도 중력에 잡혀 빠르게 돌 수가 있다.

지구 대기권은 공기의 저항이 존재하는 환경이다 이러한 환경에서 물질을 관찰 해 온 과학자들은 은하 가장자리에 있는 물질들도 천천히 돌아야 한다는 고정관념에서 비롯된 물리 법칙을 적용한 결과일 것이다. 그래서 우주에 존재 하지도 않은 암흑물질과 암흑에너지를 상상 했을 것이다.

과학계는 암흑물질과 암흑에너지를 찾는데 돈과 시간을 낭비 하는 것 보다는 모르더하이 밀그롬의 수정뉴턴역학을 기초로 우주 공간에서 작동하는 새로운 물리법칙을 연구하는 것이 우주 본질을 알아가는데 더 효과적이라고 생각한다.

(여덜 번째 의문점)
-왜 138.2억년인가?

허블상수의 역으로 계산한 우주나이가 138.2억년이라고 한다. 만일 우주 나이를 허블이 계산한 시기가 아닌 2024년 현재 우주 나이를 계산 했다면 우주가 계속해서 가속 팽창 하고 있기 때문에, 우주 나이는 138.2억년이 아닌 그 이상이 나와야 한다. 우주 나이가 계산한 시기에 따라 그 값이 다르게 계산되기 때문에 138.2억년이란 나이는 언제든지 변동 될 수 있게 된다. 따라서 138.2억년이라는 우주 나이는 신빙성이 떨어진다고 생각한다.

그리고 간접적으로 우주 나이를 검증 할 수 있는 방법이 있다. 예를 들어 보자, 우리 태양계의 항성인 태양의 현재 나이가 45억 6,721만 살이며 앞으로 79억3,100만 년 간 핵융합을 할 수 있다. 태양의 나이를 계산해 보면 124억9,821만 살이 된다.

그 이후에는 적색거성으로 변하면서 그 부피가 점점 커져 수성과 금성, 지구까지 집어 삼킨 뒤 백색왜성이 되었다가 흑색왜성으로 생을 마감한다. 여기서 중요한 것은 태양이 적색거성으로 진화하기 전의 나이를 보면 124억9,821만 살이라는 사실이다.

거의 우주나이에 불과 14억 살 적다는 것이다. 우리 은하에는 방패자리에 있는 스티븐슨2-18이라는 적색거성이 있다. 우리 인간이 찾아낸 항성 중에 가장 큰 항성이다. 지름이 약 30억km다 태양의 2150배나 된다. 스티븐슨2-18은 핵융합 시기를 마친 적색거성 단계에 있는 초대거성이다. 스티븐슨2-18이 태양처럼 핵융합을 활발하게 한 시기의 나이를 태양과 비교해서 측정 할 수가 있다.

스티븐슨2-18은 왕성하게 핵융합을 했을 당시에 질량이 태양의 3배 정도 되었는데, 이 질량으로 계산하면 스티븐슨2-18은 태양보다 나이가 3배는 더 되었을 것이다. 태양의 나이 124억9,821만 살이기에 곱하기 3을 하면 374억9,463만 살이 된다. 우주나이 138.2억 살의 2.7배다. 대략적으로 항성의 나이로 보더라도 우주나이는 잘 못 계산 되었다는 것을 알 수 있다.

(아홉 번째 의문점)
-빅뱅의 강력한 증거라고 하는 초단파 우주 마이크로배경복사(CMB)에 대해서 알아보자.

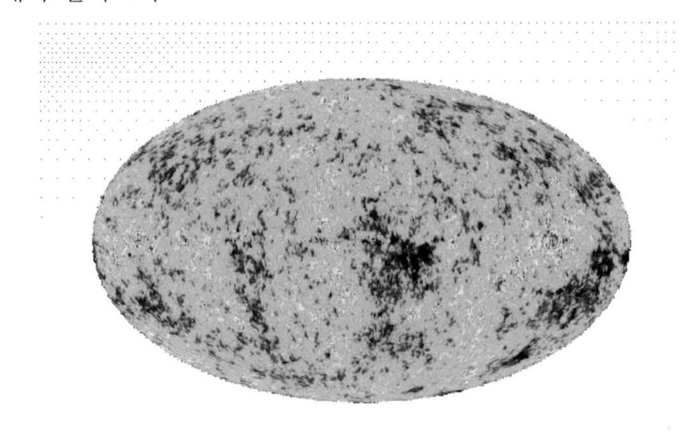

우주배경복사(Cosmic Microwave Backbround)

뉴저지의 벨연구소에서 일하던 전파천문학자인 아노 A.펜지아스와 로버트 W.윌슨은 모든 방향에서 균일한 우주 초단파 배경복사를 발견했다. 세계 과학계가 빅뱅우주론을 우주탄생의 정설로 받아들이고 있는 가장 강력한 증거다. 우주 어느 방향에서 촬영을 해도 위의 이미지와 비슷한 모형이라고 한다.

CMB가 빅뱅 대폭발 당시 전체 우주 공간으로 확산한 전자기파가 맞다 면 빅뱅의 빛은 어디로 갔는가? 빛과 전자기파는 시속 30만 km 로 동일하다. 전자기파는 지구까지 도달해서 인간이 관측을 했는데, 왜 빛의 흔적은 우리가 볼 수 없는가? 전자기파가 지구까지 도달 했다면 빛도 우리가 볼 수 있어야 한다. 그래서 빅뱅이라는 사건이 어디에서 일어났는지 우리가 관측 할 수가 있어야 한다.

빅뱅이 한 번에 순식간에 일어났다가 사라져서 지금은 빛의 흔적이 없다는 것인가? 그래서 빅뱅의 빛이 사라졌다는 것인가? 이 말이 맞다 면 전자기파도 어느 순간 지구를 관통해서 사라져야 맞는 것이다. 그런데 빅뱅의 흔적 전자기파는 언제나 어디서나 우주 어디서나 관측이 되고 있다고 하는데 어디가 앞뒤가 안 맞는 논리다.

CMB가 지구에서 지속적으로 관측이 되고 있다는 것은 빅뱅의 시작점에서 지속적으로 전자기파를 지구로 보내주어야 가능 할 것이다. 또한 빛도 빅뱅 원점에서 태양처럼 지속적으로 발산 해 주어야 논리가 맞는 것이다.

빅뱅의 전자기파는 왔는데 빅뱅의 빛은 없다는 것은 빅뱅이 일어나지 않았다는 것이고, 천문학자들이 관측하고 있는 우주배경복사(CMB)는 빅뱅의 흔적이 아니라 현재 우주의 모습이라고 생각한다.

요즘 천문학자들을 곤혹스럽게 하고 있는 이슈가 하나 있다.
바로 허블텐션(Hubble Tension)이라고 하는 것인데 제임스 웹 우주 만원경의 관측 결과로 허블상수의 팽창 율이 줄어들지 않고 더 고착화를 넘어 증가 하고 있다는 결과 때문이다.

우주가 계속해서 가속 팽창하고 있는 상황에서 우주 팽창 율을 계산하는 방법은 두 가지가 있는데, 하나는 먼 은하들의 거리와 후퇴 속도를 추정하는 방식과, 우주배경복사의 전파를 관측하는 방식이 있다.

관측 계산 결과 은하의 거리와 후퇴 속도를 계산 하는 방법의 결과치는 73km/s/mpc가 나왔고, 우주배경복사로 계산 한 결과치는 67km/s/mpc가 나왔었는데, 이번에 제임스 웹 우주 망원경으로 측정한 결과치가 73.5km/s/mpc로 더 간극이 벌어진 것에 대한 당혹감이다. 참고적으로 1mpc는 3,260,000광년이다.

위의 결과 치로 예측 해 볼 수 있는 것은 둘 중에 하나는 오류가 있거나 아니면 아직까지 인간은 우주 거시세계의 운동법칙에 대한 이해도가 부족해서 측정방법이 틀렸을 수도 있다는 가정이다. 쉽게 말해서 먼 거리에 있는 은하들의 운동법칙을 다 알지 못해서 인간이 알고 있는 방식으로 우주를 관측해서 나오는 오차일 것이라는 것이다.

위 9가지의 의문점으로 나는 빅뱅우주론을 신뢰하지 않는다.
프레드 호일 등 여러 천문학자와 물리학자들이 창세기와 비슷한 빅뱅우주론을 인정 하지 않고 35년 동안 논쟁을 이어온 이유는, 아마도 과학이 종교적 관념에서 벗어나지 못한 논리의 빈약함 때문은 아니었을까!

우리는 여기서 한 인물을 유심히 살펴 볼 필요가 있다.
벨기에의 가톨릭교회 사제이자 천문학자였던 조르주 르메트르는 에드윈 허블 이전에 먼저 우주의 팽창과 빅뱅우주론을 최초로 발표하였다. 아마도 아인슈타인의 상대성이론과 창세기에 나오는 “빛이 있으라”의 창조론을 연결시켜 하나의 진리를 만들고 싶었을 것으로 보인다.

이렇게 출발한 빅뱅우주론은 에드윈 허블에 의해 발전되었고, 펜지아스와 윌슨이 발견한 우주배경복사로 빅뱅우주론은 몇 가지 중요한 풀지 못한 난제가 있었음에도 과학계의 정설로 받아들여진다.

나는 지난 9년 동안 우주의 본질을 쫒아 과학에 빠져들었다. 빅뱅우주론의 물리적 오류를 발견하였고, 뜻하지 않게 양자역학 세계에 빠져 미시세계를 공부하게 되었으며, 거시세계는 미시세계의 물리법칙에 의해 만들어 진다는 것을 깨달았다.

빅뱅우주론은 창조론, 정적 우주론, 정상 우주론과 마찬가지로 우주의 본질을 찾아가는 과정에서 과학자들이 만들어낸 하나의 가설이라고 생각 한다.

가설이 정설로 받아 드리려면 입증이라는 검증 절차를 거쳐 실험적으로 입증이 되어야 함에도 과학계는 검증 불가한 빅뱅우주론을 정설로 받아 들여 전 세계 교과서에 실어 학생들에게 가르치고 있다.

빅뱅우주론도 머지않아 그 오류가 발견 될 것이라고 생각하고 있다. 제임스 웹 우주망원경에 의해 빅뱅우주론은 미궁 속으로 빠질 것이고, 세계 과학계는 그 진실을 찾아 추적 할 것이며 우리가 알고 있었던 모든 빅뱅의 이론은 흔들릴 것으로 예측 해 본다.

"지구 평면 설" "천동설" "빅뱅우주론"은 공통점이 있다. 보이는 현상만을 가지고 가설을 만들어 냈다는 것이다. 지구 평면 설은 땅이 평평해서 주장하고, 천동설은 태양이 지구를 돌고 있으니 주장하고, 빅뱅우주론은 별들이 멀어지고 있으니 처음에는 한 점에서 출발 했을 것, 논리적이고 물리적인 접근이 아니라 현상만을 보고 판단하는 단편적인 사고틀에서 벗어나지 못한 철학의 빈곤함 마저 느껴진다.

다는 아니더라도 제임스 웹 우주망원경에 의해 우주의 신비가 하나씩 하나씩 벗겨질 것이고 그때마다 천문학자들은 빅뱅이론이 맞다는 논리를 찾기 위에 또 시간과 열정을 낭비하게 될 것이다.

138억년이라는 시간은 우주에서는 찰라의 시간이다. 우주에서 너무도 작은 인간들은 자신들의 몸집보다 큰 천체들을 보면서 스케일 감각과 시공간에 대한 공간개념, 그리고 시간에 대한 개념 정리가 되지 않은 상태에서 우주에 대한 신비를 너무 빨리 단정 지은 것이다.

가보지 못한 우주이고, 끝까지 갈수도 없는 우주이기 때문에 다각적으로 우주를 바라보고 시야를 넓히는 노력들을 하면서 빅뱅우주론이 아닌 다른 가설들을 배척 하지 말고 타당한 가설들은 과학계에서 받아들이는 열린 마인드로 우주를 살펴보았으면 한다.

우주가 가속 팽창 하고 있다는 것이 팩트라 해서 우주가 과거에는 한 점에서 시작되었다고 역 계산을 했다면 우주의 시작점도 명확하게 명시 했어야 한다.

빅뱅우주론은 천동설과 같은 시각이다. 보이는 현상만을 가지고 유추하려는 태도라 할 수 있다. 우주는 천동설이 아닌 지동설의 시각으로 바라봐야 한다.

4장. 아인슈타인의 상대성 이론에 대한 반론.

상대성 이론은 관찰자라는 제3자를 등장시켜 이론을 만들었지만,
이는 입증이 불가능한 가설에 불과 하지 않아 과학적 정설로
받아들일 수 없는 상상이론일 뿐이다.

독자들의 메모장

당신의 의견을 적어 보세요.

4.아인슈타인의 상대성 이론에 대한 반론.

독자들 중에 과학에 몸담고 있는 분들께서는 빅뱅우주론에 이어서 아인슈타인의 상대성 이론까지 반론을 제기 하는 필자를 사이비 과학자로 치부 할 것이다. 나와 같은 부류의 사람들을 많이 경험 했을 것이고 이런 부류의 사람들과는 논쟁의 시간도 아깝게 생각 할 것이라는 것을 나는 잘 알고 있다.

그럼에도 불구하고 이 글을 쓰게 된 동기는 그동안 과학을 공부하면서 과학계도 카르텔이 존재함을 느꼈고 그 카르텔이 견고해서 그 누구도 깰 수 없다는 것을 알게 되었다. 그 대표적인 카르텔의 주인공이 아인슈타인이었다는 것을 알았고 그 피해자는 닐스보어였다는 것이다.

또한 현재 세계 물리학계에서는 빅뱅우주론을 부정하는 자의 논문은 받아주지 않는다는 것도 알고 있다. 이 또한 카르텔이라고 본다. 자기들만의 울타리 안에서 자신들의 업을 침해 하는 논리는 사이비 과학으로 치부하는 관행도 일종의 카르텔이라고 생각 한다.

상대성 이론을 발표 해 놓고 단 한 번도 스스로 입증 해 내려는 노력도 하지 않았던 아인슈타인이 운 좋게도 에딩턴의 개기일식 관측과 하이펄과 키팅의 제트기 실험에 힘입어 일약스타가 되었던 것도 아인슈타인을 중심으로 하는 기득권층의 카르텔이었을 것이다.

아인슈타인은 그 명성과 기득권의 힘으로 닐스보어가 평생을 두고 연구한 양자이론을 죽을 때 까지도 인정하지 않았던 것이 나를 매우 불편하게 하고 있다.

뒤에서 언급하겠지만 에딩턴의 개기일식 관측과 하이펄과 키팅의 제트기 실험도 상당한 오류가 있음을 알아차린 나는 이를 그냥 덥고 갈 수가 없어서 상대성 이론에 대한 오류를 세상 사람들에게 알리고 싶었다.

아인슈타인의 특수 상대성 이론과 일반 상대성 이론을 공부 하면서 느꼈던 것은 그 위대한 아인슈타인이 상대성 이론으로 노벨 물리학상을 수상하지 못 했다는 것이다.

노트와 펜 그리고 상상력으로 만들어 낸 상대성 이론은 그 당시 뉴턴의 고전 역학에 익숙했던 대중들에게는 획기적인 발상이었기에 많은 물리학자들에게도 상당한 충격을 주었을 것이다.

하지만 나에게는 아인슈타인의 상대성 이론은 마술쇼처럼 느껴졌다. 마술사가 기묘한 과학적 방법으로 대중을 속이는 기술처럼 느껴졌다는 것이다. 그럼 본격적으로 아인슈타인의 상대성 이론에 대한 반론을 시작해 보겠다.

아인슈타인의 특수 상대성 이론과 일반 상대성 이론을 압축 해 보면 다음과 같이 다섯 가지로 요약 할 수 있다.

하나, 움직이는 물체는 멈춰있는 물체보다 시간이 더 느리게 간다.

둘, 움직이는 물체는 멈춰있는 물체보다 길이가 줄어든다.

셋, 움직이는 물체는 멈춰있는 물체보다 질량이 늘어난다.

넷, 중력은 시공간을 일그러지게 한다.

다섯, 중력이 강할수록 시간은 느리게 간다.

그럼 위 5가지의 이론에 대해서 하나씩 반박 해 보겠다.

(하나)
움직이는 물체는 멈춰있는 물체보다 시간이 더 느리게 간다.

(반론)
물체와 시간의 관계를 설명한 것으로 보인다. 움직이는 물체와 멈춰있는 물체가 시간이 다르다. 좀 더 쉽게 설명해 모면 서있는 사람과 뛰고 있는 사람의 시간이 다르다. 이런 얘기가 아니겠는가! 또 다른 예로 달리는 자동차에 타고 있는 사람의 시계는 주차 된 자동차에 타고 있는 사람의 시계보다 시간이 느리게 간다는 것으로 이해된다.

나는 서있고, 너는 저 멀리 뛰어 가고 있다. 네가 아무리 빠르게 뛴다 해도, 아니 빛보다 10배 빠르게 뛴다 해도, 지구의 자전속도는 일정하며, 지구가 태양을 한 바퀴 도는데 365.2422일이 걸리는 것은 변함이 없다.

퀘이사가 폭발을 해도, 아니 태양계를 제외한 우주 전체가 대폭발을 일으켜 산산조각이 나서 사라져도 지구가 태양을 한 바퀴 도는데 걸리는 시간은 365.2422일로 변함이 없다.

지구 안에서 제트기가 아무리 빨리 나른다 해도 제트기가 비행장에 주기 되어 있다고 해도 두 제트기가 지구 중력에 붙잡혀 지구와 함께 태양을 한 바퀴 도는데 365.2422일 걸리는 것은 변함이 없다.

시간과 물체와의 관계는 아무런 관련이 없다. 세상에서 가장 공평한 것이 시간이다.

1971년 물리학자 헤이펄과 키팅은 상대성 이론에 대한 실험을 했는데, 세슘 원자시계 3개를 준비해서 하나는 지상 연구소에, 또 하나는 서쪽으로 향하는 제트기 안에, 그리고 또 하나는 동쪽으로 향하는 제트기 안에 두고, 마하의 속력으로 비행을 한 후,

3개의 시간을 측정한 결과 연구소에 두었던 원자시계를 기준으로 서쪽으로 향한 제트기 안의 원자시계는 10억분의273초가 빠르게 측정 되었고, 동쪽으로 향한 제트기안의 원자시계는 10억분의59초 느리게 측정 되었다.

이 실험으로 아인슈타인의 상대성 이론이 입증 되었다고 한다. 참으로 어이가 없다. 아인슈타인의 상대성 이론에서는 움직이는 물체는 멈춰있는 물체보다 시간이 더 느리게 간다고 했는데, 서쪽으로 향한 제트기 안에 있는 원자시계는 더 빠르게 측정 되었다.

그런데 상대성 이론이 입증 되었다고 주장한다. 상대성 이론이 맞다고 주장 하려면 서쪽으로 향한 제트기 안의 원자시계도 측정값의 시간이 느리게 나왔어야 맞는 것이다.

이것을 가지고 세계 물리학계는 아인슈타인의 특수 상대성 이론이

입증 되었다고 한다. 지상에 있는 원자시계와 날아가는 원자시계의 오차는 아인슈타인의 상대성 이론에 의한 차이가 아니라 중력의 크기에 따른 세슘원자의 진동수가 변했기 때문이다.

세슘원자시계는 1초에 9,192,631,770회 진동 한다. 세계 모든 국가는 이 진동수를 1초로 정해 놓았다. 세슘원자시계는 중력 기압 온도 자기장등 외부 환경조건에 따라 그 진동수가 달라 질수가 있다. 모든 물질은 중력의 영향을 받는다.

따라서 지상에 놓인 세슘원자시계와 하늘을 날고 있는 세슘원자시계는 중력과 기압 온도 자기장이 다르기 때문에 물리적 환경변화에 의한 오차가 발생 할 수밖에 없다. 이러한 오차는 시계라는 물체의 변화이지 시간의 변화가 아니다. 물질의 변화가 시간의 변화라고 착각 하고 있는 것뿐이다.

만약에 세슘원자 시계를 우주에 하나 더 높고 실험을 했다면 중력, 기압, 온도, 자기장의 차이가 커서 시간의 간극은 더 벌어졌을 것이라고 난 확신 하고 있다.

대기권에 날아다니는 수많은 인공위성의 GPS도 중력, 기압, 온도, 자기장의 물리적 환경에 의해서 시간적 오차가 발생하기 때문에 보정해주어야 한다. 이러한 오차는 시계라는 물질의 변화지 시간의 변화가 아니다. 시계와 시간은 엄연히 다르다. 시계는 물질이요 시간은 개념이다. 물질은 시간에 영향을 주지 못 한다.

전투기가 비행훈련을 한다고 가정해보자. 훈련을 마친 후 조종사가 차고 있던 시계가 느려지거나 빨라졌다는 얘기를 들어본 적이 있는가? 시간은 개념이요 시간은 물질, 속도에 영향을 받지 않는다.

하이펄과 키팅의 제트기 실험에서 10억분의59초가 느려졌다. 10억분의59초가 얼마나 짧은 시간인지 인간이 가늠이나 할 수 있겠는가 이는 세슘원자시계의 진동수가 주변 환경에 따라 미세하게 변한 결과물일 뿐이다.

원자세계는 하이젠베르크의 불확정성의 원리에 의해 인간이 알 수 없는 미세한 조건에도 반응하는 세계이기 때문에 세계 물리학계는 아인슈타인의 상대성 이론을 다시 검증해야 한다.

아인슈타인의 특수 상대성 이론으로 인해 일부 과학자들이 마치 타임머신을 타고 시간여행도 가능하다고 믿고 있는 현실에 안타까움을 표한다. 하루 빨리 아인슈타인의 마술쇼에서 벗어나길 바랄뿐이다.

(둘)
움직이는 물체는 멈춰있는 물체보다 길이가 줄어든다.
(반론)
아인슈타인의 상대성 이론을 보면 항상 등장하는 인물이 있다 바로 관찰자다. 아인슈타인의 독특한 접근법인데 나는 이 관찰자를 아인슈타인의 마법의 지팡이라고 지칭 하겠다.

이 마법의 지팡이로 대중의 눈과 의식을 속여 물리학적으로는 검증할 수 없게 만들어 버린다. 나는 안에 가두고 관찰자는 나를 관찰하게 해서 이론을 만들고 마치 이것이 거시세계에서 일어 날수 있는 현상인 것처럼 착각하게 만드는 것이다.

“움직이는 물체는 멈춰있는 물체보다 길이가 줄어든다.” 이 한 줄의

글만 보면 도저히 물리적으로 이해 할 수 없는 말인데도 과학자들은 환호성을 지르며 아인슈타인을 신봉하고 있다. 물체라고 하면 구체적인 형태와 부피를 가진 물건(고체)이고 말랑 말랑한 스펀지부터 철과 니켈 같은 고강도 물체까지를 일컫는데 어떻게 움직인다고 해서 길이가 줄어들 수 있는지 도저히 이해가 가질 않는다.

물체 길이가 줄어든다는 물리적 현상은 네 가지 방법에 의해서 발생 할 수 있는데, 하나는 물체를 차갑게(온도) 해서 길이가 줄어들 수 있는 방법이 있고 또 두 번째는 인위적으로 분자를 쪼개서 그 길이가 줄어들 수 있는 방법이 있고, 세 번째는 오랜 세월 풍화작용에 의해서 줄어들고, 네 번째는 물체에 에너지를 가해서 원자 단위로 분해하는 경우가 있을 것이다.

예를 들어보자, 기차 길 철로를 보면 철로와 철로를 연결하는 부분은 1cm에서 2cm정도를 간극을 두어 설치하는 것을 볼 수가 있는데 이는 여름철 뜨거운 태양열에 가열되어 철로가 늘어나는 경우와 겨울철 추위에 철로가 줄어드는 경우를 가만하여 간극을 두고 설치를 한다. 이러한 물리적 현상은 물체가 움직여서 발생 하는 것이 아니라 온도차에서 오는 길이의 변화다.

그리고 두 번째는 물체를 망치로 때려서 분자단위로 분리시키는 방법이 있고, 세 번째는 물체를 오랜 세월 동안 외부에 놓고 풍화시키면 분자 단위로 쪼개 질 수 있으며, 마지막으로 물체에 에너지를 가해서 원자 단위로 분해시키는 방법이 있을 것이다.

모든 물질은 강력, 중력, 전자기력, 약력을 갖고 있다. 이중에 가장 강력한 힘은 강력이다. 바위도, 철근도, 콘크리트도, 자동차도, 기차도, 비행기도, 사람도 모두 강력에 의해 형태를 갖게 되는 것이며 물체가 빛보다 빠르게 움직인다고 해도 그 움직임만으로 강력을 초월해서 물체의 형태를 변화시킬 수는 없다.

아인슈타인이 원자세계에서 강력의 존재를 알고 있었다면 "움직이는 물체는 멈춰있는 물체보다 길이가 줄어든다."는 말도 안 되는 이론을 발표 하지는 못했을 것이다.

(셋)
움직이는 물체는 멈춰있는 물체보다 질량이 늘어난다.

(반론)
아인슈타인의 위 이론을 검증 할 수 있는 간단한 방법이 있다. 하이펄과 키팅이 실험했던 방법으로 1ton 짜리 바위 4개를 준비해서 하나는 잠실 올림픽 주경기장 한 가운데에 두고, 또 바위 2개는 제트기에 각각 실어서 제트기 하나는 서쪽으로 또 하나의 제트기는 동쪽으로 마하 속도로 날려 보내고, 마지막 하나는 우주비행선에 실어서 우주 밖으로 나가 빛의 속도로 태양계를 한 바퀴 돌게 한 후, 잠실 주경기장에 모아 두고 무게를 재면 과연 질량이 늘어날 수 있을까?
지구의 자전 속도는 적도 기준 시속 1,674km로 돌고, 지구의 공전 속도는 초속 30km다. 지구가 태양을 한바퀴 도는데 365.2422일이 걸린다. 지구 반지름은 적도 기준 6,378km다. 지금까지 지구는 태양을 45억 번이나 돌았다. 아인슈타인의 논리로 보면 과거의 지구는 반지름이 더 컸어야 하며, 앞으로 시간이 더 지날수록 지구의 반지름은 줄어들어 태양계에서 사라져야 한다. 이게 맞는 논리일까?

아인슈타인은 서울 종합운동장에 가서 재미있는 실험을 하나 했다. 몸무게가 100kg인 영구와 땡칠이를 불러다가 땡칠이를 운동장 한가운데에 앉혀 놓고, 영구는 운동장 트랙에 세워 놓았다.

아인슈타인은 땡칠이한테는 운동장 한가운데에 꼼짝 말고 앉아 있으라고 지시를 하고, 영구한테는 트랙을 쉬지 말고 돌라고 했다. 배가 고파서 밥 먹을 시간이 되면, 아인슈타인은 인공지능 로봇에게 밥을 가져다주라고 하고 자신은 관람석에 앉아 두 물체(영구와 땡칠이)를 관찰했다.

영구를 1조 바퀴를 돌린 후 영구의 체중을 재봤는데, 이상했다 움직이는 물체는 멈춰있는 물체보다 질량이 늘어나야 하는데,
영구의 몸무게는 오히려 1kg이 줄어든 것이다.

아인슈타인은 다시 영구를 (1경)바퀴를 돌려봤다. 그리고 몸무게를 재보니까 몸무게가 2kg이나 줄어들었다. 다시 아인슈타인은 영구를 (1해)바퀴 돌게 한 후, 몸무게를 재보니 3kg이 줄어들었다.

아인슈타인은 노트에 적어놓은 상대성 이론으로 계산을 해 보더니 다시 영구를 (1자)바퀴를 돌게 했다. 또 몸무게를 재보니 4kg이 줄어들었다.
아인슈타인은 포기 하지 않고, 영구를 (1양)바퀴 돌리고
몸무게를 재보니 또 5kg이 줄어들었다.

세월은 흘러 10년이란 시간이 흘렀다. 아인슈타인의 실험은 여기서 멈출 수가 없었다. 국제적 명성이 자자한 천하의 아인슈타인은 계속해서 실험을 이어간다.

영구를 (1구)바퀴 돌리고,
또다시 (1간)바퀴 돌리더니
계속해서 (1정)
(1재)
(1극)
(1항하사)
(1아승기)
(1나유타)
(1불가사의) 돌리고도 모자라
인간의 마지막 숫자 (1무량대수)만큼 돌려보고 영구의 몸무게를 재어보니, 뼈만 앙상하게 남아 있었다. 여기서 중요 한 것은 땡칠이와 아인슈타인의 질량은 얼마나 되었을까? 여러분의 상상력에 맡기겠다. 내가 아는 물리 법칙상 움직이는 물체가 질량이 늘어나는 경우는 찾지 못하겠다. 물리학자들이 방법을 찾아 주면 정말 고맙겠다.

(넷)중력은 시공간을 일그러지게 한다.

(반론)
나는 중력이 시공간을 휘게 한다는 아인슈타인의 이론을 들었을 때는 그냥 그러려니 했지만, 양자역학을 공부한 후, 물질의 작동원리를 이해하고 난후에는 아인슈타인의 상대성이론이 틀렸음을 깨닫게 되었다.

자! 중력이란 무엇인가? 세상의 모든 물질은 중력을 가지고 있다. 소립자부터 거대 은하까지, 모든 물질들은 크기와 질량에 따라 서로 잡아당기는 힘을 가지고 있다. 지금까지 인간이 발견한 힘은 강력, 중력, 전자기력, 약력 4가지 힘이 있다. 이 4가지 힘은 물질끼리만 상호작용 한다.

즉, 중력은 물질끼리만 작용 한다. 시공간은 물질이 아니다. 시공간 안에 물질이 있는 것이지 물질 안에 시공간이 있는 것이 아니다. 시공간이 물질을 지배한다.

아인슈타인은 수성이 세차운동을 하는 것을 보고 태양의 중력에 의해 시공간이 휘어진 것이라고 주장하였다. 수성이 태양의 중력파에 붙잡혀 세차운동을 하는 것이라고 주장하는 논리라면 수성은 오래전 태양의 밥이 되었어야 맞다. 수성이 태양 주변을 빙글 빙글 돌다가 태양 속으로 쏙 빨려 들어가야 맞다.

그런데 수성은 변함없이 계속해서 수십 억 년을 태양주변을 돌고 있다. 태양과 수성의 거리는 5790만km밖에 되지 않는다. 아인슈타인의 논리대로라면 수성은 태양의 곡률에 의해 조금 씩 조금 씩 태양과 가까워지다가 태양 속으로 빨려 들어가야 한다.

국제전파 천문학 연구센터의 라이언 섀넌과 중력파를 추적하는 과학자 그룹인 CSIRO는 지난 11년 동안 중력파를 찾아보았지만 "우리는 아무것도 듣지 못했다. 최소한의 징후도 발견하지 못했다"고 섀넌 박사는 밝혔다 "우주는 아주 고요했다. 적어도 우리가 찾는 중력파 같은 것은 볼 수 없었다."라고 발표 했다.

그렇다면 수성의 세차운동은 무슨 원리일까 곰곰이 생각해 보았다
나의 추론으로는 수성 내부의 물질에 비밀이 있다고 본다. 수성은 내부 밀도가 지구보다 높다. 밀도가 높다는 것은 매우 높은 에너지에 의해 만들어졌다는 것이다.

수성

당연히 그럴 수밖에 없다. 뜨거운 태양 근처에서 만들어 졌으니, 지구에 있는 물질보다는 더 단단한 물질들로 만들어진 행성이라고 본다. 수성의 실제 모습을 보면 무척 단단해 보인다. 수성 내부로 들어가면 지구의 내부보다 더 단단한 물질로 구성 되어 있을 것이다.

그런데, 수성의 세차운동을 보고 있으면 마치 수성 내부의 단단한 중심부가 한쪽으로 치우쳐 있을 수 있다는 생각이 든다. 달걀을 삶았을 때, 노른자위가 한쪽으로 치우쳐서 쪄진 달걀처럼, 수성의 내부 중심부가 한쪽으로 치우쳐져서 세차운동을 하는 것처럼 보인다.

수성의 세차운동은 태양의 높은 온도와 수성의 단단한 물질과의 충돌에서 비롯된 인간이 아직 밝혀 내지 못한 우주 물리 법칙에 의한 운동일수 있다는 추론으로 결론 내리고 싶다.

1919년 영국의 천체 물리학자 에딩턴은 빛이 무거운 별 근처를 지나는 동안 중력에 의해 빛의 경로가 휜다는 아인슈타인의 이론을 최초로 입증하기 위해서 프린스페 섬(서아프리카)으로 원정대를 이끌고 갔다.

일반상대성이론으로 예측된 것처럼 개기일식이 일어나는 동안 가려진 태양원반의 바로 뒤쪽에 보이는 별의 위치가 태양원반의 중심에서 약간 이동된 것이 발견 되었다.

이 발견으로 세계 물리학계는 난리가 났다. 아인슈타인의 중력파는 존재하며 입증이 되었다고 한다. 이 사건으로 변방의 아인슈타인은 일약 스타 반열에 올랐고, 과학계의 아인슈타인을 인류역사상 가장 위대한 인물로 포장하기 시작했다. 아인슈타인의 상대성이론은 지금까지도 물리학자들의 표본이며 절대불변의 이론처럼 받아들이며 칭송 하고 있다.

나는 이런 과학계에 일침을 가하기 위해 다음과 같이 반론을 제시한다. 우주의 모든 반짝이는 별들의 빛은 주변의 모든 공간으로 빈틈없이 확산 한다. 다시 말해서 별빛은 하나의 광선이 아니라는 것이다. 우주 멀리에 있는 별빛은 빛의 밝기에 따라 우리 눈에 하나의 광선처럼 들어오지만 실제로는 모든 공간으로 산란한다. 태양도 마찬가지다.

에딩턴이 관찰한 개기일식의 상황으로 돌아가 보자. 태양의 뒤 멀리에 있었던 별빛이 태양을 지나갈 때 하나의 광선으로 지나갔을까?
결코 그렇지 않다. 우리 눈에는 하나의 광선처럼 보였지만, 그 별빛은 태양 주변을 감싸며 지나가게 된다는 것이다. 따라서 개기일식

당시 에딩턴이 촬영한 사진에 보인 태양 주변의 작은 별빛은 하나의 점으로 보여서는 안 되고 태양주변을 에워 싼 띠 형태로 보여야 한다는 것이다.

아인슈타인이 착각하고 있는 것이 있다면 이런 빛의 성질을 알아차리지 못한 것이다. 빛을 마치 하나의 광선처럼 해석해서 말도 안 되는 상대성이론을 창조 한 것이다.

특수 상대성이론에서도 구멍 하나를 뚫은 우주선을 수직 상승 시키면서 구멍 안으로 빛이 들어오는 것을 가정한 후 우주선을 빛의 속도로 상승 시키면 구멍을 통해서 들어온 빛이 우주선 안에서 휘어지는 것으로 설명을 한다.

이것도 매우 잘 못 된 상황 설명이다. 빛은 무수히 많은 산란으로 모든 공간에 영향을 미치므로 우주선이 빛의 속도로 수직 상승 하여도 빛은 우주선 안으로 계속해서 들어오기 때문에 우주선 안에서는 빛이 휘는 경우는 발생 하지 않는다.

아인슈타인이 말하는 중력파는 절대로 존재 할 수 없다. 이 무주세계에서 우리은하는 먼지티끌만한 존재다. 먼지티끌만한 은하 속 조그마한 블랙홀들이 시공간을 휘게 한다는 것은 물리적으로 이치에 맞지 않다.

과학자들은 거대한 블랙홀에 빨려 들어가면 빛도 시간도 멈춘다는 사건의 지평선을 이야기 한다. 마치 시간여행도 가능 하다고 하는 것처럼 말이다. 아무리 큰 중력이라 하여도 절대로 시공간을 휘게 하는 일은 벌어지지 않는다. 단지 주변 가스물질들로 인해서 착각을 일으킬 뿐이다. 이에 대한 나의 주장은 인간이 우주의 미스 테리를 다 밝힌 후 증명 될 것이다. 이러한 모든 비 물리적 접근 방식은 아인슈타인의 마술쇼에서 비롯된 것임을 강조하는 바이다.

(다섯)
중력이 강할수록 시간은 느리게 간다.

(반론)
“중력이 강할수록 시간은 느리게 간다.” 아인슈타인의 이 주장은 틀린 주장이다. “중력이 강할수록 시계는 느리게 간다.” 이 말은 맞는 표현이다. 중력은 물질에서 나오고 시계도 물질이기 때문에 시계는 중력을 영향을 받는다. 따라서 중력과 시계는 물질과 물질로서 상호 작용을 하는 것이고, 중력과 시간은 상호 작용을 하지 못한다.

아인슈타인은 일반상대성 이론에서 중력과 시간의 상관관계를 설명하였다. 현재 세계 과학자들에게 중력이 무엇입니까? 라고 질문을 하면 명확하게 답을 할 수 있다. 하지만 시간은 무엇입니까? 라고 묻는다면 명확하게 답하는 사람은 없다.

아인슈타인도 마찬가지였을 것이다. 시계의 물리적 현상을 시간의 변화로 착각하여 중력과 시간의 관계를 이론으로 만들었다는 것인데, 이는 거시세계의 물리 법칙이 성립 할 수 없는 조건이다.

중력은 물질에서 나오고 시간은 시계라는 기계를 통해서 시간을 확인한다. 중력이 강할수록 시간은 느리게 간다. 라는 주장은 틀린 주장이고 중력이 강할수록 시계는 느리게 간다. 가 맞는 표현이다. 하이펄과 키팅이 한 제트기 실험에서 시간차이가 난 것은 세슘원자 시계라는 물질의 진동수 변화이지 시간의 변화가 아니다.

시간은 항상 일정하게 흐른다.
세슘원자시계의 진동수가 중력에 영향을 받아 줄어드는 현상을 마치 시간이 줄었다고 표현들 하고 있는 것은 잘못된 표현이다. 우주의 모든 시간은 언제 어디서나 일정하고 절대적인 시간이다.

인간은 이 절대적인 시간을 시계라는 도구를 이용해서 수학적으로 표기해서 인지하는 것뿐이다. 나는 인간이 시계라는 도구로 인지하고 있는 시간을 상대적 시간이라고 명명 하고자 한다. 자세한 것은 다음 5장에서 설명 해 보고자 한다.

이것으로 아인슈타인의 상대성이론에 대한 반론을 마무리 한다. 마지막으로 아인슈타인이 상대성 이론으로 노벨 물리학상을 수상 하지 못한 이유를 누군가가 인터넷에 올린 글이 있어서 캡처 해 보았다.

아인슈타인은 논쟁의 여지가 있는 인물이었다. 그는 유대인이었으며, 평화운동의 강력한 지지자였다. 게다가 그의 이론 물리학적 접근 방법은 당시 일반 물리학자들과 달랐다.

그는 노벨상 후보로 계속 지명 되었지만, 노벨상 위원회에서는 그의 대중적 유명세에도 불구하고 상을 주는 것을 거부했다(정치적인 이유 때문이라고 추측하고 있다)

1921년의 노벨상은 수여되지 않았다.
1922년에 노벨상 위원회는 타협안을 찾아냈다. 실험을 통해 증명된 광전효과에 관한 연구로 아인슈타인에게 1921년 노벨 물리학상을 수여하기로 한 것이다.

이론 물리학자 아인슈타인은 상대성이론에 평생 동안 공을 들였지만, 결국 상대성 이론으로 노벨물리학상을 수상하지 못했으며, 국제적 명성과 정치적인 판단에 의해 광전효과 연구결과로 겨우 노벨물리학상을 수상하게 되었다.

나는 아인슈타인의 상대성 이론을 마술쇼로 평가절하 하면서 다음과 같은 메시지를 전한다.

"아인슈타인 당신이 전 인류에 걸어놓은 마술을 내가 풀어버리겠소."

"그 좋은 머리로 상상 속 이론이 아닌 물질의 본질을 쫒아 탐구했다면 얼마나 좋았겠소."

"당신은 노트와 펜 달랑 두개를 들고 상상 속 이론만 만들어 놓고, 당신이 직접 증명 한 것은 하나도 없지 않소."

"에딩턴이 당신의 일반 상대성 이론을 증명하기 위해서 원정대를 꾸려서 떠날 때 아인슈타인 당신은 왜 함께 하지 않았소."

"에딩턴과 함께 하지 않은 것은 당신이 자신의 이론을 입증하기 위해서 노력을 했어야 함에도 서아프리카 프린스페 섬으로 떠나지 않은 것은 당신이 큰 실수요."

"이 우주의 본질은 원자핵 속에 있는 물질들의 메커니즘에 있음을 왜 깨닫지 못하고 눈을 감았소."

"혹시 아이 작 뉴턴을 뛰어 넘고자 했던 욕심이 있었던 건 아닌지 묻고 싶소?"

"나는 수많은 과학자들의 연구와 실험을 통해서 얻은 지식을 바탕으로 내 철학적 직관과 통찰력만으로 우주만물의 법칙을 완성 했소."

"여기에 아인슈타인 당신의 상대성이론은 철저히 배제되었음을
말하고 싶소."

“우매 한 나 같은 사이비 과학자도 양자역학을 공부 하고 나서 우주 만물의 법칙을 깨달았는데 아인슈타인 당신 같은 천재가 미시세계를 이해 못하고 눈을 감았다는 것에 나는 놀라지 않을 수 없었소.”

"시간은 절대로 순환 하지 못하며, 어떠한 물리적 현상에도 반응 하지 않으며 어느 한 순간도 멈추지 않고, 흐트러짐 없이 앞으로 나아갈 뿐이요."

"닐스보어와 하이젠베르크의 양자역학과 불확정성의 원리는 미시세계의 작동 원리요."

"세상의 모든 물질은 원자핵속의 메커니즘에 의해 만들어지는 것이고 원자들이 물질을 구성하고 그 물질들은 또 파괴되고, 또 뭉쳤다가 또 흩어지는 것이요."

"닐스보어가 밝혀낸 미시세계는 거시세계를 풀어줄 열쇠고, 나는 이 열쇠로 우주만물의 법칙을 깨달았소."

"닐스보어와 하이젠베르크의 물리에 비하면 아인슈타인 당신의 물리는 새 발의 피라고 생각하오."

"원자핵 속의 미시세계의 작동 원리는 분명 있소. 하지만 인간이 관찰하는 순간 변화무쌍하게 움직이기 때문에 인간은 절대로 원자핵 속의 물리법칙을 알아차릴 수가 없소."

"세상의 모든 물질은 규칙이 있으나 인간은 절대로 알아차릴 수가 없소."

"결론적으로 닐스보어의 말은 옳고 아인슈타인 당신의 말은 틀렸소."

"당신의 상대성 이론은 절대로 받아들이지 않을 것이요. 현대 물리학에서는 관찰자의 관점은 의미가 없소. "

"당신은 이론물리학이 아닌 마술쇼를 전공 했어야 했소."

"그리고 당신은 유대인이라는 것 하나로 운이 좋았을 뿐이요."

"당신은 수많은 대중이 시간여행도 가능 한 것처럼 착각하게 만들었소."

"그리고 중력이 시공간을 휘게 한다는 말도 안 되는 논리로 마술을 부려 또 과학자들을 혼란스럽게 만들어 버렸소."

"내가 아인슈타인 당신이 걸어놓은 마술을 다 풀어 버리겠소."

“아인슈타인 당신의 특수 상대성 이론에 나오는 빛, 시간, 관찰자, 라는 키워드는 당신의 상상력을 짜깁기하기 위한 도구일 뿐이요.”

“일반 상대성 이론에 나오는 중력, 시간은 물리적으로 아무런 상관 관계가 없소.”

“퀘이사 보다 천억 배 큰 블랙홀이라 하여도 시공간은 물질이 아니기에 물질인 블랙홀과 결단코 상호 작용을 할 수가 없소.”

“시간이란 개념과 시계라는 물질을 이해하고, 우주에서의 모든 현상은 물질과 물질의 상호 작용에서 비롯된 현상임을 깨닫고, 시공간은 물질과 상호 작용을 하지 않는다는 기본 물리법칙을 이해하고 과학을 탐구 했으면 하오.”

“우주 만물의 법칙을 탐구함에 있어서 관찰자는 의미가 없소”
“우주 만물은 모든 물질이 서로 상호 작용에 의해서만 만들어 지고 있소”

“따라서 알베르트 아인슈타인 당신의 상대성 이론은 당신의 상상 속 이론이고, 이론물리학자도 아닌 과학계의 마술사일 뿐이요”

“아인슈타인 당신은 시대를 잘 타고난 운 좋은 유대인이었소“

5장. 도대체 시간이란 무엇인가.

시간을 이해하기 위해서는 시간이란 개념과
시계라는 물체을 알고
물체와 개념은 상호작용을 하지 못한다는 것을
알아차리면 된다.

"시간은 개념이요 시계는 물질이다."

독자들의 메모장

당신의 의견을 적어 보세요

5.도대체 시간이란 무엇인가.

시간에 대하여....!

이 주제는 나에게는 매우 흥미로운 부분이다. 어려서부터 상상의 나래를 펼치게 했던 주제이기도 하다. 시공간이라는 개념은 우주에 대한 끝없는 추적을 해 나감에 있어 항상 나를 무아지경에 빠지게 한 개념이었다.

시간과 공간은 하나다. 이 명제는 절대 진리다.
공간이 존재 하는 곳에 시간은 반드시 존재한다. 따라서 시공간이라는 용어로 4차원 세계인 우주를 설명 할 수가 있다. 1차원은 선을 의미하며, 2차원은 면을 의미하고, 3차원은 면에 깊이를 갖는 공간이다. 마지막으로 무한대의 4차원공간은 3차원공간+시간으로 개념을 정리 할 수 있다.

4차원공간은 시간이라는 개념이 포함되기 때문에 우주(지구포함)를 설명하는데 적합하다. 아울러 시간은 시작도 끝도 없는 무한한 존재이기 때문에 시공간은 무한한 존재로 받아들여야 한다는 것이 나의 주장이다.

여기서 시간이라는 개념은 공간과 마찬가지로 우주를 이해하는데 있어서 매우 중요한 요소이기도 하며, 세상을 이해하는데 새로운 시각을 제공 한다.

이 우주에 인간(호모사피엔스)이라는 생명체가 존재 했던 시기는 지금으로부터 불과 35만 년 전에 불과 하지 않는다. 35만년 중에서도 인간이 시간이라는 개념을 인지하고 사용하기 시작했던 기간은 고작 1만년도 채 되지 않는다. 또한 1만년 중에서도 달과 별을 이용해서 시간을 측정 했던 시기를 제외한 정밀한 시간을 사용했던 시기는 불과 300년 전의 일이다.

그렇다면 1만년을 제외한 나머지 시기에는 시간은 존재 하지 않았을까? 이렇게 생각하는 독자들은 한 사람도 없을 것이다. 그 이전의 억겁의 시간동안에도 시간이라는 개념은 공간과 함께 절대적인 시간으로 존재 했었으며, 우주에서 태양과지구가 만들어지기 이전에도 시간은 절대적인 시간으로 존재 하고 있었다.

시공간과 관련하여 아인슈타인은 물체의 질량과 속도에 따라 시간과 공간이 왜곡 될 수 있다는 상대성 이론을 발표 하였지만, 이는 매우 부적절한 이론이고 그야 말로 왜곡된 시각이다.

시간과 공간은 물질이 아닌 개념이기에 물질과 상호 작용을 할 수가 없다. 상호 작용은 물질과 물질끼리만 상호 작용을 한다. 상호 작용은 인간이 밝혀 낸 4대 힘인 중력, 전자기력, 강력, 약력이 물질의 각기 다른 성질에 의해 작동하는 물리적 현상이다.

여기서 중요한 것은 모든 물질의 상호 작용은 질량이 있어야 가능하다. 질량이 없으면 상호 작용을 할 수가 없다. 따라서 시간과 공간은 질량이 없는 개념이기 때문에 항성이나 행성들의 중력에 아무런 영향을 받지 않는다.

그래서 아인슈타인의 상대성 이론은 상상 속 이론이고 미시세계나 거시세계에서 증명 할 수 없는 확인불가 이론이라고 생각한다.

우주에서의 시공간이라는 개념정리는 책 중반부에서 다시 언급하기로 하고 여기서는 시간이라는 개념에 대해서 깊이 숙고 해 보고자 한다.

도대체 시간이라는 것이 무엇이란 말인가!

"시간이란 무엇입니까?" 라고 과학자나 물리학자 철학자들에게
질문을 하면, 명확하게 답변하는 사람은 없다. 과거에도 그랬고 현재에도 마찬가지다.

누가 나에게 "시간이란 무엇입니까? 라는 질문을 한다면 나는 아래와 같이 답 하겠다.

A.-시간은 인간이 측정 할 수 없는 절대적인 시간과 측정이 가능한 상대적인 시간의 두 종류가 있다.

B.-절대적인 시간은 우주(宇宙) 어디서나 똑같은 시간이며, 수학적으로 계산하거나 측정을 할 수 없는 시간이다.

C.-상대적인 시간은 우주(宇宙) 어디서나
각기 다른 형태로 여러 가지로 존재 할 수 있으며, 수학적 계산과 측정이 가능한 시간이다.

D.-지구에서 우리 인간이 만든 시간은
지구자전과 공전을 관찰하여 만든 상대적인 시간이다.

E.-상대적인 시간은 태양이라는 항성과 시계라는 물체가 사라지면 함께 사라진다.

F.-절대적인 시간이나 상대적인 시간은 절대로 멈추거나 뒤로 갈수 없으며 앞으로 나아갈 뿐이다.

G.-절대적인 시간과 상대적인 시간은 중력에 반응 하지 않으며, 그 어떠한 물리적인 힘으로도 시간을 붙잡을 수 없다.

H.-공간이 존재하는 곳에 시간이 존재한다. 시간이 공간을 지배하는 것이 아니라 공간이 시간을 지배한다.

I.-무한대의 무주(無宙)공간에 있는 모든 은하와 항성 행성이 사라지면, 시간을 측정하는 자가 없기 때문에 상대적인 시간은 사라지고, 절대적인 시간만 암흑의 시공간과 함께 존재 한다.

J.-상대적인 시간은 절대적인 시간을 시계라는 도구를 사용해서 인간이 만들어 인지한 시간이다.

K.-상대적인 시간은 우주 공간에서 인간 외에 또 다른 지적생명체에 의해서 여러 형태로 만들어져 여러 개의 시간이 존재 할 수 있다.

L.-우주의 모든 상대적인 시간들은 절대적인 시간에 포함된다.

이것이 내가 생각하는 시간의 정의다.

과거의 철학자나 물리학자 수학자 천문학자는 시간을 정의 할 때 추상적이거나 관념적인 틀에서 벗어나지 못했다. 아인슈타인도 마찬가지였을 것이다.

17세기 영국의 천문학자 아이작 뉴턴만이 시간을 이렇게 정의 한다.

"변화와 상관없이 시간은 흐른다.
아무 변화가 없어도 시간은 수학적이고 절대적으로 흐른다."

나는 여기서 뉴턴의 말 중에 "변화" 와 "수학적" "절대적"이란 세 단어에 주목 한다. "변화"라는 말은 과거 현재 미래에 발생하거나 발생 할 수 있는 물리적사건이나 물리적 현상으로 이해를 했다.

"수학적"이라는 말은 인간이 만든 수학으로 시간을 측정 할 수 있다는 것으로 이해를 했다.

"절대적"이라는 말은 불변이라는 말로 이해를 했다.

아이작 뉴턴의 "변화와 상관없이 시간은 흐른다." 라는 말은 절대적인 시간을 의미하는 것이고, "시간은 수학적이고 절대적으로 흐른다."라는 말은 상대적인 시간을 의미 한다고 볼 수 있다. 상대적인 시간은 물체의 운동 현상으로 만들어진 것이기 때문에 수학으로 표현 할 수가 있다.

하지만 절대적인 시간은 물체(항성, 행성)가 없는 시공간 어디에서도 존재하기 때문에 인간은 이를 수학적으로 측정 할 수가 없다. 태양계를 벗어나면 또 다른 시계를 만들어서 절대적인 시간을 인지해야 한다.

인간을 제외한 다른 동물들은 시간을 측정 할 수가 없다. 수학을 모르기 때문에 낮과 밤, 아침과 저녁, 날씨와 기온 등 계절을 느끼면서 오감으로 살아간다. 우리 인간도 과거에는 그랬다.

인간이 만든 시간은 태양계를 벗어나거나 태양계가 이 우주에서 사라진다면 무용지물이 된다. 즉, 인간이 태양계를 벗어나면 여타 곤충이나 동물처럼 오감으로 시간을 인지 할 수밖에 없다는 것이다.

상대적인 시간은 언제든지 사라질 수 있고, 절대적인 시간은 공간이 존재 하는 한 영원하다.

몇 가지 예를 한번 들어보자.

예1) 지구에 인간이 살아가면서 세슘원자시계로 시간을 측정해서 인지하고 있고, 남극에 인간이 아닌 새로운 지적 생명체가 살고 있다고 가정을 해 보자. 남극에 살고 있는 지적 생명체도 세슘원자시계가 아닌 다른 원자시계를 만들어 시간을 인지하면서 살아간다고 할 때, 지구에는 두 개의 상대적 시간이 존재 한다고 할 수 있다.

예2) 인간이 과학이 발달해서 지구를 떠나 다른 행성으로 이주를 했다고 가정을 해 보자. 그 행성은 지구와 다른 자전주기를 갖고 있을 것이고 항성의 크기에 따라 공전주기도 태양과 다를 것이다. 그곳에서 인간은 자전과 공전주기에 맞게 새로운 시계를 만들어 시간을 인지 할 것이다.

이때 우주에는 지구에서 사용하는 시계로 인지하는 상대적 시간과, 남극에서 살아가는 생명체가 인지하는 시간, 그리고 이주한 행성에서 지구인에 의해 또 다른 시계를 만들어 시간을 인지하고 있다면 우주에는 3개의 상대적 시간이 존재 한다고 볼 수 있다.

예3) 지구에서 인간이 살고, 지구 남극에서 또 다른 지적생명체가 살고 있으며, 인간이 이주한 행성에서 지구인이 살고 있다고 가정할 때, 또 안드로메다 어딘가에 지적생명체가 살고 있다면 우주에는 4개의 상대적 시간이 존재 하게 된다.

예4) 우주 시공간에 한 관찰자가 있다고 가정 해 보자. 관찰자의 이름은 석가모니로 해 보겠다. 무주(無宙)공간에 매우 커다란 석가모니가 양반다리 하고 공중에 둥둥 떠서 앉아있다. 석가모니 앞에는 우주(宇宙)라는 세계가 한눈에 들어온다.

석가모니가 우주를 가만히 관찰하고 있다. 우주가 조금씩 팽창하며. 풍선처럼 조금씩 부풀어 오르고 있다.

부풀어 오르고 있는 우주가까이에 손을 가만히 대어보니 조금 따뜻함을 느낀다. 석가모니는 시계(상대적 시간)가 없다. 그냥 시간을 느끼고(절대적 시간) 있을 뿐이다.

석가모니는 우주를 관찰하다가 우리은하에 있는 태양계속 지구라는 행성에서 수많은 동물들과 함께 부지런히 움직이는 인간들을 발견한다.

인간들은 손목에 찬 시계를 보면서 왔다 갔다 바쁘게 움직인다. 어떤 인간은 손목에 찬 시계를 보면서 강연을 하고 있고, 어떤 인간은 비행기를 몰고 서울에서 미국으로 이동을 하고 있다. 석가모니는 시선을 남극으로 돌렸다. 남극에도 이상한 생명체가 시계를 보면서 부지런히 움직이고 있다.

석가모니는 고개를 돌려 우리은하 저편에 또 다른 인간들의 무리들을 관찰하고 있다. 시계를 보면서 열심히 건물을 짓고 있는 인간들을 관찰 하고 있다. 매우 능숙한 솜씨로 공사를 하고 있다.

석가모니는 다시 고개를 돌려 안드로메다은하를 바라본다. 안드로메다에는 푸루미아 라는 행성이 있다. 푸루미아 라는 행성에는 또 다른 지적생명체가 살고 있는데 타우 족이다. 타우 족들은 농사도 짓지 않고 일도 하지 않는다. 그냥 자연에서 먹이를 구해서 먹고 놀면서 산다. 시계도 없다. 석가모니는 지구에 살고 있는 인간과 타우 족을 번갈아 바라보면서 가만히 지켜보고 있다.

인간과 타우 족 두 동물이 동시에 움직이고 있다. 여기서 동시에 움직이는 두 동물을 바라보며 석가모니가 느끼는 시간을 절대적인 시간이라고 한다.

반면, 인간과 타우 족이 느끼는 시간의 개념은 다르다. 인간은 태양을 기준으로 만든 상대적인 시간을 느끼는 것이고, 타우 족은 또 다른 항성을 바라보면서 하루하루라는 상대적 시간을 알아차리며 살아간다. 이렇게 현재 우주에는 4개의 상대적 시간이 존재 한다고 볼 수 있다. 그리고 석가모니가 인지하는 시간은 절대적인 시간이다.

이 4부류의 생명체를 바라보던 석가모니는 지루하고 심심해서 우주를 다 쓸어버리고 모든 우주를 갈기갈기 찢어버린다. 우주는 사방으로 흩어져 사라지고, 우주 안에 있던 모든 생명체들은 순식간에 사라진다. 그리고 시간을 측정하는 지적 생명체들이 사라졌기 때문에 동시에 상대적인 시간들도 모두 사라지고 절대적인 시간만 남게 된다.
이것이 우주 시공간에 존재 하는 시간의 개념이다. 위에서 예시한

4개의 모든 상대적인 시간은 결국 절대적인 시간이다. 이 절대적인 시간을 인간은 시계라는 도구를 통해서 시간을 숫자화 해서 상대적인 시간을 만들어 살아간다고 이해하면 된다.

아인슈타인의 상대성 이론에 나오는 시간은 상대적(물리적, 기계적) 시간이다. 아인슈타인이 인지한 시간은 상대적(물리적, 기계적)시간이며, 독자 여러분이 인지하고 있는 시간도 이 범주에 포함된다.

시간의 본질은 우주(宇宙) 어디에서나 똑같이 흐르는 절대적인 시간이지, 행성과 항성이 사라지면 없어지는 상대적인 시간이 되어서는 안 된다.

인터스텔라라는 영화에서 보면 우주여행을 하고 온 아버지가 지구에 돌아왔을 때 늙어버린 딸을 만나는 장면이 나오는데, 이러한 상황은 절대로 일어나지 않는다. 우주 어디에 있든 아버지와 딸은 절대적인 시간 속에서 함께 늙어 가기 때문이다.

우주의 시간은 누가 어디에 있든, 누구에게나 공평하게 흐른다. 따라서 상대적인 시간으로 우주 시공간을 측정해서는 안 된다.

흔히들 아인슈타인의 상대성 이론을 인용하여 중력이 크면 시간이 느리게 간다는 논리로, 블랙홀 같은 중력이 큰 상황에 노출되면 사건의 지평선에 도달하여 결국 시간이 멈춘다고들 한다. 이것은 과학계의 큰 착각이라고 생각한다.

사건의 지평선과 같은 현상은 절대로 일어나지 않는다.
시간과 천체는 절대로 상호 작용을 하지 못한다.

우리 인간이 만든 시간은 우리 인간이 삶을 영위하기 위한 태양계 안에서 우리들의 약속일뿐이다. 이러한 협의의 시간으로 이 드넓은 무주(無宙) 세계에서 일어나는 물리적 현상을 이해하려는 것은 어리석은 짓이다.

상대적인 시간으로 우주 물리학을 바라보게 되면 아인슈타인과 같은 천재 같은 바보의 마술에 빠지게 된다. 우리는 아인슈타인의 마술에서 빨리 벗어나야 한다. 그래야 우주의 본질을 볼 수 있고, 우주만물의 법칙을 알아차릴 수 있다.

거듭 말하지만, 시간과 공간은 물질이 아니다. 결단코 아무리 강한 중력이라고 해도 시간에 영향을 주지 못한다. 단 시계에 영향을 줄 뿐이다. 우리 인간이 만든 시간은 태양과 지구 의 상관관계로 만들어졌다. 이것을 상대적시간이라고 표현했다. 내가 이 세상에서 처음으로 주장하는 이론이다.

시간은 두 종류가 있다.
하나는 우주(宇宙)어디서나, 무주(無宙) 어느 공간에서나 똑같이 흐르는 절대적시간이고, 또 하나는 지적생명체들이 만들어 내는 시간들 이것을 상대적 시간이라고 한다.

만약에, 우주 곳곳에 인간과 같은 지적생명체들이 여러 종족이 존재한다면 상대적 시간은 여러 개가 존재 할 수 있다. 그러나 절대적인 시간은 하나다. 무주 공간이 존재 하는 한 결단코 없어지지 않는 절대적인 시간이다. 그렇다고 시간 개념에 있어 상대적인 시간이나 절대적인 시간이 이질적으로 존재 하는 것은 아니다. 상대적인 시간이나 절대적인 시간은 한 치의 오차도 없이 동일하며, 그 흐름의 방향도 일정하고 동일하다.

시간에 대해서 한걸음 더 들어가 보자.

만약에 지구의 자전 속도가 느려져 1일이 24시간이 아닌 25시간으로 늘어났다고 가정을 해 보자. 이런 사건이 발생을 하게 되면 인간은 25시간의 눈금으로 작동되는 시계를 다시 만들어야 한다. 세슘 원자시계의 진동수(초당 9,192,631,770회)를 임의로 조절 할 수가 없기 때문에 1초의 시간은 바꿀 수가 없다. 결국 세계의 모든 시계를 폐기처분하고 하루 25시간으로 맞춰 시계를 새롭게 만들어야 한다.

위의 시계처럼 하루가 25시간이 되면 상대적인 시간이 늘어나게 되는데 그렇다고 해서 절대적인 시간도 늘어나는 것은 아니다. 상대적인 시간은 인간이 상호 약속의 시간이기 때문에 얼마든지 수정이 가능하다. 결국 하루를 25시간으로 살아가는 인간은 1시간 더 오래 살 수 있는 개념은 아니며, 절대적인 시간 속에서 상대적인 시간이 변하는 것 일 뿐이다.

좀 더 극단적인 상황 설정을 해 보자. 지구가 자전과 공전이 멈추었다고 가정을 해보자. 그렇다고 시간이 멈추게 되는 것일까? 자전과 공전이 멈추게 된다고 해도 세슘원자시계는 초당 9,192,631,770회 진동 하면서 시계는 계속해서 작동 하게 된다.
결론적으로 이 우주의 시간은 절대적인 시간의 흐름이고, 우리 인간은 그 흐르는 시간을 시계라는 관측 기계를 이용해서 수학적으로 환산한 상대적인 시간을 인지하며 살아가는 것이다.

시계를 땅바닥에서 놓고 측정한 시간과 100층 높이의 건물위에서 측정한 시간은 다를 수밖에 없다. 그 이유는 세슘원자가 지구의 중력에 영향을 받아 그 진동수가 변한 결과일 뿐이다. 인공위성에서 측정한 시간과 지상에서 측정한 시간의 차이도 마찬가지 원리로 시간이 다르게 측정된다.

만약에 세슘원자시계를 지구 대기권 밖을 벗어난 우주 공간에서 측정을 했다면 그 간극은 더 벌어질 것이다. 물론 그 오차는 우리 일상생활에 영향을 줄 만큼 크지 않기 때문에 아무런 불편함 없이 생활 할 수가 있다.

과학계에서는 아직도 이 시간의 차이가 아인슈타인의 일반 상대성 이론에 의한 차이로 오인 하고 있으며, 의심 없이 대중에게 설파 하고 있다. 그러다 보니 마치 우리 인간이 시간여행도 가능 할 것처럼 착각을 하게 되고 물리학자들마저도 미래로의 시간여행을 부정하지 않고 있는 실정이다. 그래서 우주적 시각으로 보았을 때 절대적 시간은 상대적 시간과 동일한 시간이며, 단지 인간이 인지하는 시간은 인간이 자신들의 편리함을 위해서 시계라는 물건을 만들어 상대적인 시간을 창조해서 문명에 이용하고 있는 것이다.

시계의 발명은 시간이라는 개념을 시공간에 대입시켜 4차원이란 새로운 세계를 이해하는데 도움을 주고 있는 것 뿐 만 아니라, 빛의 속도를 기준으로 우주의 거리까지 측정 해 낼 수 있는 기술적 발전을 꽤 한 문명의 진보라 할 수 있다.

시간을 이해하기 위해서 또 다른 예를 들어보자. 현 시점에서 지구에 존재하는 모든 시계가 사라져 시간을 측정 할 수 있는 도구가 하나도 없다고 가정 해 보자. 아침에 해가 뜨고 저녁에 해가 지고 밤이 찾아왔다가 다시 아침이 오면 해가 뜨는 일상이 계속해서 반복되는 과정을 인간은 오감으로만 느낄 수 있다. 이러한 시간을 우주 어디서나 똑같이 흐르는 절대적인 시간이라고 한다.

그리고 태양계에서 지구가 한 순간에 사라졌다고 생각 해 보자. 태양계에는 지구가 사라져 수성, 금성, 화성, 목성, 토성, 천왕성, 해왕성 이렇게 7개의 행성만 존재하는 것을 상상 해 보자. 지구가 사라지고 인간이 이 우주에 존재 하지 않아도 시간은 도도히 흐른다. 이것이 절대적인 시간이다. 인간이 태양계에서 사라진 후 흐르는 절대적인 시간이나, 인간이 태양계에서 시계라는 도구로 측정한 상대적인 시간은 동일하다.

따라서 상대적인 시간 = 절대적인 시간이라는 공식이 성립하게 되는 것이고, 시계는 물질이며 시간은 개념이기 때문에 시간은 아무리 큰 블랙홀 같은 중력에도 영향을 받지 않는다는 우주적 진리를 과학자들은 받아들여야 한다. 그리고 거대한 블랙홀에 빨려 들어가면 사건의 지평선에 도달하여 시간도 멈추게 된다는 허무맹랑한 주장들은 이제 그만 했으면 좋겠다.

퀘이사는 이제까지 인간이 우주에서 발견한 물체 중에 가장 큰 블랙홀이다. 중심에는 태양 질량의 10억 배나 되는 매우 무거운 블랙홀이 자리 잡고 있고 그 주변에는 원반이 둘러 싸여 있으며 원반의 물질은 회전하면서 블랙홀로 떨어지고 그 중력의 에너지는 빛에너지로 바뀌면서 거대한 양의 빛이 나온다. 지금까지 우주에서 발견된 천체 중에 가장 밝고 강력하며 활동적인 천체이다.

이러한 퀘이사의 블랙홀은 빛조차 빠져 나오지 못하는 강력한 중력에 의해 사건의 지평선(이벤트 호라이즌)이 존재한다고 하면서, 내부의 사건이 외부에 영향을 줄 수 없는 물리적 현상이 일어난다고 한다.

과학자들은 이러한 현상을 관측 하면서 사건의 지평선에서는 시간조차 멈춘다고 확대 해석을 하고 대중에게 우주의 신비함을 강조한다. 인간으로써 상상초월의 엄청난 에너지가 존재하는 블랙홀이라고 하여도 그 물질의 운동에너지는 시간하고는 아무런 상호작용을 하지 못한다. 또한 시간과 공간은 개념으로써 물질과 상호 작용을 할 수 없기 때문에 퀘이사에서도 아인슈타인의 일반 상대성 이론에 의한 중력파도 존재 할 수가 없다는 결론에 도달하게 된다. 하여, 과학계에서 하루 빨리 시공간에 대한 개념정리를 해서 시간에 대한 정의를 마무리 했으면 좋겠다.

시간이란 우주의 절대적인 시간을 시계라는 도구를 통해서 수학적으로 표현한 상대적인 시간을 의미하며, 상대적인 시간은 태양계에서 인간의 약속이고 인간이 사라지면 시계도 사라져 상대적인 시간은 절대적인 시간으로 남는다.

6장. 우주는 유한 한가, 무한 한가.

우주(宇宙)는 유한한 억겁의 시공간이요.
무주(無宙)는 무한한 영겁의 시공간이다.

독자들의 메모장

당신의 의견을 적어 보세요.

6.우주는 유한 한가, 무한 한가.

이 질문에 대하여 우주에 관심을 가졌던 사람이라면 한번쯤은 상상해 보았을 것이다. 과거의 철학자나 과학자 그리고 신학자들 까지도 우주는 논쟁의 대상이었다.

20세기 중반까지 우주는 과학의 영역이 아닌 종교적 영역에 머물러 있었다. 지금도 우주의 수수께끼가 풀리지 않은 상태에서 세계 과학계는 종교적 테두리에서 벗어나지 못 하고 있다고 생각한다. 그 대표적인 것이 빅뱅우주론이다.

우주는 유한한가, 무한한가, 라는 주제는 과학계에서는 논쟁 자체를 불편해 하고 있다. 가보지 않은 이상 확신 할 수 없기 때문에 회피하고 있다고 생각 한다. 어떤 천문학자는 우주가 무한하다고 주장하는 사람들의 논리는 지구가 평평하다고 믿는 사람들의 논리와 똑같다고 폄하를 한다.

나는 위와 같은 논리로 폄하하는 천문학자를 이렇게 폄하 해 보겠다. "빅뱅우주론을 주장하는 천문학자들은 천동설을 주장 하는 사람들과 논리가 똑같다."

이런 논리로 우주를 해석하면 우리 인간은 위 질문에 대한 답은 영원히 찾지 못 할 것이다. 왜냐하면 인간의 과학이 아무리 발달 한다고 해도 우주의 끝까지는 절대로 가지 못하기 때문이다.

어차피 이 문제는 철학적 관점에서 다루어야 하고 그 근거는 과학에 기초한 합리적 추론이 되어야 한다. 그래서 나는 과학적이고 합리적인 추론을 통해서 답을 찾고 우주 만물의 법칙을 완성 시키고 싶었으며 나만의 해답을 찾았기에 이 책에 기록 해 두고자 한다.

고대 그리스의 철학자 아리스토텔레스는 만일 우주가 무한하다면, 무한하게 떨어져 있는 별들이 24시간 만에 어떻게 지구를 돌 수 있느냐면서 우주는 유한하다고 주장했다.

아마도 아리스토텔레스는 천동설에 기반을 둔 시각으로 우주는 유한하다고 주장 했다고 본다. 이러한 아리스토텔레스의 주장은 종교계에서 교리로 받아들여졌다.

우주가 유한하다는 아리스토텔레스의 주장에 반론을 제기한 사람이 있었으니 그가 바로 이탈리아 철학자이자 수학자였던 조르다노 브루노였다. 그는 우주가 유한하다면, 그 경계 뒤편에 있는 것은 무엇이냐며 우주 무한 론을 주장 하다가 1600년에 화형을 당했다.

그때 교황이었던 클레멘스 8세는 브루노를 참회 할 줄 모르는 이단자로 선고하라고 명령 했다. 교황의 압박을 받은 재판관들은 1600년 2월8일 조르다노 브루노에게 사형 선고를 내렸다. 사형 선고를 받은 브루노는 재판관들에게 이렇게 말한다,

"선고를 받은 나보다, 선고를 내리는 당신들의 두려움이 더 클 것이요"

결국 브루노는 캄포디피오리로 이송되어 입에 재갈을 물린 채 불에 타죽었다. 참으로 안타까운 일이 아닐 수 없다.

1610년 독일의 천문학자 요하네스 케플러는 하늘에 별들이 많다면

빛으로 채워져서 밤에도 어둡지 않아야 한다고 주장했다. 이 주장은 역설로 묻혀 있다가, 19세기에 독일의 하인리히 빌헬름 올베르스에 의해 널리 알려졌다.

요하네스 케플러의 위 주장은 항성에 대한 기초 지식도 없는 주장이라고 생각한다. 하늘에 별들이 많다면 빛으로 채워져서 밤에도 어둡지 않아야 한다는 것은 아무리 멀리 떨어진 별들도 그 빛이 지구까지 도달해야 한다는 말과 같다. 모든 별들은 각기 다른 질량과 밝기를 가지고 있다. 그렇기 때문에 멀리 있는 별들의 빛은 지구까지 도달 하지 못하는 별들도 무수히 많게 된다.

최초의 현대 우주론은 1917년 물리학자인 알베르트 아인슈타인에 의해 제시 되었다. 그의 이론은 3가지 가정에 기반을 두었다.

첫 번째는 우주는 거시적으로 균질성과 등방성을 가진다는 것이다. 다시 말해서 우주는 언제나 모든 곳에서 평균적으로 동일하다고 가정했다.

두 번째는 이 균질성과 등방성을 가진 우주가 공간 기하학적으로 닫혀있다. 즉 우주는 유한하지만, 그 가장자리나 경계는 없으며 닫혀있다.

세 번째는 우주의 거시적 성질은 시간에 따라 변하지 않는다.

아인슈타인의 우주 정적모형을 한마디로 정리하면, 우주는 유한 하지만, 그 경계는 없으며, 닫혀있고, 시간에 따라 변하지 않는다. 가 된다.

나는 아인슈타인의 이 말을 듣고, 이해가 되질 않았다. 유한한데 경계가 없다. 경계가 없다는 것은 무한하다는 것 아닌가! 그런데 왜 유한하다고하는 것이지, 아리송했다. 나의 우주관으로 보는 아인슈타인의 주장은 도저히 납득 할 수 없는 말이었다. 결국 아인슈타인의 정적우주론은 빅뱅우주론에 의해 폐기 처분 되었다.

나는 빅뱅이론을 공부 하면서 나의 세계관과 우주관이 완성이 되었다. 빅뱅 이론을 추종하는, 과학자분들에게 감사 할 따름이다.

우주가 유한한가? 무한한가? 는 세상의 근본적인 질문이기도 하다. 1600년 우주는 무한하다고 주장 했다가 화형당한 브루노가 생각나는 대목이다. 나는 브루노의 주장을 적극적으로 인정하는 사람이다.

브루노의 직관과 통찰력에 놀라울 따름이다. 그래서 난 나의 우주관을 통해서 브루노의 무한 우주론을 완성시키고 싶은 욕심도 있으며, 조르다노 브루노의 혼을 달래 주고 싶은 마음으로 이 장을 쓰고 있다.

나는 19살부터 해답을 찾기 위해 상상의 나래를 펼치곤 했다. 저 드넓은 우주의 끝은 있을까? 있다면 어디쯤이고, 그 다음 세상은 무엇일까?

혹시 양파처럼 계속 둥근 모양으로 이루어졌나! 우주 끝까지 가면 다른 물질들로 가득하고, 그곳을 지나면 또 다른 세상이 끝없이 이어지는 것은 아닐까!

이 지구도 언젠가는 사라진다는데, 사람들이 없는 저 우주는 어떤 모습일까? 참 상상의 나래도 많이 펼쳤다. 이 문명이 다 끝난 우주를 상상하면서 지었던 내 닉네임은 "문명 그 후"다.

과거 고대인들이 믿었던 "지구 평면 설"과 "빅뱅이론"을 믿고 있는 현대 과학자들은 대동소이 하다고 생각한다.

그도 그럴 것이 탐험 해 보지 못한 영역이니 이해는 할 수 있다. 고대인들이 평평한 땅을 보고 지구가 평평하다고 믿는 것을 이해하는 것처럼, 점점 멀어지는 우주를 보면서 과거에는 우주가 하나의 점에서 출발 했다는 가설을 주장하는 것도 이해 할 수 있는 것이다.

그러나 수십 번을 곱씹어 봐도 빅뱅이론은 물리적으로 이해 할 수가 없어서 받아들여지질 않는다.

이 우주는 빅뱅으로 탄생 한 것이 아니라, 수소를 만들어 내는 "알지" 못하는 물질로 인한 메커니즘에 의해, 매우 천천히, 그리고 매우 느리게, 가늠할 수 없는 억겁의 시간동안, 진화 해 오고, 또 진화해 나간다는 것이 나의 주장이다.

난 솔직히 빅뱅우주론을 주장하는 세계 과학계에 분노를 하고 있다. 빅뱅우주론의 비 물리적 비과학적 태동에 대한 학술적 오점도 있지만 정치적 이유도 있음을 알고 있다. 그 이유를 짧게 설명 해 보겠다.

산업혁명 이후 세계는 미국과 유대인이 세계의 주류역할을 한다고 해도 과언이 아니다. 미국의 주류세력은 유대인들이고 큰손들이 많다. 유대인들이 세계 경제를 좌지우지 할 정도로 영향력이 큰 것도 사실이다. 미국의 유대인과백인의 뿌리는 기독교에 있다. 기독교의 창조론은 세계 곳곳에 뿌리를 내리고 있으며 고대시대부터 창조론은 과학의 발목을 잡아 왔으며 지금도 그 사상의 뿌리는 존재하고 과학에 막대한 영향력을 행사 하고 있다.

따라서 빅뱅우주론도 앞에서 거론 한 것처럼 창조론의 연장선상에서 나온 이론이라는 것이고 나의 이 의문이 사실인지 아닌지는 우주의 신비가 벗겨 질 때 쯤 알게 될 것이며, 지금도 제임스 웹 우주 망원경은 우주에 대한 신비한 정보들을 인간에게 송출 하고 있고, 인간이 알고 있는 우주에 대한 정보와 지식은 하나씩 바뀌어 가고 있다. 이러한 정보 축적이 지속 될수록 빅뱅우주론은 설자리를 잃고 폐기처분 될 것이 자명하다.

빅뱅우주론은 그 시작에 대한 논리도 빈약하고, 물리적 폭발로 시공간을 만들어 냈다는 말도 안 되는 논리도 억측스러우며, 우주가 팽창하고 있다면 팽창하기 전 그 바깥은 무엇인지 가설조차도 만들어 내지 못하는 무책임한 과학의 결정판이다. 어차피 가보지 못하고 확인이 불가한 세계에 대한 추론은 적어도 논리와 합리 그리고 과학적이고 물리학적으로 가설을 만들었을 때 대중을 설득시킬 수가 있는 것이다.

우주는 유한 한가 무한 한가 질문에 대한 나의 답은 다음과 같다.

"무한한 무주(無宙)시공간에 존재하는 유한한 물질의 세계가 우주계다."

"우주계가 끝이 있기 때문에 우주계는 무주대류에 의한 물리적 현상으로 무주를 향해 가속 팽창 하고 있는 것이다.

따라서 우주(宇宙)계는 유한하며 무주(無宙)는 무한하다.

7장. 무주(無宙)존재론.

나의 무주존재론은 곧 빅뱅우주론을 대체 하고,
영원한 불변의 가설로 남을 것이다.

독자들의 메모장

당신의 의견을 적어 보세요.

7.무주(無宙)존재론.

무주(無宙)는 무한대 암흑시공간이며,
암흑의 시공간과 우주(宇宙)계만 존재 한다.

무주(無宙)시공간은 누가 창조했거나,
물리적 현상으로 만들어진 공간이 아니다.

그냥 존재 하는 것이다.

무주(無宙)에는 인간이 상상 할 수 없는
숫자의 우주(宇宙)계가 독립적으로 존재 한다.

무주(無宙)에서의 우주(宇宙)계는 없다고 할 만큼 미미하며
물질과 에너지의 집합체다.

무주(無宙)와 우주(宇宙)계의 경계는 없다.

우주(宇宙)계와 우주(宇宙)계간의 거리는
인간이 범접 할 수 없는 거리다.

무주(無宙)는 암흑의 시공간으로 무한한 시공간이며,
우주는 무주(無宙)공간에서 유한한 물질의 세계다.

무주(無宙)라는 암흑의 시공간은 세상의 근본이요,
우주(宇宙)는 무주공간에 잠시 왔다가 사라지는 물질의 세계 일
뿐이다.

그리고 인간도 우주에 잠시 왔다가 사라지는 생명체일 뿐이다.

무주(無宙)시공간 상상도

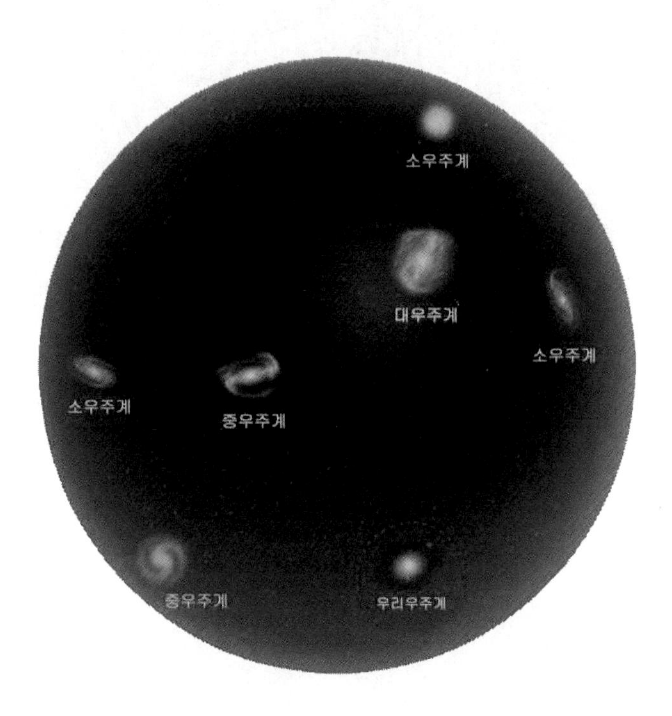

직경 100해 광년 무주 시공간 범위

무주공간에서 우주계들은 점으로 보여야 하나
확대해서 표현 한 것임.

우리우주(宇宙)계 시공간 상상도

2024년 현재

직경 5,000억 광년 우리우주(宇宙)계

끝없는 무주 공간을 향해서 팽창하고 있는
우리우주계를 표현 한 것임.

우리은하 시공간 상상도

2024년 현재
직경 10만 광년 우리은하

태양계 시공간 상상도

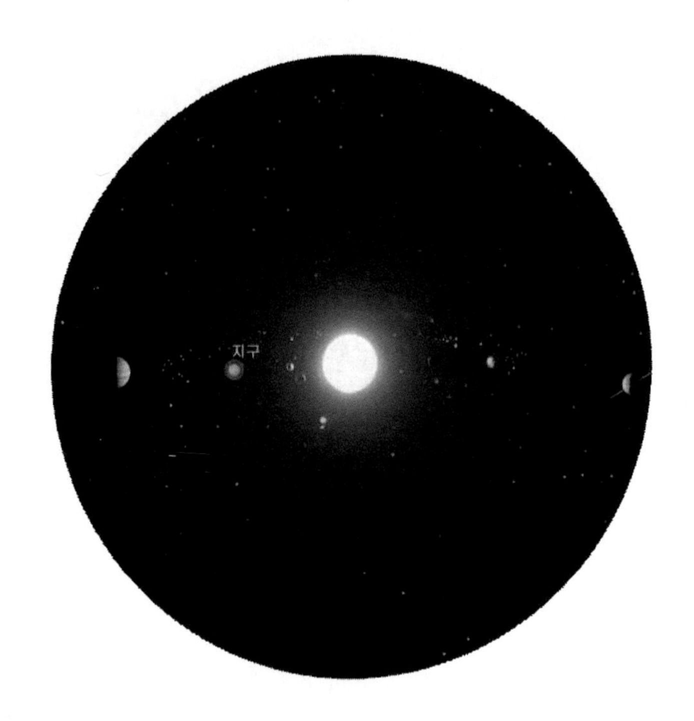

2024년 현재

직경 90억 km 태양계

각 행성은 실제로 더 멀리 떨어져 있음

지구

2024년 현재
고도 20만km 지구 상공

지구는 심각한 온난화로 인하여 생태계 reset이 진행 중.
기후위기로 생명체의 개체수가 줄고
향후 30년 후면 호모사피엔스 개체수도 급감 할 것
지금은 각자 생존을 위한 준비를 해야 함

8.무주(無宙) 존재론에 대한 이해.

무주(無宙)존재론은 우주를 바라보는 나의 세계관이며,
무주(無宙)는 우주(宇宙)들을 품고 있는 무한한 암흑의 시공간이다.

독자들의 메모장

당신의 의견을 적어 보세요.

8.무주(無宙) 존재론에 대한 이해.

나의 무주존재론은 창조론과 빅뱅우주론을 대체 할 이론이다.

나의 우주에 대한 관심은 19살부터 호기심으로 시작되었지만, 과학 공부를 하면 할수록 의문점만 계속해서 늘어만 갔다. 처음에는 우주 본질을 찾아가는 과정에서 창조론과 빅뱅이론 중에 무엇이 더 본질에 가까운가? 라는 물음에 답을 내리지 못했고,

종교적 관점에서 답을 찾기 위해 무단히도 노력했지만, 석가모니의 가르침에 익숙했던 나로서는 창조론은 받아들이기 힘들었다.

결국 빅뱅이론에 대한 학습으로 좁혀졌는데, 빅뱅이론 또한 우주본질을 쫓는 나로서는 의문점이 꼬리에 꼬리를 물었고, 결국 나는 책을 덮어 버렸다.

20여년이 흐른 뒤, 나는 양자역학을 접하면서 미시세계의 물질들의 작동 원리를 이해하고 나서야 거시세계의 작동원리를 이해 할 수 있었다.

톱니바퀴가 척척 맞아 떨어지는 쾌감을 느꼈고, 빅뱅이론의 오류가 눈에 들어오기 시작하면서 비로소 우주가 무한 할 수 있다는 결론에 도달하게 되었다.

우주 무한 론에 방점을 두고 본질을 찾아가다가 이탈리아의 철학자이자 수학자였던 조르다노 브루노를 알게 되었고,1584년 그의 저서 <무한한 우주와 무한한 세계에 관하여> 라는 책에서 아리스토텔레스의 물리학을 신랄하게 비판하는 것을 보면서 나의 오랜 갈증은

풀리기 시작했다.

그래서 탄생한 나의 "무주존재론"

무주는 없다와 있다가 존재하며,
있다는 없다의 부분집합이다.

없다(무주)는 암흑의 빈공간이며 무한대다.
있다(우주)는 암흑물질(알지)과 수소와 헬륨으로 가득한 공간이다.

무주에 존재하는 것은 소우주계(직경5,000억 광년 미만), 중우주계(직경5,000억 광년~직경 1조 광년미만), 대 우주계(직경 1조 광년이상)가 있다. 그 개수는 인간이 만든 수학으로는 표현 할 수가 없다.

소 우주계는 우리 은하수와 같이 작은 은하들이 밀집 해 있는 우주(넓은 의미의 우주 The universe)다. 생명체가 탄생 할 수 있는 매우 특별한 환경이 조성되는 곳이다.

중 우주계는 소 우주계보다 더 큰 우주고, 대 우주계는 중 우주계보다 더 큰 우주다. 중우주계와 대 우주계에서는 중력과 에너지가 너무 커서 생명체가 살 수 없다.

있다(우주)는 물질과 에너지를 만들고, 물질과 에너지는 무주 대류를 만든다. 무주 대류는 에너지를 확산시키고, 에너지의 확산은 우주계를 팽창시킨다. 무 진공 상태에서 진공 상태로, 에너지가 있는 곳에서 에너지가 없는 곳으로, 있다 에서 없다로 끝없이 무한 반복하며 살아 숨 쉬는 곳이 무주(無宙)다.

무주(無住)라는 암흑의 시공간(없다)은 누가 창조 하였거나, 물리적으로 만들어진 공간이 아니다. 그냥 존재하는 것이다.

무주(無宙)라는 용어는 없을무(無)
집주(宙)로 집이 없다는 뜻이다. 사전적의미도 없다. 나의 세계관을 표현하기 위해서 새롭게 만든 단어다.

우주(宇宙)는 집우(宇) 집주(宙)를 써서 세상에서 가장 큰집이란 의미가 담겨있다. 수세기 동안 우리 인류는 우주에 대한 탐구를 철학적 직관과 통찰력으로 우주를 살펴보았고, 과학적 접근과 수학적 계산으로 완성하며 정보를 축척하고 있다.

무주(無住)존재론은 나의 철학적 직관과 통찰력으로 만든 이론이다. 우주를 넘어 무한한 무주가 존재한다는 가설이다. 무주세계는 인간의 기술로는 접근 할 수 없는 공간이고, 과학적 탐구나 수학적 계산이 불가한 세계다.

무주(無住)는 칠흑 같이 어두운 암흑과 시간만이 무한대로 펼쳐진 공간이며, 우주(宇宙)는 무주(無住)안에 티끌(소우주, 중우주, 대우주) 같은 존재로 보이지도 않을 만큼 작은 물질들이 모여 있는 곳이다.

어두운 암흑과 인간이 상상 할 수 없는 차가움이 존재하는 무주에 내 몸뚱이가 둥둥 떠 있는 상상을 해 보자. 나는 어려서부터 이런 상상을 자주 했었다. 인간도 없고, 지구도 없고, 우주 별들도 없는 빈 공간에는 생각조차도 없다. 한마디로 문명 그 후다.

이런 나의 무주(無住)존재론은 우주(宇宙)무한 론을 주장했던 조르다노 브루노의 영향을 많이 받았다.

1600년 2월 브루노는 우주 무한 론을 주장하다가 클레멘스 8세 교황으로부터 우주 무한 론을 철회 할 것을 강요받았지만, 끝까지 철회 하지 않아서 화형에 처해졌다.

만일 브루노가 우주 무한 론을 철회 하였다면 목숨은 건질 수 있었을 것이다. 자기 목숨과도 바꾸지 않았던 브루노의 우주관은 나를 감동시키기에 충분했다.

무주(無住)의 시공간은 누가 창조 했거나, 물리적 현상으로 만들어진 공간이 아니다. 그냥 존재 하는 것이다. 이런 나의 우주관을 세계 물리학계 과학자들이 들으면 터무니없는 사이비과학이라고 치부하는 사람들도 있을 것이고, 일정부분 동의 해 주는 사람도 있을 것이라고 본다.

빅뱅이 일어났다고 하는 그 순간의 에너지양이 얼마인지는 모르지만, 빅뱅에너지양 × 1무량대수의 에너지양일지라도, 결코 물리적인 힘으로는 시공간을 만들어 낼 수 없다는 것이 나의 주장이다.

나는 빅뱅이론을 창조론 대항마라고 생각한다. 과학자들이 보기에 창조론은 믿을 수 없는 이론이라는 것이 자명한 사실이고, 그렇다면 이 우주가 어떻게 만들어 졌는지에 대한 과학적 이론이 필요 했을 것이다.

나는 빅뱅이론을 궁여지책으로 급조된 이론으로 보고 있다. 빅뱅이란 용어도 과학계에서 서로 상반된 의견 충돌 과정에서 만들어진 용어가 아니던가!

나의 무주존재론에 의하면 무주(無宙)에는 인간이 상상 할 수 없는 숫자의 우주가 독립적으로 존재한다. 이 드넓은 무주(無宙)에 우리 인간이 살고 있는 우주만 존재한다는 것은 세상을 협의의 시각으로 보는 것이 아닌가 한다.

모방은 창작의 어머니라 했다. 나는 지금(2018년 3월 숲속에서) 내 머릿속에서 수많은 우주를 창조했고, 무주(無宙)라는 공간을 만들어 냈다.

한번 상상해 보시라. 인간이 만든 수학으로는 샐 수도 없는 개수의 우주가 존재한다는 상상을 해 보시라. 그리고 그 많은 우주를 품고 있는 무주(無宙)라는 공간을 상상 해 보시라.

그리고 무주(無宙)에서 바라보는 하나하나의 우주는 먼지 티끌만한 모습으로 떠돌고 있는 것을 상상 해 보시라. 그러면 우리 인간이 얼마나 작은 존재인지 상상 할 수 있을 것이다.

무주(無宙)에서의 우주는 없다고 할 만큼 미미한 물질과 에너지의 집합체이며, 무주(無宙)와 우주의 경계는 없다.

나는 앞에서 우주를 먼지 티끌에 비유했다. 현재 인간이 만든 망원경으로 우주를 관찰 할 수 있는 범위는 직경 920억 광년이다.이렇게 어마어마한 우주공간을 나는 먼지 티끌 만하게 만들어 버렸다. 무주존재론을 설명하기 위해서다. 한마디로 무주(無宙)라는 공간은 그냥 존재 하지 않으면 설명이 안 되는 곳이다.

무주(無宙)라는 공간에서 먼지 티끌만한 우주를 확대해 보면, 살아 숨 쉬는 생명체처럼 보인다. 엄청난 양의 에너지를 만들어 내고 요동치지만, 멀리 떨어져서 보면 먼지 티끌로 보인다.

무주(無宙)와 우주의 경계는 없다. 아인슈타인은 우주가 정적이고 닫혀있다고 주장을 하였지만, 사실이 아님이 밝혀졌다. 우주는 요동친다. 살아서 숨 쉬는 생명체처럼 활동성이 크다.

우주가 닫혀 있다면 절대로 일어 날수 없는 현상들이다. 우주는 끊임없이 무주(無宙)공간을 향해서 뻗어 나간다.

무주(無宙)안에 있는 우주는 항성이든 은하든 개별적이고 독립적으로 움직인다. 그리고 행성은 항성의 지배를 받고, 항성은 은하의 지배를 받는다. 은하와 은하는 서로 멀어지기도 하고, 서로 충돌하기도 한다.

우주와 우주간의 거리는 매우 유동적이며, 인간들은 아무리 과학이 발달 한다고 해도 범접 할 수 없는 거리다. 관찰 또한 할 수가 없다. 무한대 무주(無宙)공간에서는 정적만 흐른다. 암흑 그 자체다. 그래서 무주(無宙)는 존재하면서도 없는 공간이며, 없으면서 존재하는 공간이다.

나의 이 무주존재론은 탄생해서 세상에 나오기까지 38년이란 시간이 걸렸다. 19세 때부터 시작한 우주 탐구는 가설의 진화를 거듭해서 무주존재론을 탄생 시켰다.

처음에 만든 나의 어릴 적 가설은 우주 괴물 론이었다. 우주가 거대 생명체의 몸속에 있는 세포일 수도 있다는 생각을 했었다. 그 속에서 우리 인간은 바이러스의 일종이라고 생각했다.

두 번째로는 우주 양파 론이었다. 우주가 양파처럼 경계를 이루고 우리가 알지 못하는 물질들로 계속해서 퍼져 있을 것이라고 생각한 것이다.

세 번째는 조르다노 브루노를 알게 된 뒤부터 우주 무한 론에 빠져 들었다. 나의 우주관으로 볼 때 가장 합리적인 추론이었다. 그런데 의문점이 하나 생겼다.

그렇다면 최초 우주는 어떻게 만들어 졌는지 궁금해졌다. 빅뱅이론이라는 것이 있지만, 물리적으로 도저히 이해 할 수 없는 이론이었기에 나에게 빅뱅이론은 창조론과 다를 바 없다.

나는 기관지확장증이란 지병을 앓고 있다. 매일 매일 지병과 싸우는데, 내기관지와 폐가 어떻게 생겼는지 왜 자꾸 피가 나는지, 내 몸속을 탐구하기 시작했다. 이 과정에서 듣지도 보지도 못했던 양자역학을 알게 되었다.

양자역학을 공부하다가 원자세계를 알게 되었고, 미시세계와 거시세계가 연결 되어 있을 수 있다는 생각을 하게 되었다. 우주 초기에는 원자들로 인해서 물질이 만들어지고, 그물질들이 에너지를 만들어서 우주가 탄생 한다는 것이다.

이때부터 우주 무한 론은 진화를 하게 되었고, 양자역학과 빅뱅이론에서 단서를 잡아, 나의 무주(無宙)존재론은 완성이 되었다. 닐스보어와 하이젠베르크 그리고 조르다노 브루노에게 감사드린다.

무주(無住)라는 공간은 무한대 빈공간이지만, 근본적인 물질은 있다.

현재 우리 인간이 우주에서 찾아낸 물질의 근본은 수소다.

하지만, 수소도 물질이기에 수소를 만들어 내는 그 무언가가 있어야 한다. 그게 바로 암흑물질이다.

암흑물질은 우주뿐만 아니라 무한한 무주(無宙)에도 있어야 한다. 그리고 매우 차가운 기체이거나 플라즈마 형태일수도 있고, 쿼크보다 더 작아서 아무리 발달된 현미경으로도 볼 수가 없는 물질일 것이다.

우리인간의 눈으로 볼 수 없는 암흑물질은 반드시 있을 것이다.
입자가 아닐 수도 있다. 수소 원자핵을 만들어 내는 메커니즘은 반드시 존재 해야만 한다.

난 위에서 우주를 3부류로 나누어 소우주계, 중우주계, 대우주계로 구분했고, 이들 우주계들은 무주대류에 의해서 팽창한다고 언급했다.

빅뱅이론에 대한 강력한 반론인데,
여기서 무주(無宙)대류에 대한 개념을 정리 해 보자. 무주대류는 하나의 물리적 현상으로 무주존재론이란 가설을 창조 한 것처럼, 무주에도 우리가 알 수 없는 물리 법칙이 존재 할 것이란 가설로써 입증 되지 않은 나의 철학적 직관임을 밝혀둔다.

무주(無住)대류는 (1)진공상태와 무진 공 상태, (2)차가움과 뜨거움의 두 가지 개념으로 압축 할 수 있다. (1)진공상태란 공간에 물질이 없는 상태고, 무 진공 상태는 물질이 있는 상태다. 물질의 이동은 무 진공 위치에서 진공위치로 이동한다.

(2)차가움과 뜨거움, 차갑다는 것은 열이 없는 것이고, 뜨겁다는 것은 열이 있다는 것이다. 하지만 차갑다는 것과 뜨겁다는 개념은 우리 인간이 느끼는 온도의 기준이다.

무기물질 세계에서는 그 개념이 달라져야 할 것이다. 물질이 있는 곳에는 에너지가 있고, 에너지가 있는 곳에는 열이 있으며, 열이 있는 곳에는 열팽창이 일어난다.

열의 사전적 의미는 두 물체 사이에 온도가 높은 쪽에서 낮은 쪽으로 이동하는 에너지다. 우주온도와 무주온도는 엄청난 차이가 난다.

지구에서 태양 에너지를 기반으로 하는 온도는 물이 어는 온도를 0도시를 기준으로 해서 영하(-)와 영상(+)으로 표기를 한다. 이 기준으로 볼 때, 우주온도는 평균 영하 270도시다.

그렇다면 항성과 은하가 없는 광활한 무주(無住)의 온도는 몇 도나 될까? 영하 1,000도시가 될까 아니면, 영하10,000도시정도 될까? 아마도 그 이상 낮은 온도 일수도 있겠다.
우리 인간이 만든 온도계로는 잴 수도 없을 것이다.
무주(無宙)대류란 열팽창과 물질이동으로 발생하는 움직임이다.
무주대류는 퀘이사보다 20억 배 큰 블랙홀들의 대폭발로 인한 팽창뿐만 아니라, 무주대류에 의해서 밖에서 잡아당기는 힘과 열의 대류로 인해 우주가 가속 팽창한다는 가설(추론)이다.

우주에 나가면 정적이 흐른다. 모든 것이 정지 된 것처럼 고요하다, 하지만 우주는 220km/s의 속도로 무주세계를 향해서 쉬지 않고 움직인다. 우주는 매우 차갑고 어둡다, 무주(無宙)공간으로 나가면 더 춥고 암흑 그 자체다. 아무것도 볼 수가 없다. 아무리 눈을 끄게 떠봐도 암흑뿐이다.

운이 좋으면 흐릿하게 반짝이는 점만 한 우주 하나를 볼 수도 있을 것이다. 인간이 무주(無宙)공간에 노출되면 우주복을 입어도 수초 안에 얼어 죽을 것이다. 이렇듯 무주공간은 유기체가 존재 할 수 없는 공간이다.

기본적으로 우주(宇宙)와 무주(無住)의 거시세계는 무기물질들의 세상이지, 유기물질의 세상은 아니다. 이러한 개념을 베이스에 깔고 과학을 탐구 했으면 좋겠다는 개인적인 생각이 있다.

무주(無宙)라는 시공간에서 "알지" 못하는 메커니즘에 의해, 수소가 만들어지고, 수소는 핵융합으로 헬륨을 만들었으며, 수소와 헬륨은 항성(별)을 만들었다. 항성은 거대 초신성으로 진화하고 태동과 성장 그리고 소멸(폭발)을 거듭 하면서 새로운 물질들을 만들어 지금의 우주를 창조했다.

미래 과학자들은 나의 이 무주(無宙)존재론을 기반으로 "우주 만물의 법칙"을 과학적으로 완성시켰으면 좋겠다. 예나 지금이나 과학은 항상 철학(가설)을 쫒아 입증 해 나가는 과정에서 진보 해왔다. 또한, 과학은 모든 것을 의심 할 때 진보 한다.

끝으로, 이 "무주존재론"을 1,600년 "우주 무한 론"을 주장하다가 교황으로 부터 화형을 당해 이슬로 사라진 슬픈 친구 "조르다노 브루노" 에게 바친다.

9장. 무주(無宙)만물의 법칙에 대한 이해.

"알지"는 무주만물의 근본이요,
수소를 만들어 내는 가장 작은 입자다.

독자들의 메모장

당신의 의견을 적어 보세요.

9.무주(無宙)만물의 법칙에 대한 이해.

우주(宇宙)는 무주(無宙)안에 존재하는 물질과 에너지의 집합체다. 여기서 집합체란 우리가 알고 있는 우주를 상상 하면 된다. 지금 우리 인간이 느끼고 있는 끝없이 펼쳐진 별들의 고향이다.

앞서 나는 우주를 소우주계, 중우주계, 대우주계로 분류를 했다. 이 또한 나의 철학적 직관으로 만든 것이다. 무한대 시공간인 무주(無宙)에는 수소가 있는 공간이 많기 때문에 여기저기에서 동시다발적으로 또는 개별적으로 우주가 만들어 지고 있을 것이다.

우주는 협의의 공간이요, 무주는 광의의 공간이다. 협의의 공간을 광의의 공간에서 바라보면 수도 없이 셀 수 없는 개개의 크고 작은 우주계가 먼지 티끌 만하게 보인다. 우리 인간이 살고 있는 이 우주 말고도 협의의 우주공간은 수도 없이 많으며, 지금 이 순간에도 우주는 그 어디에선가 매우 느리게 만들어지고 있다.

빅뱅론을 믿고 있는 여러 과학자들의 관념적 우주론은 협의의 공간에서 만들어 지고 있는 우주일 뿐이고, 이 우주 공간에서 우리 인간은 너무나 작은 생명체이기 때문에 마치 우주가 세상의 전부인 것처럼 인지하고 있는 것이다.

그럼 나의 가설인 무주(無宙)라는 영겁의 무한대 암흑 공간에 대한 이해를 돕기 위해서 머나먼 무주(無宙)여행을 떠나 보기로 하자. 앞에서 설명 했듯이 무주라는 시공간은 누가 창조했거나 물리적인 방법에 의해서 만들어진 공간이 아니라 시작도 끝도 없이 그냥 존재 하는 세상이다.

이러한 무주(無宙)에는 제5원소 개념인 “알지”라는 알 수 없는 물질이 낮은 온도에서 억겁의 시간에 걸쳐 생성되고 있으며 “알지”는 또 억겁의 시간동안 “알지“와 ”알지”간 상호작용을 통해서 “쿼크“를 만들어 낸다. 이러한 화학반응은 매우 천천히 무주공간에서 균형을 이룰 때까지 지속적으로 발생 하지만, 이러한 물질들은 무주공간에서 0.1%도 안 되고 대부분 무주(無宙)공간은 진공상태를 유지한다.

무주(無宙)공간에서 시작되는 물질들의 상호 작용은 무주(無宙) 곳곳에서 불규칙적으로 일어나며 셀 수 없는 수의 무기물질의 세상인 “다중우주계”를 생성 해 나간다. 그 중 하나인 우리우주계는 억겁의 시간에 걸쳐 만들어 져 왔고 앞으로도 억겁의 시간동안 태동과 성장 소멸의 과정을 걸쳐 무주공간에서 진화하다가 마지막은 무주공간으로 뿔 뿌리 흩어져 사라진다. 이렇게 흩어진 우주의 잔해들은 무주공간을 먼지처럼 떠돌다가 또 다른 물질들과 만나면서 또 다른 우주계를 만들어 간다.

그럼 이 드넓은 암흑의 무주 공간을 상상하며 지구에서 가장 가까운 대 우주계로의 무주(無宙)여행을 한번 떠나보도록 하자. 우리우주계에서 2,000경 광년 떨어진 대 우주계는 직경 1조 5,000억 광년으로 현존하는 우주계 중에서 가장 큰 우주계다.

무주(無宙) 만물의 법칙에 대한 이해를 돕기 위해서 여행지로 대 우주계를 선택 하였고, 대 우주계는 우리우주계에서 약 2,000경 광년 떨어진 위치에 있어서, 특수 제작된 우주비행선이 필요하기 때문에 송골매라는 우주비행선 하나를 준비 해 보았다.

송골매의 속도는 빛의 10배속으로 그 속도를 가늠 할 수 없다 송골매는 자율주행으로 운행 하며 소행성을 파괴 할 수 있는 무기도 장착했다. 송골매는 수소엔진6개가 있다. 앞뒤 좌우 위아래에 한 개씩 장착되어 있고, 대우주를 탐사하기 위해서는 반드시 필요한 엔진이다. 대 우주계에는 우리 인간이 경험하지 못했던 거대 행성과 항성이 무수히 많기 때문에 이 거대한 중력에 빨려 들어가지 않기 위해서는 반드시 필요한 엔진이다.

그럼 대 우주계를 향한 탐험을 시작 해보자. 운전 모드는 자율주행모드고, 가장 강력한 전자기파를 감지해서 찾아가는 시스템은 양자컴퓨터의 몫이다. 다시 말해 우주 네비게이션이다. 무주(無宙)는 중심도 없고 끝도 없다, 위아래 좌우도 없다. 오로지 우주가 발산 하는 전자기 파장만 감지해서 찾아간다.

이제 출발 해 보자.
우리 태양계를 벗어날 때 까지는 1단 추진체로 시속 15만km의 저속으로 운행 한다. 가까이에 화성이 보인다. 인간이 가장 공들이는 곳이다.

화성에서 인간의 생존 가능성에 대한 연구와 실험이 추진 중이다. 멀지 않아 화성 관광은 가능 할 것으로 보인다. 송골매는 이제 태양계를 벗어났다. 태양계를 벗어나면 가장 조심해야 할 것은 중력에서 이탈한 소행성 충돌을 조심해야 한다. 가끔 지나가는 소행성은 어디에서 날아올지 모른다.

위아래, 좌우, 앞뒤 어디에서 날아올지 모르기 때문에 전파를 쏴서 위치를 찾아내면서 운행해야 한다. 양자컴퓨터가 가장 바쁠 시간이다. 양자컴퓨터의 정보처리 속도는 빛보다 5배나 빠르다. 잠시 후면 송골매는 우리 은하를 벗어 날 것이다. 그때는 속도를 3단 추진체를 가동한다. 빛의 3배속이다. 간간이 보이는 별들이 점점 멀어지고. 항성이 만들어 지는 가스층을 스치듯 지나가기도 한다.

여기부터는 난방시스템을 가동해야 한다. 밖의 온도가 영하 400도시까지 떨어지기 때문에 송골매 내부 온도를 영상 23도로 유지 해줘야 한다.

전방에 커다란 빛이 하나 포착 됐다. 거대 블랙홀이다. 블랙홀에 빨려 들어가면 송골매는 먼지로 사라질 것이다. 빛은 정면으로 날아온다. 양자 컴퓨터는 블랙홀의 크기와 움직임을 감지하고 하강을 시작해서 5단 추진체로 전환 후 신속하게 벗어났다.

송골매는 잠시 후 우주의 끝을 벗어날 것이다. 3,000억 광년의 거리를 쏜살같이 날아온 송골매는 우주계를 벗어나 무주공간에 진입하게 된다. 무주는 암흑의 시공간이다.

송골매는 우리의 우주가 점점 멀어지는 것을 보면서 암흑의 무주공간으로 빨려 들어간다.

무주(無宙)의 온도는 영하 1200도시까지 떨어지기 때문에 난방 시스템을 최대로 가동해야 하며, 엔진을 최대 출력인 10단계로 올린 후 인간은 오랜 숙면을 준비해야 한다.

송골매는 빛의 10배속으로 날아가지만, 무주(無宙)공간에서는 멈춰있는 듯 고요함을 느낄 것이다. 암흑 속에서 2,000경 광년을 더 날아가야 한다. 인간은 무의식 세계로 잠들고, 송골매는 무주(無宙)의 외톨이가 된다. 송골매는 빛의 10배속으로 날아가지만, 자신이 움직이고 있는 것을 느끼지 못하며, 암흑의 빈 공간에 둥둥 떠 있는 듯 공허함에 빠져든다.

인간이 만든 태양계의 시간은 송골매 안에 존재하지만, 시간이란 존재는 의미가 없어지고, 무주의 절대적인 시간을 느끼며 끝없는 무주 여행을 하고 있다. 칠흑같이 어두운 무주공간은 아무리 눈을 크게 떠봐도 볼 수 있는 것은 아무것도 없다.

드디어 2,000경 광년의 거리를 날아온 송골매는 점만 한 작은 불빛을 발견하고, 점점 커지는 대 우주계에 경이로움을 느낀다.

암흑 속에서 무의식 상태로 날아온 인간은 밝아오는 대우주계의 빛 하나를 발견 하면서 눈을 뜬다.

대 우주계 하나가 시야에 들어온다. 흐릿한 별빛은 점점 선명 해지고, 크기도 점점 커지고 있다. 우리의 목적지 대우주계가 바로 눈앞에 펼쳐진다.

송골매는 속도를 3단계로 낮추고, 천천히 대우주 속으로 들어간다.
외부 온도는 영하 900도시까지 올라갔다.
대우주계의 넓이는 소우주계의 3배가 넘는다.

항성들도 태양크기의 1,000배가 넘는 별들로 가득하다. 대 우주계에서 가장 위험 한 것은 거대 초신성이나 거대 블랙홀의 폭발이다.

현재 소우주에 있는 퀘이사보다 100배 큰 거대 블랙홀이 상상이 되는가? 그래서 늙은 별이나 블랙홀을 피해서 다녀야 하고, 거센 중력이 감지되면, 감지된 방향의 엔진을 가동해서 빨려 들어가지 않도록 운항해야 한다.

무엇보다도 대 우주계는 중심부에 들어 갈수록 외부 온도가 최고 영상 900도시까지 올라가기 때문에 중심부의 탐험은 할 수가 없고, 대우주계의 외곽 부분에서 막 탄생하는 어린항성과 행성을 찾아 살펴봐야 한다.

다행이 중심부에서 1,500억 광년 떨어진 곳에 막 탄생하는 어린 은하 하나를 발견했다. 이 은하 중심부에 들어가 보니 여기저기서 수소 핵융합이 활발하게 일어나고, 헬륨이 만들어지고 있었다. 별이 탄생하고 있는 것이다.

이 활동은 앞으로 수백억 년 동안, 태동과 소멸을 반복 하면서 새로운 물질들을 만들어 내며 행성과 항성 은하들을 만들어 나갈 것이다.

우주계탄생은 "알지"(가설의 암흑물질)라는 암흑물질에 의해 수소가 만들어 지고, 수소는 핵융합으로 거대 항성과 초신성을 만들어 내고, 초신성은 엄청난 에너지를 발산하며 폭발을 일으킨다, 이 과정에서 힉스메커니즘에 의해 새로운 물질들을 만들어 낸다.

송골매는 또 다른 우주 탄생의 모습을 찾기 위해 여행을 하는데, 여행 중 대우주 중심부에 대한 호기심이 발동했다.

항로를 대우주 중심부로 향한다. 대우주 중심부는 매우 위험한 곳이다. 영상 10,000도가 넘는 온도에, 거대항성과 블랙홀의 대 폭발이 일어 날수 있으며, 무엇보다 대우주 회전력에 운항자체가 불가능 할 수 있는 위험요소들이 있다. 그럼에도 불구하고 송골매는 중심부를 향해 저속 운항을 시작한다. 밖의 뜨거운 열기에 냉방시스템을 가동해보지만, 무용지물이다. 하지만 송골매는 중심부를 향해 마지막 최고 출력으로 돌진을 하기 시작 한다. 대우주의 중심부를 보고자 하는 열정이 대단하다. 다행이 거대항성이나 초대형 블랙홀의 폭발은 없었다.

송골매는 초대형 항성들을 뒤로 하고, 희뿌연 가스층에 진입했다. 엄청난 회오리에 휘말려 송골매는 운항을 할 수가 없었다. 시야는 흐리고 송골매는 시속 50만km 회전력에 의해 가스층을 뚫고 갈수가 없었다. 송골매는 엔진을 모두 꺼버렸다. 몸을 대우주에 맞기고 기다렸다. 송골매는 중심부를 향해 조금씩, 조금씩 빨려들어 갔다

드디어 송골매는 대우주 중심부에 도착한 후, 아무것도 없는 무주(無住)의 세계를 경험한다. 그야 말로 아무것도 없는 진공상태다. 송골매는 엔진을 가동해서 앞으로 전진 해 보지만, 꼼짝도 하지 않았다. 모든 엔진을 틀고 움직여 보려 하지만 꼼짝을 할 수가 없었고, 잠시 후 엔진이 꺼져 버린다. 수소가 다 소진 되었다. 송골매에 저장된 수소가 소진되고 엔진은 멈추었다. 나갈 수 있는 방법은 없었다. 송골매의 마지막이다.

우주는 회전력, 중력, 강력, 전자기력, 약력이 존재한다. 이중 회전력은 행성 항성 은하를 회전시키며, 우주를 쉬지 않고 돌게 한다. 과학계에서는 우주에서 발생하는 힘은 강력 중력 전자기력 약력이라고 하지만, 나는 우주 밖으로 나가면 회전력이 있다고 생각한다.

끊임없이 돌아가는 행성과 항성 그리고 은하의 회전까지
무시 할 수 없는 강력한 힘인데, 왜 과학계서는 회전력을 언급 하지 않는지 이해를 할 수가 없다.

또 하나, 무주에는 시간이 존재 한다.
공간이 있는 곳에 시간은 반드시 존재한다. 그래서 우리는 우주공간을 시공간이라고 표현을 한다. 공간이 없으면 시간도 없다. 그리고 시간은 두개의 개념으로 나누어야 한다.

절대적인 시간과 상대적인 시간이다. 절대적인 시간은 무주(無宙) 어디서나 똑같이 흐르는 시간이고, 상대적인 시간은 인간이 태양계에서 만든 시간이다. 인간이 만든 시계를 가지고 태양계 밖으로 나가면 쓸모가 없어진다. 상대적인 시간은 태양계를 벗어날 수 없는 시간이다.

시간은 개념이요 빛은 에너지다. 시간과 빛은 큰 중력에 영향을 받지 않는다. 아인슈타인과 과학계는 거대한 블랙홀은 시간도 멈추게 한다고 주장하기도 하는데, 나는 이러한 과학계의 주장에 반론을 제기한다. 시공간이 물질을 지배하는 것이지 물질이 시공간을 지배하지 못한다. 시간의 개념은 물질의 힘과 에너지에 아무런 영향을 받지 않는다.

결론적으로 무주 만물의 법칙은 빅뱅이론이 아니라, 암흑물질(알지)이 수소를 만들어 내고, 수소는 핵융합을 통해서 에너지를 만들어 폭발을 일으킨다. 이 폭발과정에서 온도에 따라 힉스보손에 의해 물질에 질량을 부여하고 우주만물을 만들어 나간다. 우주는 이러한 태동과 성장 소멸을 무한대로 반복하면서 억겁의 시간동안 우주가 만들어지는 것이다. 이처럼 암흑의 무주 시공간에서는 곳곳에서 우주가 태동하고 소멸하는 과정을 억겁의 시간동안 반복한다.

이것이 무주(無宙) 만물의 법칙이다.

10장. 우주 만물의 법칙.

우주는 억겁의 시간동안 매우 천천히 만들어졌으며,
우주의 나이는 138억 년이 아닌 1,600억 년이다.

독자들의 메모장

당신의 의견을 적어 보세요.

10.우주 만물의 법칙.

“우주 만물의 법칙” 제목이 정말 거창하다.

나는 38년의 세월동안 우주 만물의 법칙을 찾기 위해 과학을 탐구하였고 9년 동안 추적 끝에 모든 퍼즐을 맞추었으며 세상의 모든 물질의 세계를 이해하고 우주 만물의 법칙을 완성 하면서 양자역학 세계야 말로 우주의 근본을 알아차릴 수 있는 학문임을 깨달았다.

원자 속 미시세계의 작동원리는 거시세계를 만들어가는 출발이자 끝이었다는 것과 우주가 팽창하고 있다는 사실을 알고 난 뒤, 우주의 본질을 깨닫게 되었다. 이러한 나의 세계관은 과학적 지식과 철학적 통찰력에 기인한 깨달음이기 때문에 틀릴 수도 있다는 가정은 항상 열어두고자 한다. 하지만 나의 이 세계관이 뒤바뀔 수 있는 확률은 매우 희박 할 것이다.

세상의 모든 물질은 미시세계의 메커니즘에 의해 만들어지고 있으며, 이러한 물질들이 우주공간에서 거시세계를 만들어가는 작동 원리라는 진리는 변하지 않을 것이다. 따라서 빅뱅으로 우주가 시작되었다는 비과학적이고 비 물리적인 과학계의 주장을 거부하고 지금부터 우주의 본질을 파헤쳐 나가고자 한다.

나는 앞서 현대과학에서 철옹성처럼 여겨지는 빅뱅우주론을 부정하면서 나의 무주존재론을 설명 하고 있다. 최소한 한 점에서 대폭발을 일으켜 1초 만에 시공간을 만들었다는 빅뱅이론 보다는 나의 주장이 물리법칙상 합리적이고 설득력이 있다고 생각한다. 천동설을 주장했던 고대인들에게 지동설을 주장했던 코페루니쿠스의 심정으로 이글을 쓰고자 한다.

1)표준모형

표준모형은 지금까지 세계 과학계에서 밝혀 낸 미시세계의 비밀을 총 정리 해 놓은 지식이다. 세상의 근본이라고 해도 과언이 아닌 이 표준모형은 지난 수세기 동안 많은 과학자들의 피와 땀이 서려 있는 것으로 우주 만물의 법칙을 알아차릴 수 있는 양자역학의 기초다.

표준 모형에서 입자는 크게 물질을 구성하는 기본입자와 입자 사이의 상호 작용을 매개하는 매개 입자로 나눌 수 있다. 기본 입자는 쿼크와 렙톤이 있고, 힘의 매개 입자는 광자, 글루온, W보손, Z보손, 힉스보손이 있다.

쿼크는 1세대(u위,d아래), 2세대(c맵시,s야릇한), 3세대(t꼭대기,b바닥)로 구분하며 쿼크는 모든 상호 작용을 한다.

렙톤은 1세대(ye전자중성미자,u전자),2세대(yμ뮤온중성미자,μ뮤온), 3세대(yt타우중성미자, T타우)로 구분하며 렙톤은 강력 전자기력 약한 상호작용을 하며 강한 상호 작용은 하지 않는다. 따라서 우주는 기본입자와 매개입자가 서로 상호 작용을 통해서 만들어 낸 결과물이다.

위 기본입자와 매개입자 사이에 일어나는 여러 상호작용이 있지만 너무 깊숙이 들어가면 일반인이 이해하는데 어려움이 있기 때문에 이정도의 개념 정리만 하는 것으로 하고, 더 깊은 학습을 하고자 하는 독자 분들이 계신다면 별도의 전문서적으로 학습 하시면 좋을 것 같다.

2)수소의 탄생

우주의 모든 물질은 근본은 수소다. 우주에 있는 물질 중에 75%를 차지 할 만큼 우주에는 많은 수소가 있다. 수소는 양성자1개와 전자1개로 이루어져 있으며 양성자는 위쿼크 2개와 아래쿼크 1개로 결합되어 있다. 쿼크는 질량을 가지고 있고 독립적으로 존재 하지 않으며 다른 쿼크와 결합하여 생긴다.

현대 물리학에서는 쿼크가 가장 작은 입자이고 더 이상 쪼갤 수 없는 마지막 입자로 알고 있다. 수소에는 중성자가 없다. 따라서 우주의 물질이 만들어지는 메커니즘은 수소에서 출발 한다고 보면 된다.

우주가 만들어지는 과정은 수소가 만들어지고 수소 핵융합으로 헬륨이 만들어지며 항성은 수소와 헬륨으로 구성 되어 있고 이 두 물질의 폭발로 온도가 높으면 높을수록 힉스 메커니즘에 의해 더 무거운 물질들이 만들어진다. 우주는 이러한 과정을 셀 수 없는 반복으로 억겁의 시간 동안 가스구름을 만들고 가스구름들이 온 우주에 퍼진 후 중력에 의해서 매우 느리게 뭉치면서 행성들이 만들어진다. 이러한 메커니즘은 억겁의 시간 동안 반복되면서 우주가 만들어 지는 것이다.

우주에서 수소가 만들어지는 시간만 따져 봐도 억겁의 시간이다. 또한 수소와 헬륨이 만들어져 폭발을 하면서 더 무거운 물질들이 만들어지는 시간도 억겁의 시간이 필요하다. 우주는 그렇게 매우 천천히 억겁의 시간동안 반복 하면서 만들어 지는 것이다. 그렇다면 우주에 많은 수소는 어떻게 만들어질까? 수소가 만들어져야 다른 물질들이 만들어지기 때문에 수소가 만들어지는 메커니즘은 반드시 존재해야 만 한다.

3)“알지”의 탄생

수소는 양성자 1개와 전자 1개로 구성되어 있다. 양성자 안에는 위쿼크2개와 아래쿼크1개로 뭉쳐 있다. 그렇다면 수소가 만들어지려면 쿼크를 만들어내는 메커니즘을 찾아내면 되는데 아직까지 쿼크를 만들어 내는 물질이 무엇인지 과학계는 모른다.

쿼크를 만들어 내는 물질은 입자가 아닐 수도 있을 것이나 세상에서 가장 가벼운 입자는 존재해야 만 한다. 영하 250도 이하에서 존재하면서 쿼크를 만들어 내는 알 수 없는 물질은 반드시 존재해야만 한다. 이 물질은 현재 물리학자들이 찾는 암흑물질과는 좀 다른 성격의 물질이다. 나는 쿼크를 만들어 내는 알 수 없는 물질을 찾아내고 싶었다.

가장 확실한 방법은 쿼크를 쪼갤 수 있는 기술이 있다면 찾아 낼 수 있을 것이나 현대 과학으로는 찾아 낼 수가 없다. 인간의 한계다. 어쩌면 인간은 영원히 이 숙제를 풀지 못 할 수도 있다고 생각한다. 그래서 나는 쿼크를 만들어 내는 알 수 없는 물질을 반드시 존재해야 만 한다는 전제하에 가상의 물질을 만들고자 했다.

지난 2023년 7월 어느 여름날 나는 설거지를 하면서 “알 수 없는 물질”을 줄여서 “알지”라는 가상의 우주의 근본 물질의 이름을 발명해 냈다. 이 우주에서 없어서는 안 되는 암흑물질은 반드시 존재해야 만 한다. 그래서 나는 가상의 암흑물질인 “알지”를 창조 하게 되었다.

우주의 근본 물질이 “수소”에서 “알지”로 바뀌는 순간이다.

“알지“라는 우주의 근본 물질을 만들어 내고 놀랐던 것은 ”알지“라는 단어의 사전적 의미를 찾아 본 후였다. “알지”의 사전적 의미는 “멈추게 함”이라는 뜻이 있다.

알지라는 이름을 결정 하게 된 이유는 단어가 매우 예뻐서 결정 하였는데, 사전적 의미를 찾기 위해 검색창에 알지를 쓰고 나니 김알지라는 우리 김씨의 선조가 생각이 났다. 그래서 검색 결과도 김알지에 대한 내용이 검색 될 줄 알았는데 의외로 멈추게 함이라는 뜻이 나온 것을 보고 깜짝 놀랐었다.

우주에 “알지”가 없으면 우주가 멈추게 된다는 생각이 들어서 암흑물질의 이름이 너무도 멋진 이름이라는 생각에 나는 그만 환호성을 질러버렸다. 이렇게 나는 내가 알고 있는 과학적 지식과 과학철학자의 신념으로 우주의 근본 물질인 “알지”를 만들어 낸 것이다. 이것으로 나의 우주 만물의 법칙은 모든 퍼즐이 맞추어졌다.

“알지”를 창조 할 수 있었던 것은 양자역학을 학습 한 후 소립자 세계에 대한 호기심에서 출발 했다. 분자를 쪼개면 원자가 나오고, 원자를 쪼개면 원자핵과 전자가 나오고, 또 원자핵을 쪼개면 양성자와 중성자가 나오고, 양성자를 쪼개면 쿼크가 나오는데, 그렇다면 쿼크를 쪼개면 또 다른 입자가 나올 수 있다는 의심을 하게 되었다.

현재 물리학계에서는 쿼크가 가장 작은 입자로 알고 있지만, 이는 쿼크를 쪼개보지 못한 인간의 기술적 한계에서 비롯한 결정이라고 생각 했다. 따라서 나는 물리법칙상 쿼크 안에 또 다른 입자가 존재할 수 있다는 가설을 만들어 “알지”를 탄생 시킨 것이다.

“알지“가 없으면 세상은 멈춘다.

주기율표

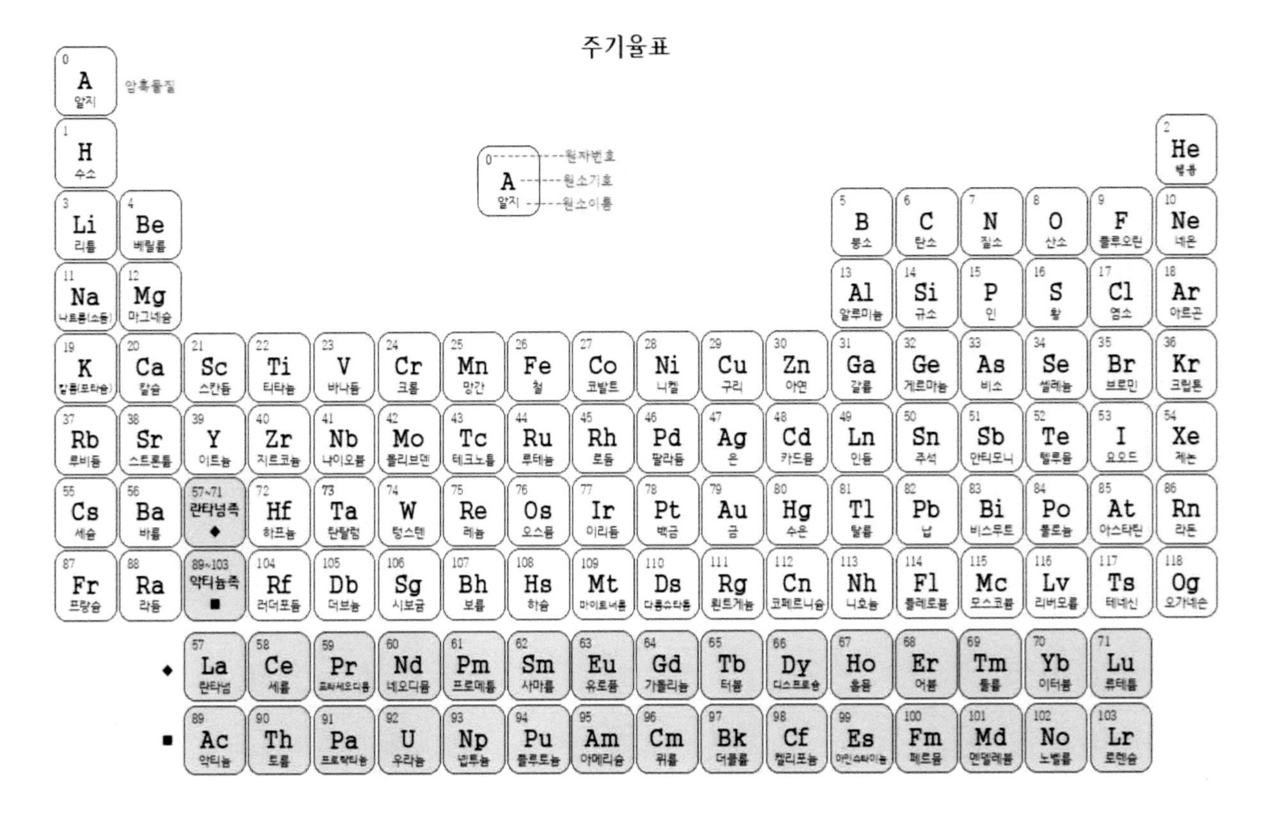
0 A 알지
암흑물질
1 H 수소
2 He 헬륨
0 A 알지
원자번호
원소기호
원소이름
3 Li 리튬
4 Be 베릴륨
5 B 붕소
6 C 탄소
7 N 질소
8 O 산소
9 F 플루오린
10 Ne 네온
11 Na 나트륨(소듐)
12 Mg 마그네슘
13 Al 알루미늄
14 Si 규소
15 P 인
16 S 황
17 Cl 염소
18 Ar 아르곤
19 K 칼륨(포타슘)
20 Ca 칼슘
21 Sc 스칸듐
22 Ti 티타늄
23 V 바나듐
24 Cr 크롬
25 Mn 망간
26 Fe 철
27 Co 코발트
28 Ni 니켈
29 Cu 구리
30 Zn 아연
31 Ga 갈륨
32 Ge 게르마늄
33 As 비소
34 Se 셀레늄
35 Br 브로민
36 Kr 크립톤
37 Rb 루비듐
38 Sr 스트론튬
39 Y 이트륨
40 Zr 지르코늄
41 Nb 나이오븀
42 Mo 몰리브덴
43 Tc 테크노튬
44 Ru 루테늄
45 Rh 로듐
46 Pd 팔라듐
47 Ag 은
48 Cd 카드뮴
49 Ln 인듐
50 Sn 주석
51 Sb 안티모니
52 Te 텔루륨
53 I 요오드
54 Xe 제논
55 Cs 세슘
56 Ba 바륨
57~71 란타넘족 ◆
72 Hf 하프늄
73 Ta 탄탈럼
74 W 텅스텐
75 Re 레늄
76 Os 오스뮴
77 Ir 이리듐
78 Pt 백금
79 Au 금
80 Hg 수은
81 Tl 탈륨
82 Pb 납
83 Bi 비스무트
84 Po 폴로늄
85 At 아스타틴
86 Rn 라돈
87 Fr 프랑슘
88 Ra 라듐
89~103 악티늄족 ■
104 Rf 러더포듐
105 Db 더브늄
106 Sg 시보귬
107 Bh 보륨
108 Hs 하슘
109 Mt 마이트너륨
110 Ds 다름슈타튬
111 Rg 뢴트게늄
112 Cn 코페르니슘
113 Nh 니호늄
114 Fl 플레로븀
115 Mc 모스코븀
116 Lv 리버모륨
117 Ts 테네신
118 Og 오가네손
◆
57 La 란타넘
58 Ce 세륨
59 Pr 프라세오디뮴
60 Nd 네오디뮴
61 Pm 프로메튬
62 Sm 사마륨
63 Eu 유로퓸
64 Gd 가돌리늄
65 Tb 터븀
66 Dy 디스프로슘
67 Ho 홀뮴
68 Er 어븀
69 Tm 툴륨
70 Yb 이터븀
71 Lu 루테튬
■
89 Ac 악티늄
90 Th 토륨
91 Pa 프로트악티늄
92 U 우라늄
93 Np 넵투늄
94 Pu 플루토늄
95 Am 아메리슘
96 Cm 퀴륨
97 Bk 버클륨
98 Cf 캘리포늄
99 Es 아인슈타이늄
100 Fm 페르뮴
101 Md 멘델레븀
102 No 노벨륨
103 Lr 로렌슘

위 주기율표를 보면 수소위에 알지가 자리하고 있는데 원소기호 "A"는 기존의 주기율표에 표기 되지 않은 알파벳이어서 너무 좋았고 원자번호 "0"번을 부여 한 것도 양성자가 없는 물질이기 때문에 붙여 주었는데 수소 원자번호 "1" 위에 적은 "0"번은 마치 드미트리 멘델레프가 "알지"라는 미지의 원소 자리를 일부러 비워둔 것처럼 딱 딱 맞아 떨어지는 느낌이었다.

"알지"는 이렇게 탄생하게 되었고 인간의 현미경으로도 볼 수 없는 우주에 수도 없이 많은 근본물질"알지"는 세계 과학계가 그토록 찾고 있는 암흑물질의 실체일수 있다는 확신까지 생겨 매우 기뻤다.

4)우주의 태동과 소멸

무한한 암흑의 무주(無宙)공간에서 우주가 만들어지는 메커니즘은 다음과 같다. 우주는 (1)태동기, (2)성장기, (3)성숙기, (4)쇠퇴기, (5)소 멸기 5단계로 구분 할 수 있다.

(1)태동기(약 900억 년)
가상의 암흑물질 "알지"는 영하 250도시 이하에서 인간이 모르는 물리법칙에 따라 생성되고, 이렇게 생성된 알지가 쿼크를 만들어내며 쿼크는 상호 작용을 통해서 양성자를 만들어 낸다. 이렇게 만들어진 양성자들은 중력과 에너지에 의해 주변에 전자가 생성되어 수소가 만들어지는 것이다. 우주에서 수소가 만들어지는 과정은 매우 느리며 수소핵융합이 일어날 수 있는 많은 수소가 만들어지기 까지 약 100억 년의 시간이 소요 될 것으로 예측 해 보았다.

수소들은 또 억겁의 세월동안 융합을 하면서 항성을 만들어가며 이렇게 만들어진 항성은 수십억 년이 지난 후 수명이 다해 폭발을 하고 폭발하면서 온도에 따라 더 무거운 물질들이 생성 되면서 약 300억 년의 시간동안 우주먼지와 가스가 만들어진다. 항성의 이러한 물질 생성 과정은 우주에 먼지와 가스로 가득 찰 때까지 또 태동과 소멸을 반복하고, 우주먼지와 가스는 중력에 의해 반죽되면서 행성과 항성, 은하를 만들어 나갈 것이다.

이렇게 우주의 태동기는 "알지"가 수소를 만들고 수소가 항성을 만들고 항성은 태동과 소멸을 반복하면서 행성과 은하를 만들어 간다. 이를 시간으로 환산 해 보면 약 500억 년 정도소요 될 것으로 추론해 본다. 그래서 우주 태동기는 약 900억 년의 시간이 필요 할 것으로 예측 해 본다.

(2)성장기(약 2,700억 년)
우주의 태동기가 물질이 생성되는 시기라면, 성장기는 우주의 물리적 범위가 커지는 시기로 이해하면 될 것이다. 성장기 때에도 우주에서는 지속적으로 물질이 만들어 졌으며 지금도 항성과 초신성 폭발 등으로 물질은 계속해서 만들어지고 있다. 우주크기가 초기 성장기에는 직경이 약 5,000억 광년으로 예측 해 보면서 지금 현재 인간이 관측 가능한 우주 크기는 직경 920억 광년이고, 지금 우주는 성장기 초기에 해당 된다고 볼 수 있다.

따라서 우주 초기부터 지금 까지 팽창한 현재 우주의 크기는 2024년 기준 약 5,000억 광년으로 추론 할 수 있고, 우주가 성장기에 접어들어서 지금 직경 5,000억 광년으로 커질 때까지 소요된 시간은 약 700억 년 정도로 예측 해 본다. 따라서 현재 우주의 나이는 태동기 900억 년에 성장기 700억 년을 더한 약 1,600억 년으로 추론 해 볼 수 있다. 또한 우리은하는 지금으로부터 약 1,000억 년 전부터 생성되기 시작되었으며, 태양계는 약 200억 년 전부터 먼지와 가스가 만들어지기 시작해서 50억 년 전에 완성 되었을 것으로 추론 한다. 지구도 이때 완성이 되었으며 지금 우주는 성장기 초기에 있다고 볼 수 있다. 우주의 성장기는 앞으로 2,000억 년 정도 성장 하다가 성숙기로 접어들 것으로 예측 해 본다.

(3)성숙기(약 1,500억 년)
우주는 약 2,700억 년 정도의 성장기가 지나면 성숙기에 접어드는데 성숙기의 특징은 "알지"의 소진으로 더 이상 수소 량이 늘어나지 못하고 추가적인 항성을 만들어 내지 못하는 시기다.

성숙기 기간 동안 "알지"의 생성보다 소모량이 더 많아서 우주공간에서 점점 "알지"가 줄어들어 쿼크생성이 안되고 수소를 만들어 내지 못하는 물질의 평형이 유지 되는 시기다. 이러한 성숙기는 약 1,500억 년의 안정기를 갖게 될 것으로 예측 하고, 이 시기부터는 우주 온도 영하 270도시는 영하 200도시까지 올라가 "알지" 생성이 더 이상 일어나지 않는 시기를 말한다.

(4)쇠퇴기(약 900억 년)
우주가 쇠퇴기에 접어들면 "알지"가 0인 상태가 유지되고 수소가 다 소진 될 때까지 유지 되면서 항성과 초신성의 폭발이 일어나도 수소 소진으로 더 이상 항성이 만들어지지 못하는 시기를 말한다. 쇠퇴기의 특징은 수소 소진으로 더 이상 항성이 만들어지지 못하고 우주 온도가 영하 200도시를 기점으로 점 점 낮아지면서 영하 500도시까지 떨어져 우주 팽창 속도도 점 점 느려지는 시기다. 또한 우주에 존재하는 모든 별들의 개수가 점 점 줄어들면서 결국 쇠퇴기는 우주가 식어가는 시기이며 우주의 생명체들이 더 이상 존재 하지 못하는 극한 상황이 될 때까지를 우주의 쇠퇴기(약 900억 년)로 본다.
(5)소 멸기(약 1,200억 년)
우주에 생명체들은 모두 사라지는 극한 소 멸기 시기에는 무기물질들의 수난의 시기다. 항성이 점점 사라지고 중력에서 이탈한 행성들은 무주(無宙)공간을 향해 흩어지는 우주의 마지막 단계다. 이렇게 흩어진 행성들은 무주의 먼지가 되어 초기부터 만들어진 무주공간에서 우주 물질들이 모두 사라지는 시기(약 1,200억 년)로 하나의 우주가 탄생해서 소멸 될 때까지 우주 일대기의 마지막 단계다.

따라서 우주가 만들어지는 과정은 알지-->쿼크-->양성자-->수소-->헬륨-->항성-->물질과가스-->항성계-->은하계-->은하단-->우주계의 순서로 억겁의 시간동안 만들어졌다가 우주 물질들이 모두 사라지기까지 계산 해 본다면 약 7,200억 년이 소요 될 수 있는 가설을 만들 수 있다.

하나의 우주가 탄생해서 소멸 될 때까지 7,200억 년이라는 시간은 무주(無宙)세계에서는 짧은 시간이다. 이러한 무주시공간의 시간에서 인간이 잠시 우주에 머물다가 사라지는 시간은 찰나에 불과 하지 않는다. 또한 현재 빅뱅우주론에서 나온 우주의 나이 138억 년도 무주(無宙)공간에서는 찰나의 시간일 것이다.

우주는 이렇게 한번 태동해서 약 7,000억 년에서 1조 년 동안 무주(無宙)공간에 존재하다가 에너지를 다 소모한 후 무주먼지가 되어 사라진다. 그리고 또다시 우주는 무주공간에서 억겁의 시간동안 태동과 소멸을 무한 반복한다(가설).

위와 같은 우주의 생애주기에 의해 만들어진 우주는 무주(無宙)대류에 의해 가속 팽창하면서 그 영역을 넓혀가다가 우주에 있는 모든 에너지가 소진 되면 우주에 존재 했던 물질들은 각기 형태로 무주(無宙)공간으로 흩어져 미아가 되어 떠돌게 된다. 여기서 "무주대류"라는 용어가 새롭게 등장하게 되는데 무주대류에 대한 개념 정리를 해보자.

5)무주(無宙)대류에 대하여

"무주대류"라는 용어는 관측을 통해서 우주가 팽창하고 있다는 사실에 근거하여 만든 가설로써 무주(無宙)에서 일어나는 물리적 현상이다. 과학계에서는 우주가 팽창 하고 있는 이유를 암흑에너지에 의한 팽창으로 해석을 하고 있지만 나의 견해는 다르다.

무주(無宙)공간에서 우주가 팽창 하는 이유는 (1)우주공간에 있는 물질이 밀도 차이에 의해서 진공상태의 무주로 이동하는 현상이고, (2)상대적으로 따듯한 우주공간이 차가운 무주공간으로 열과 에너지가 이동하는 대류가 발생하기 때문에 우주가 팽창하고 있는 것이다.

과학계에서는 우주의 팽창현상을 유추해서 과거에는 우주가 한 점에서 시작되었다는 단순한 논리로 빅뱅우주론을 주장 하지만, 이는 아직까지 우주에 대한 이해도가 떨어진 인간의 상상력에 불과 하지 않는다.

무주공간에서 한번 만들어진 우주는 그 생애주기가 다 될 때까지 밀도가 높아지고, 많은 열과 에너지를 생산하기 때문에 빽빽하게 채워진 우주공간에서의 은하와 항성 행성들이 상대적으로 진공상태인 무주공간으로 확산을 하는 것이다.

과학자들이 찾는 암흑에너지는 결코 존재 하지 않는다. 만약에 어마

어마한 우주를 팽창시킬 정도의 암흑에너지가 존재 한다면 국부은하단 내의 각기의 은하내부에서도 팽창은 일어나야 하며, 우리은하와 안드로메다은하가 가까워질 수가 없다.

우주가 가속팽창 하고 있다는 것이 사실이라면 팽창하기 전의 바깥의 공간은 진공상태의 공간이어야 한다. 팽창하기 전의 바깥세상에 대한 기본적인 개념도 없는 과학계의 시각은 무지에서 오는 회피라고 생각한다.

아직도 물질의 대폭발의 힘으로 우주시공간이 만들어지고 있다는 단순한 시각은 우주의 시작과 끝에 대한 가설조차 만들어 내지 못하는 과학자들의 전형적인 태도의 한계다. 빅뱅이 일어났다고 하는 그 사건에 대한 직접적인 증거도 없이 우주가 팽창하고 있으니 과거에는 한 점에서 출발 했을 것이라는 주장도 가설일 뿐이다.

우주의 온도는 평균 영하 270도시다. 영하 270도시는 우리 인간에게는 매우 추운 환경이지만 무기물질들의 세계에서는 수많은 별들이 내뿜는 에너지에 의해서 우주시공간은 매우 따듯한 공간이 된다.

밤하늘에 떠있는 저 우주시공간에는 태양과 같은 별들이 수천조개 아니 수천경의 개수가 있을 수 있고 이러한 별들은 엄청난 에너지를 생산하면서 우주의 밀도를 높이고 있다.

물질은 진공상태의 공간(무주)으로 이동을 하고, 에너지가 높은 곳(우주)에서 낮은 곳(무주)으로 이동을 한다. 이것이 우주가 사방으로 팽창하는 이유다.

6)항성(별)의 생애주기

주계열성 항성이 우주공간에서 만들어지는 과정은 우주 나이를 측정 할 수 있는 중요한 기준이 된다. 우주는 별들의 고향이고 별들에 의해 물질이 만들어지며 그 물질들이 상호 작용을 하면서 우주의 모든 행성들이 만들어지고 항성과 행성들은 은하를 구성 해 나간다. 그래서 별의 탄생은 우주에서 흔하게 발생하는 현상이지만 우주가 만들어지는 과정에서 중추적인 역할을 하고 우주의 모든 비밀을 간직한 것이 별의 탄생과 소멸일 것이다. 따라서 별의 생애주기에 대한 메커니즘만 알면 우주의 나이를 특정 할 수 있다.

그럼 주계열성 항성(별)의 생애주기에 대해서 살펴보자. 항성이 만들어 지려면 가장 중요한 수소가 있어야 한다. 수소도 물질인데 그렇다면 수소는 이 우주에서 어떻게 만들어졌을까? 이 부분에 대해서는 세계 과학계에서는 언급이 없고 빅뱅우주론으로 두리 뭉실 넘어 갔다. 필자도 수소가 어떻게 만들어졌는지에 대해서는 가설로써 전 단원에서 언급 한바 있으나, 태양의 생애주기에서는 수소가 만들어지는 기간(100억 년)은 포함 하지 않기로 한다.

a)수소 핵융합 시기

태초 우주는 "알지"에 의해서 수소가 만들어지고 우주에는 수소가 가득 채워져 밀도가 상당히 높았을 것이다. 우주에는 가스와 먼지도 없는 상태에서 수소 원자들은 서로 융합을 하면서 덩치를 키워가며 항성을 만들어 간다. 주변에 있는 수소가 밀도가 낮아져 더 이상 핵융합이 이루어지지 않는 평형 상태가 되면 항성은 성장을 멈추고 하나의 신성으로써 지위를 얻는다. 이러한 수소 핵융합 시기는 약 10억년 정도소요 될 것으로 예측 한다.

b)항성(별)의 전성기

항성의 크기는 수소 핵융합 초기에 수소의 밀집상태에 따라 결정되며 별로써 지위를 얻은 이후 수소가 다 소진 될 때까지 에너지를 생성하는 시기를 말한다. 항성(별)이 에너지를 발산 하는 전성기에는 별의 크기에 따라 내부 온도가 수 만 도에서 수 억 도까지 차이가 크며 그 기간도 수십 억 년에서 수백 억 년까지 다양 하다.

이러한 별의 전성기에는 우주 곳곳에서 별들끼리의 중력에 의해 충돌이 일어나고 그 충돌로 인하여 폭발이 일어나며 그 폭발로 온도에 따라 새로운 물질들이 만들어져 우주에는 가스와 먼지들이 만들어지기 시작한다. 또한 신성보다 빛의 밝기와 질량이 1만배 이상되는 초신성으로 진화한 별들은 폭발 에너지가 상상을 초월 하며 그 폭발로 인해 더 무거운 원소들이 만들어져 우주를 떠돌게 된다.

c)항성(별)의 소멸 기

태양과 같이 폭발 하지 않고 전성기를 보낸 별들은 내부 수소가 다 소진이 되면 헬륨으로 인해 적색거성이 되고 헬륨마저 다 소모하면 백색왜성으로 쪼그라들며 마지막에는 흑색왜성이 되었다가 우주의 먼지로 사라진다. 우주에서는 이러한 별의탄생과 소멸과정을 억겁의 세월동안 반복하면서 우주먼지들은 켜켜이 쌓이게 되고 이런 우주 먼지들은 이후에 탄생하는 별들과 함께 행성을 만들어 간다.

대표적인 것이 우리 태양계다.
태양의 나이가 현재 약 50억 살(년)이라고 추정 하고 있고, 향후 약 20억년에서 30억년 동안 활동하다가 적색거성으로 진화 하는 것으로 예측 하고 있다. 적색거성의 시기에는 우리 지구도 태양의 밥이 되어 사라진다. 실질적으로 지구는 향후 5억년 후면 생명체가 살 수 없는 행성이 될 것으로 보고 있다. 그때가 초래하기 전에 인류는 다른 행성으로 이주를 해야 생존 할 수 있다.

7)암흑물질과 암흑에너지

나는 앞서 암흑물질을 "알지"로 명명 하였으며, 과학자들이 찾는 암흑에너지는 존재 하지 않는다고 결론을 내렸다. 여기서 암흑물질은 과학자들이 찾는 종류의 암흑물질이 아니다. "알지"는 수소를 만들어 내는 근본 물질이다. 아마도 우리 인간은 "알지"가 너무 작은 입자일 수 있기 때문에 영원히 눈으로 확인 할 수 없을지도 모른다.

하지만 물리법칙상 수소를 만들어 내는 메커니즘은 반드시 존재 해야만 한다. 따라서 "알지"는 반드시 존재 해야만 하는 입자다. 인간이 절대로 범접 할 수 없는 곳은 있을 것이다. 우리 인간이 우주의 끝을 절대로 가볼 수가 없는 것처럼, 미시세계에서도 인간이 침범 할 수 없는 초미시세계도 존재 할 수 있을 것이다. 그 초미시세계의 상호작용은 우주를 만들어가는 근본원리가 되고, 인간이 절대로 범접 할 수 없는 곳이라 할 수 있다. 눈에 보이지도 않고 만질 수도 느낄 수도 없는 초미시세계의 비밀은 과학철학의 관점에서 가설로 묻어두어야 할지도 모르겠다.

과학자들이 찾고 있는 암흑물질과 암흑에너지에 대한 존재에 대해서 그 어떤 단서도 발견 하지 못한 작금에 암흑물질은 지구 어디에도 있다고 하는 발언을 하며 섣불리 그 존재에 대해서 확대 해석하려는 일부 물리학자들도 있다. 마치 암흑물질이 무엇인지 알고 있는 것처럼 말이다.

우주의 기본은 물질이 아니라 빈공간이다. 빈 공간에 약간의 물질이 존재하는 것이 기본 베이스라고 생각 한다. 빈 공간에 꼭 무엇이 존재해야만 한다는 시각은 아마도 지구에서 살아온 인간이 중력에 잡힌 물질들이 모든 공간을 매우고 있는 것을 관찰하고 경험했기 때문에 우주도 빈 공간 없이 무언가로 채워졌다는 발상에서 암흑에너지와 암흑물질의 존재를 예측 하고 있다고 본다.

만약 우주공간에 암흑에너지가 가득하다면 우리은하 내에 있는 별들도 서로 멀어져야 한다. 이 광활한 우주를 가속 팽창시키는 에너지의 힘이라면 은하 하나 정도는 산산조각 낼 수 있어야 하지 않겠는가. 지금 우주에서 벌어지고 있는 물리적인 현상들 중에 우리가 이해 할 수 없는 수준의 물리적 이벤트는 없다. 암흑에너지가 존재한다면 우리은하 내에서 우리가 이해 할 수 없는 물리적 이벤트가 있어야 한다.

따라서 내가 보는 무주(無宙)와 우주(宇宙)는 빈공간이 있어야 천체들이 역동적으로 활동을 할 수 있는 것이다. 그리고 그 빈 공간에 물질들이 채워지고 또 시간이 지나면 다시 빈공간이 되는 리싸이클링이 가능해 진다는 것이다. 이러한 빈 공간에 무엇을 꼭 꼭 채워야만 직성이 풀리고 이해되는 물리적 시각은 버렸으면 좋겠다.

과학자들은 지구 대기권과 우주시공간을 같은 개념으로 바라보아서는 안 된다. 지구 대기는 지구중력 때문에 빈틈없이 물질들로 채워지지만 우주시공간은 중력이 미치지 않는 빈 공간들이 무수히도 많기 때문에 그 빈공간은 빈 공간으로써 순기능이 있을 것이라고 본다.

결론적으로 우주(宇宙)에는 암흑물질은 존재해야 하지만 암흑에너지는 존재해서는 안 되며, 우주 가속 팽창은 암흑에너지에 의해서 일어나는 현상이 아니라 무주대류에 의한 무주시공간의 자연스러운 현상일 뿐이다.

8)무주(無宙)와 우주(宇宙) 개념

우주(宇宙)는 무주(無宙)안에 존재하는
물질과 에너지의 집합체다.

물질은 에너지를 만들고,
에너지는 물질을 파괴 한다.

우주는 강력, 전자기력, 중력, 약력, 회전력을 만들고,
그중 강력이 가장 세다.

회전력은 행성과 항성, 은하를
회전시키며, 우주를 쉬지 않고 돌게 한다.

우주(宇宙) 물질은 상호 작용을 통해
만남과 이별을 반복하고, 태동과 소멸을 반복한다.

우주에는 절대적 시간과
상대적 시간이 존재한다.

절대적 시간은 무주(無住)어디서나
똑같이 작동하는 시간이고, 상대적
시간은 태양계에서 인간이 만든 시간이다.

시간은 개념이요, 빛은 에너지다.
시간과 빛은 강력한 중력에도
아무런 영향을 받지 않는다.

우주는 태양을 창조했으며,
태양은 지구를 창조했다.

지구는 식물을 창조했으며,
식물은 인간을 창조했다.

인간은 문명을 창조했으며,
문명은 우주가 소멸시킨다.

물질은 원자를 품고 있으며,
원자는 원자핵을 품고 있다.

원자핵은 에너지를 품고 있으며,
에너지는 또다시 우주를 창조한다.

물질의 폭발은 시공간을 만들지 못하며,
물질의 폭발은 물질만 만들 뿐이다.
하나의 우주가 탄생해서 사라질 때까지
만들어지는 에너지는 환원되지 않고 소모된다.

무주(無宙)시공간의 차가움은 에너지의 원천이요,
우주(宇宙)시공간은 에너지의 집합체다.

무한대 무주는 우주의 집이요,
우주는 무기물 천체들의 집이다.

9)우주 탄생의 비밀에 대한 이해.

나는 빅뱅이론을 믿지 않는다.
창조론도 믿지 않는다.
빅뱅이론을 믿느니 차라리 창조론을 믿겠다.
그만큼 빅뱅이론은 물리학적으로 논리가 빈약하다.
창조론은 비과학적이기 때문에 하나님이 만들었다는 명백한 논리라도 있다. 과학을 논하려면 과학적인 논리로 빅뱅우주론을 설명해야 한다. 이 부분에 대해서는 세계 과학계는 반드시 반성 하고 가야 한다고 생각 한다.

우주(宇宙) 탄생의 비밀을 풀 수 있는 사람은 누구일까? 철학자일까? 과학자일까? "철학과 과학" 철학의 사전적 의미는 인간이 살아가는데 있어 중요한 인생관 세계관을 탐구 하는 학문이고, 과학의 사전적 의미는 세계의 구성, 변화 등에 관한 합리적 이해를 목적으로 수학과 실험의 방법을 이용하여 수행하는 지적탐구 활동 또는 그 결과물로써의 학문이다. 그리고 과학철학자는 과학을 바탕으로 철학을 공부한자다. 결국 우주의 모든 비밀을 풀 수 있는 사람은 물리학자도 천문학자도 아닌 과학철학자일 수밖에 없다.

"지구평면설"
신화시대에 인류는 지구가 평평하다고 믿었다. 지구가 평평하다는 생각은 고대인들의 관념이었다. 하지만 고대 그리스의 철학자 탈레스는 지중해를 항해 중 땅의 모습을 관찰하면서 지구가 방패처럼 부풀어 오른 원반 모형이라고 주장 한바 있다. 고대 그리스 철학자이자 과학자인 아리스토텔레스는 월식 때 달에 드리워진 그림자와, 선박이 나타날 때 돛대부터 보인다는 사실 등을 근거로 지구가 둥글다고 주장했다.
철학자이자 수학자인 에라토스 테네스는 기원전 240년에 위도에 따라 태양의 그림자 길이가 달라지는 것에 착안하여 지구의 둘레를 구했다. 이렇듯, 지구 평면 설은 철학자들에 의해 지구가 둥글다는 사실이 밝혀졌다.

그럼에도 불구하고 현재 지구 평면 설을 믿는 사람이 600만 명에 달한다고 한다. 이중에는 교사 의사 과학자들까지 다수 포함 되어 있다. 종교적 신념일 뿐이다. 지구를 탐험 해 보지 못했던 고대인의 지구평면설과 우주를 탐험 해 보지 못한 현생 인류의 우주에 대한 해석도 별반 다르지 않다.

우주는 유한하다고 주장한 아리스토텔레스, 우주는 무한하다고 주장했다가 화형 당한 브루노, 우주는 정적이라고 주장했던 아인슈타인, 빅뱅이론을 추앙하는 과학자들, 그리고 별들이 가속팽창 하는 것을 보고 무한한 무주존재론을 주장한 김길성까지, 모두 철학적 직관일 뿐이다.

우주 탄생의 비밀은 언제쯤 풀릴까?
가보지 않고는 확신 할 수 없는 우주
그러나 우주 끝까지 갈수가 없는 인류
비밀의 열쇠는 과학 철학자에 달려 있다.

우주에서의 138억년은 찰나에 불과 하지 않는다. 지구가 태양을 한 바퀴 도는데 걸리는 365.2422일은 또 얼마나 짧은 시간일까. 이 우주에서 너무도 작은 존재인 인간이 바라보는 우주는 어마어마한 물질들의 세계지만, 무주공간에서 우주는 먼지 티끌만 한 존재다.

내가 우주 나이를 대략 1,600억 년 이라고 추정한 값도 어찌 보면 찰나에 불과 하지 않는 시간일지도 모른다. 확실한 것은 우주는 어느 특이점에서 출발 하지 않았다는 것이 곧 밝혀 질 것이라고 난 확신 하고 있다. 세계 과학계는 우주가 탄생한 시기를 지금으로부터 138억년으로 기록하고 있지만, 나는 절대로 믿지 않을 것이다. 물리적으로 도저히 받아들일 수 없는 가설이다.

지구나이가 46억 살이다.
태양의 나이는 45억 살이라고 하는데 나는 태양의 나이가 45억 살은 넘을 것이라고 생각한다. 태양은 앞으로 20억 년에서 30억 년을 더 살다가 적색거성으로 부풀어 오른다. 태양이 수소 핵융합을 하는 물리적인 나이가 70억 살이 된다.

그렇다면 인류가 찾아낸 항성 중에 가장 큰 방패자리에 있는 스티븐슨2-18의 적색왜성은 나이가 얼마나 될까? 스티븐슨2-18은 지구로부터 18,900광년 떨어져있다. 크기는 태양의 440만 배나 된다.
스티븐슨2-18 별은 젊었을 때 질량은 태양의 3배정도 되었다. 태양과 비교하여 스티븐슨2-18의 나이를 단순 물리적으로 계산해 보아도 태양의 예상 나이 70억 살의 3배인 210억 살이 된다. 그런데 과학계는 우주 나이가 138억 살이라고 한다. 태양보다 큰 항성들의 수명으로 볼 때 물리적으로 전혀 앞뒤가 맞지 않는 계산이라고 생각된다.

따라서 우주는 억겁의 시간 동안 매우 천천히 물질들의 상호 작용을 통해서 우주가 만들어졌다는 것을 강조 하고 싶고, 우주의 나이도 138억 살이 아닌 최소 1,600억 살은 넘을 것으로 보고 있다. 그래서 우주는 억겁의 시공간이다.

앞서 나는 빅뱅우주론을 물리법칙에 어긋난다는 이유로 창조론과 별반 다르지 않다는 주장을 하였고, 그 대안으로 "무주존재론"이라는 가설을 만들었다.

우주는 암흑의 무주시공간에서 티끌과 같은 작은 물질들의 집합체이며, 138억 살이 아닌 최소 1,600억 살은 넘을 것이라고 추론 해 보았다.

어차피 138억 년 전에 한 점에서 대폭발로 시작한 빅뱅우주론이나, 암흑의 무주시공간 어디 한 곳에서 1,600억 년 전에 "알지"가 쿼크를 만들고 쿼크가 수소를 만들어 억겁의 시간에 걸쳐 매우 느리게 우주가 만들어졌다는 나의 가설이나 확인이 안 되는 가설 일뿐이다.

과학은 가설을 세우고 실험으로 증명이 되었을 때 정설로 받아들여야 함에도 빅뱅우주론은 빅뱅초기의 가설에 대한 검증 절차도 없이 세계 과학계에서는 정설로 받아들인 것은 매우 잘못된 것이라고 생각 한다. 따라서 검증 불가의 가설이라면 어느 쪽이 더 과학적이며 물리법칙에 어긋나지 않고 설득력이 있는지를 판단해야 한다는 것이다.

결론적으로 우리우주계는 1,600억 년 전에 물질이 만들어지기 시작했으며 우주는 지금 한창 성장기에 접어든 상태라고 할 수 있다. 하여 현재 우리우주의 크기는 5,000억 광년이며 우리우주 나이는 1,600억 년(살)으로 추론 한다.

11장. 양자역학과 인간의 의식.

인간의 의식도 양자역학으로 설명 할 수 있다.

독자들의 메모장

당신의 의견을 적어 보세요.

11.양자역학과 인간의 의식.

1)양자역학.

"양자역학"이란 용어를 들으면 대부분 사람들은 어려운 과학 중에 더 어려운 분야로 인식한다. 내가 학교 다닐 때 과학과목의 성적은 겨우 60점 정도였다. 이랬던 내가 양자역학을 접했을 때는 초등학생이 고등학교 수학을 공부 하는 기분이었다. 하지만 나는 내 지병인 기관지 확장 증에 대한 근본적인 문제가 무엇이고, 관리에 대한 정확한 매뉴얼이 필요했다. 허구한 날 가래에서 피가 나오고 심하면 각혈을 해야 하는 내 지병에 대해서 알기위해서는, 내기관지와 폐의 경계 혈관벽속의 원자세계를 알아야 했기 때문에 양자역학의 학문에 뛰어 들게 되었다.

처음에 접한 양자역학은 용어부터 생소해서 무조건 암기를 시작했다. 용어부터 이해를 해야 다음 진도를 나갈 수 가 있었기 때문에 단어공부 하듯 노트에 기록해 나갔다. 참 오랜만에 공부다운 공부를 하는 것 같아서 매우 흥미로웠고 열정이 넘쳤다. 한 달 정도 공부를 했을 때 약간 개념이 들어와 유튜브에서 양자역학에 대한 콘텐츠를 다 찾아보기 시작 했다. 그때서야 귀가 뚤 린 듯 머리에 쏙쏙 들어와 물질의 세계에 대한 개념이 정리가 되고 미시세계와 거시세계의 연결 고리가 이어지면서 우주에 대한 탐구가 시작 되었다.

나는 양자역학 하면 딱 떠오르는 인물이 네 사람이 있다. 닐스보어와 하이젠베르크, 두 사람은 내가 아주 좋아 하는 과학자다. 그리고 그 대척점에서 아인슈타인과 슈레딩거가 생각난다. 양자역학을 공부하려면 최소한 위 4명의 천재들은 알아야 한다. 그럼 사진 한 장을 보면서 양자역학의 세계로 여행을 떠나보자.

둥글게 두 사람을 지목했다. 중앙부에 아인슈타인이 보인다. 워낙 유명한 사람이라 한눈에 들어 올 것이다. 오른쪽에 있는 사람은 닐스보어다. 두 사람은 양자역학을 두고 논쟁을 많이 했다.

닐스보어는 평생을 양자역학 연구에 몸 바친 사람이고, 아인슈타인은 죽을 때 까지도 양자역학 이론을 이해 못했던 사람이다. 나는 아인슈타인이 바보 같은 천재인지, 천재 같은 바보인지 의문이 들기 시작했다.

사진 속 맨 윗줄 오른쪽에서 세 번째에 올백 헤어스타일의 한 젊은 천재 한사람이 보인다. 하이젠베르크다. 나는 위 사진의 천재들 중에 누구와 친구를 하고 싶은지 묻는다면, 하이젠베르크를 선택하겠다. 비하인드 스토리는 다음에 이야기 해 보자.

양자역학이라는 딱딱하고 아리송한 세계로 들어가기 전에, 재미있는 인물 공부를 먼저 하고 들어가는 것이 좋을 것 같다.

첫 번째로 양자역학의 선두주자였던 닐스보어라는 천재부터 알아보자.

닐스 헨리크 다비드 보어

닐스보어는 1885년 10월 7일에 덴마크 코펜하겐에서 태어나, 1962년 11월 18일 덴마크 코펜하겐에서 사망 했다. 닐스보어는 덴마크의 현대 물리학자로, 평생을 원자구조와 핵분열 이론을 규명하고 양자역학 성립에 기여한 공로로 1922년 노벨 물리학상을 받았다.

보어는 양자역학에 대하여 아인슈타인과 논쟁을 벌였으며, 아인슈타인이 사망 한 이후에도 논쟁을 할 만큼 양자역학의 선구자였다.

두 번째는 하이젠베르크를 소개한다.

베르너 하이젠베르크

그는 1901년 12월 5일 독일의 뷔르츠브르크에서 태어나, 1976년 2월 1일 뮌헨에서 사망 했다.그는 양자역학이라는 현대과학을 수립하는데 공헌했으며, 1932년에 양자역학의 불확정성의 원리를 정립해서 노벨물리학상을 수상했다.

하이젠베르크는 물리학뿐만 아니라 수학, 음악에도 천재성을 보였다. 하이젠베르크는 원자핵속의 이론을 수학적으로 완성 하고자 노력 했으나, 끝까지 풀어내지 못하고 울어버렸다는 일화가 있다. 그는 결국 원자핵 세계는 불확정적이라는 결론을 내린다.

세 번째는 죽을 때 까지도 양자역학 이론을 인정하지 않았던 아인슈타인에 대해서 알아보자.

알베르트 아인슈타인

아인슈타인은 1879년 3월 14일 독일의 뷔르템베르크 울름에서 태어나 1955년 4월 18일 미국의 뉴저지 프린스턴에서 사망했다. 그는 19~20세기 독일 태생의 유대계 이론물리학자며, 상대성 이론을 발표해 과학계의 혁명을 이끌었고, 국제적 명성을 얻었다. 1921년 광전효과로 노벨물리학상을 수여했으며 죽는 날까지 양자역학을 거부하며 펜과 노트를 놓지 않았다는 일화가 있다.

네 번째로 슈레딩거에 대해서 알아보자

에르윈 슈레딩거

슈레딩거는 1887년 8월 12일 오스트리아 빈에서 태어나 1961년 1월 4일 오스트리아 빈에서 사망 했다. 슈레딩거는 이론물리학자로 주요업적으로는 슈레딩거방정식, 슈레딩거 고양이로 유명하다. 그는 1933년 노벨물리학상을 수상하였으며, 양자역학을 비판하기 위해 고양이 가상실험 해석을 발표하면서 유명해졌는데, 이는 오히려 양자역학의 양자 중첩 상태를 잘 설명하는 사례로 널리 알려졌다.
슈레딩거의 고양이 가상실험은 상자 안에 고양이를 넣어 놓고 1시간 후에 50%의 확률로 터질 수 있는 독가스를 설치하고 1시간 후에 상자를 열기 전까지는 고양이가 죽어있거나 살아있거나 두 경우의 수가 존재할 수 있다는 양자 중첩 상태에 놓이게 된다는 것을 비판 하기 위한 실험이었다.

그럼 본격적으로 양자역학 속으로 들어가 보자.
이 무주(無住)는 거시적 세계와 미시적 세계로 구분 할 수 있다. 거시적 세계는 맨눈으로 볼 수 있거나, 감각으로 직접 느낄 수 있는 물질의 세계이고, 미시적 세계는 육안으로 식별이 불가능하고, 현미경으로만 볼 수 있는 미세한 세계를 의미한다. 양자역학은 분자, 원자, 소립자등 미시적인 계의 현상을 다루는 기본이론이다.

이 미시세계에서 발생하는 모든 사건들에 대한 메커니즘은 아직 명확하게 규명 되지 않은 부분도 있어서 지속적인 연구와실험이 이루어져야 한다. 양자역학은 원자세계의 물질과 양자도약, 양자중첩, 양자얽힘, 힉스메커니즘과 같은 현상에 대한 이해도 필요하다

그럼 분자, 원자, 소립자의 물질에 대한 개념부터 정리 해 보자.
분자는 일정한 질량, 구조, 원자조성을 가진다. 분자는 순수한 화합물에서 그 특징적인 조성과 화학적 성질을 유지시키는 가장 작은 입자이다.

물분자

분자는 수나 종류의 변화 없이 물리적 변화를 할수 있으나(예로 액체인 물이 기체나 고체로 변화 하는 것), 화학 반응을 통해 변형 될 수 있다.

분자의 총괄적인 화학작용은 분자를 이루는 원자들과 그들 사이의 화학결합의 특성에 의해 결정 된다. 전자가 둘 이상의 원자핵의 인력을 동시에 받아 생기는 결합은 원자핵간 거리를 가깝게 한다. 결합이 생기거나 끊어지는 모든 화학반응은 원자의 전자 구조상 변화로 설명 될 수 있다.

다음은 원자에 대해서 이야기 해보자. 분자를 분해하면 원자를 볼 수가 있다. 자 물 분자 하나를 바닥에 놓고 망치로 깨보자. 망치로 있는 힘껏 내리쳐 보자. 그런데 아무리 망치로 두들겨도 원자가 나오질 않는다.

원자

이유가 뭘까? 여기서 우린 분해와 분리를 구분 할 줄 알아야 한다. 분해의 사전적 의미는 화합물을 보다 간단한 두 가지 이상의 물질로 나눔(화학적 분해를 의미), 분리의 사전적 의미는 서로 나뉘어 떨어지게 함(사과를 반으로 쪼갰다) 즉, 분자를 망치로 두들겨 패는 행위는 분해가 아닌 분리를 하는 행위다.

원자란 각 원소의 각기의 특징을 잃지 않는 범위에서 도달 할 수 있는 최소의 미립자를 일컫는다. 대부분의 물질은 분자덩어리로 이루어져 있는데, 이것은 비교적 쉽게 쪼개진다. 그런데 분자는 끊어지기 어려운 화학 결합에 의해 연결된 원자로 구성되어 있다. 각각의 원자는 더 작은 입자인 핵과 전자로 이루어져 있다. 이 입자들은 전기적 힘에 의해 원자를 구성 한다.

원자는 대부분 빈 공간으로 이루어져 있다. 핵은 원자의 양으로 하전 된 중심이고, 원자 질량의 대부분이 들어 있다. 핵을 다시 쪼개면 양으로 하전 된 양성자와 전하를 갖고 있지 않은 중성자로 구성되어 있다.

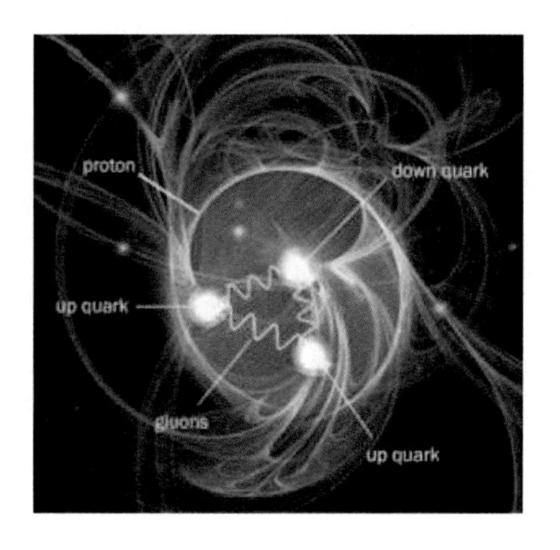

양성자

이 양성자와 중성자를 핵자라고 한다.
양성자, 중성자 그리고 그들을 둘러싸고 있는 전자는 수명이 긴 입자이다.

여기까지는 대부분 사람들은 충분히 이해 할 수 있다. 분자를 쪼개니까 원자가 나오고, 원자를 쪼개니까 원자핵과 전자가 나오고, 원자핵을 또 쪼개보니 양성자와 중성자가 나오는구나, 용어도 그렇게 어렵지 않아서 개념 정리가 잘 될 것이다. 여기서 중요한 것은 안으로 들어가면서 쪼갤 때는 많은 에너지가 필요 하다는 점이다.

바로 물질의 강력 때문이다. 강력은 4대힘(강력, 중력, 전자기력, 약력)중 가장 세다고 했다. 쪼갤 때 많은 에너지가 들어간다는 것은 물질이 뭉칠 때도 에너지가 많이 들어간다는 역설적 추론을 할 수가 있다.

아인슈타인도 여기까지는 이해를 했을 것이다. 이다음부터는 양자역학이 왜 어려운 분야인지 알 수 있는 대목이다. 소립자란 극 미립자라고 생각되고 있는 광양자, 전자, 양성자, 중성자, 중간자, 중성미자, 양전자등을 통틀어 이르는 말이다.

원자핵을 쪼개면 양성자와 중성자로 이루어졌는데, 이들을 다시 쪼개면 쿼크라는 입자로 구성 되어 있다. 쿼크는 소립자의 복합 모델에서의 기본 구성 입자의 한 종류이다.

쿼크

쿼크는 6가지 종류가 있으며, 물리학자들은 이들을 up/down, charm/strange, top/bottom등 3개의 쌍으로 분류하고 있다. 이 쿼크들은 질량을 가지고 있으며, 양전하와 음전하를 띠는 쿼크가 있다

다음은 렙톤에 대해서 알아보자.
렙톤은 경입자라고도 한다. 전자나 중성미자와 같이 상호 작용만 하는 입자다. 렙톤은 전하를 띠는 렙톤과 전하를 띠지 않은 중성미자로 나눌 수 있다.

전하를 띠는 렙톤은 정적이며, 우주에서 가장 흔한 경입자다.
전하를 띠지 않는 중성미자는 우주에서 관찰 되지 않고 광속으로 움직이며, 2분의1의 스핀을 갖는다.

중성미자는 (1)전자중성미자 (2)뮤온중성미자 (3)타우 중성미자로 구분한다. 전자 중성미자는 전하를 띠지 않고, 약력으로만 다른 입자와 반응 한다. 뮤온 중성미자는 전하는 없고 질량은 있다. 타우 중성미자는 전하를 띠지 않으며 질량은 있다.

이러한 미시 세계의 입자들에 대한 연구를 해 온 물리학자들은 쿼크와 렙톤이 서로 상호 작용을 통해서 물질을 만들어 내고 있다는 것을 알아냈다. 그렇다면 쿼크와 렙톤이 어떤 상호 작용을 하고 있는 것일까?

다음은 신의입자라 불리는 힉스입자와 W보손, Z보손에 대해서 알아보자. W보손과 Z보손은 약한 핵력을 전달하는 입자다. 이는 많은 물리학자들이 여러 차례의 실험을 통해 입증된 결과물이다. 힉스입자는 질량을 부여하는 어떤 메커니즘 이라고 이해하면 좋을 것 같다.

아직까지 힉스메커니즘이 정확히 무엇이다, 라고 입증 되지 않았기 때문에 단정 짓기는 어렵지만, 힉스메커니즘은 W보손과 Z보손이 약한 핵력을 전달하는 과정에서 물질에 질량을 부여하는 시스템으로 이해하면 된다.

그리고 양자역학 하면 꼭 알고 가야 할 것이 있다. 하이젠베르크의 불확정성의 원리다. 하이젠베르크는 닐스보어가 발견한 양자도약(전자가 원자 내부에서 불연속적으로 궤도를 도약하는 현상)을 개념으로 불확정성의 원리를 밝혀냈다.

입자의 위치와 운동량은 일정수준의 정확도 이상으로는 동시에 측정 할 수 없다는 것이다. 소립자 세계의 물리법칙을 연구했던 하이젠베르크는 양자도약, 양자중첩, 양자얽힘이란 암초를 만나 앞으로 나아갈 수가 없었다. 전자의 위치를 알려면 먼저 전자에 빛을 쪼여야 한다.

그런데 아무리 작은 빛 에너지라고 해도 소립자인 전자에게는 감당하지 못할 엄청난 에너지다. 이 에너지를 받는 순간 전자는 양자도약을 일으켜, 원래의 궤도에서 사라져 버린다.

이 불확정성의 원리는 직접적으로 양자역학에 통용 되지만, 더 근본적으로는 인간이 자연을 인식하는데 있어 숙명적인 한계가 있음을 인지해야 한다고 본다.

하이젠베르크는 이 한계를 뛰어 넘고자 수도 없이 실험을 계속 했지만 자신의 한계를 느끼고 그 자리에 주저앉아 울어 버렸다. 천재 하이젠베르크의 고뇌가 얼마나 컸는지 짐작케 한다.

나는 하이젠베르크의 그 열정에 박수를 보내고 싶고, 만나면 이 얘기를 꼭 해주고 싶다

"친구여! 소립자의 세계라도 물리법칙은 반드시 있다고 보네."

"우리가 관찰하지 않고 자연의 순리에 맡기면 특정 에너지의 크기에 따른 물리법칙이 있을 것이라고 생각해."

"단지 우리 인간은 숙명적으로 미시세계의 법칙을 알아차릴 수가 없다는 것이 본질일거야"

그리고
"쿼크와 렙톤이 W보손과 Z보손에 의한 힉스메커니즘을 통해서, 물질의 질량과 물질의 성질이 결정되고,

세상의 모든 물질들은 이러한 소립자속의 물리법칙에 따라 만들어지고 있으며, 이는 자네가 그토록 밝혀 보려고 했던 원자세계의 기본질서가 우주탄생의 비밀이었다는 것을 말해주고 싶었네.

마지막으로 (1)양자중첩과 (2)양자얽힘, (3)양자도약,(4)힉스에 대한 현상에 대해서 알아보자.

(1)양자중첩
양자중첩이란 양자역학에서 말하는 한개 이상의 양자 상태가 동시에 존재하는 현상을 말한다.

양자중첩

예를 들어, 동전을 던지면 앞면과 뒷면중 하나가 나온다. 하지만 양자중첩 상태에 있는 동전은 앞면과 뒷면이 동시에 나온 것처럼 행동 한다.

이런 양자중첩 상태는 관찰하기 전까지 유지되는데, 관찰 하면 어떤 한 상태로 확정되고 다른 상태는 사라진다. 이를 측정에 의한 붕괴라고 한다.

양자중첩을 실험 할 수 있는 방법은 여러 가지가 있다. 그 중에서 가장 유명한 것은 슈뢰딩거의 고양이라는 사상 실험이다.

슈뢰딩거는 1935년에 다음과 같은 상황을 가정 했다.밀폐된 상자 안에 고양이와 방사성 물질, 그리고 방사성 물질의 붕괴 여부에 따라 독가스를 방출하는 장치가 있다.

방사성 물질은 50%의 확률로 한 시간 안에 붕괴 한다. 상자를 열기 전까지는 고양이의 생사를 알 수 없다. 이때, 고양이는 살아 있는 상태와 죽은 상태의 양자중첩 상태에 있다고 할 수 있다. 즉, 고양이는 살아 있는 것과 죽은 것 모두에 해당 된다. 하지만 상자를 열어서 관찰하면 살아 있거나 죽어 있거나 하나의 상태로 확정 된다.

슈뢰딩거는 이런 모순적인 결과를 통해 양자역학의 해석에 대한 문제를 제기 했다. 현실에서는 고양이가 죽은 것과 살아 있는 것 모두 일수가 없다는 논리다. 아인슈타인도 "신은 주사위 놀음을 하지 않는다."라며 양자역학을 받아들이지 않았다.

이후에도 양자중첩에 대한 다양한 해석과 실험이 이루어 졌다. 예를 들어 2019년에는 오스트리아와 영국의 연구진이 20개의 초미세 다이아몬드 원자를 양자중첩 상태로 만들어서 관찰 하는 실험을 성공적으로 수행 했다.

양자중첩은 우리의 일상생활과 거리가 멀어 보이지만, 사실 매우 중요한 현상이다. 양자중첩을 이용하면 양자 컴퓨터를 만들 수 있다. 양자 컴퓨터는 기존의 컴퓨터보다 비교도 할 수 없이 빠르고, 효율적이며 저장용량도 상상을 초월한다. 양자컴퓨터가 실용화 되면 USB 하나에 영화 200만 편을 저장 할 수 있다.

양자 컴퓨터 개발은 미국의 IBM이 가장 앞선 기술을 보유 하고 있으며, 중국 또한 인재들을 키우면서 국가적 명운을 걸 정도로 기술 개발에 총력을 다 하고 있다. 양자 컴퓨터가 개발이 되면 산업 전반에 걸쳐 과히 혁명적이라 할 만큼 변화가 올 것이다. 우주 개척에 있어서 양자 컴퓨터는 없어서는 안 될 필수품이다.

양자 컴퓨터에 없어서는 안 되는 물질이 희토류에 해당하는 홀뮴이라는 원소다. 원자번호67번 원소기호 Ho 홀뮴의 세계 매장량 1위는 중국이다.

홀뮴(희토류)

(2)양자얽힘

양자얽힘이란 멀리 떨어진 두 개체가 즉각적으로 서로의 상태에 영향을 미친다는 이론이며, 1964년 존 스튜어트 벨이 발표 했다.

얽힘은 양자 이론 중에 기이한 특성으로 알려져 있다. 2015년 네덜란드 로날드 헨슨 연구팀이 주도한 국제 연구팀이 양자얽힘 현상이 실제로 존재 한다는 것을 실험으로 입증 했다.

한번 짝을 이룬 두 입자들은 아무리 서로 떨어져 있다 하더라도 어느 한쪽이 변동하면 그에 따라 다른 한쪽도 즉각 반응을 보이는 불가사의 한 특성을 보이는데, 양자이론에서는 이 두 입자가 서로 "얽혀있다"라고 하며 이를 "양자얽힘"이라고 한다.

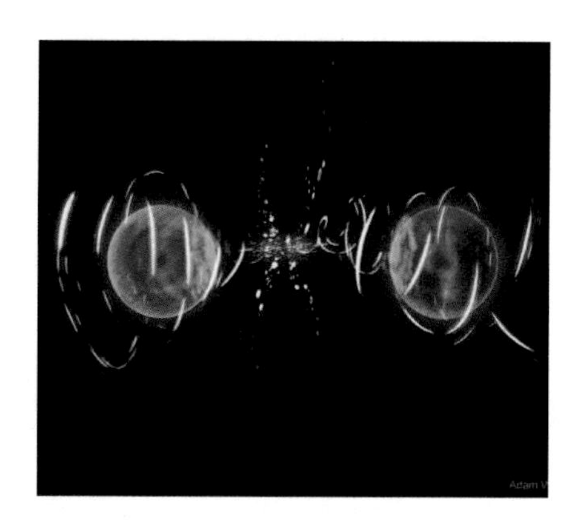

양자얽힘

이는 입자가 오직 즉각적인 주위 환경에 의해서만, 직접 영향을 받는다는 표준 물리학의 "극소성의 원칙"에 위배된다. 때문에 이 이론은 물리학적 연구가 아니라, 철학적 연구의 대상으로 여겨졌다.
아인슈타인도 우주에서 빛보다 빠른 것은 없다고 하면서, 이 이론은 "유령 같은 원격 작용" 이라며 죽을 때 까지 받아들이지 않았다.

(3)양자도약
양자도약은 양자의 에너지가 불연속적으로 흡수 또는 방출 되는 현상이다. 전자가 원자내부에서 불연속적으로 궤도를 도약하는 현상이다.

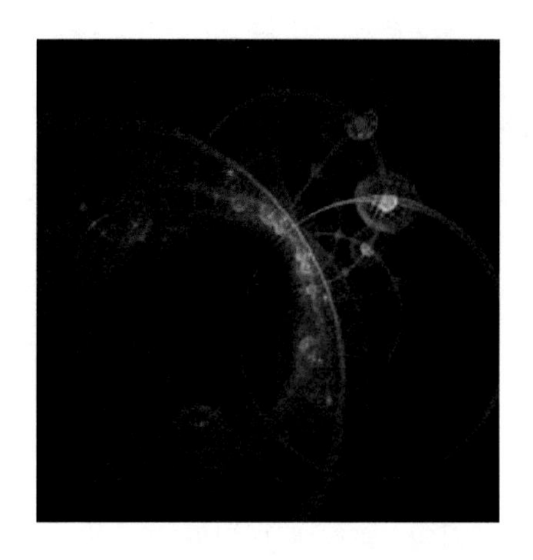

양자도약

원자를 연구 하면서 과학자들은 전자가 원자핵 주위의 궤도에서 다른 궤도로 순간 이동하는 것을 발견 하였다.

이것만으로 상식적인 물리법칙을 깨뜨리기에는 충분 하지만, 더 놀라운 것은 이 도약의 과정에서 언제 어디서 전자가 나타날 것인지를 예측 할 수 없다는 것이다.

(4)힉스

1964년에 영국의 이론물리학자 힉스가 주장한 것으로 입자들을 구성하는 가장 기본적인 성질인 질량을 만들어 내는 입자

입자들 사이에는 무거운 꿀 같은 물질이 가득 메우고 있으며, 힉스 소립자가 이 물질들의 위치를 결정하고 있다는 가설 속에서 만들어진 것으로 입자의 질량을 만들어 내는 원리이자 우주의 구성 원리를 밝힐 수 있는 입자를 말한다.

2)인간의 의식-자유의지.

인간은 자유의지가 있을까? 없을까?
이러한 논쟁을 하는 것조차 나는 의미 없어 보이는데, 과학자들이 지속적으로 인간의 자유의지에 대해서 언급하면서 인간의 자유의지는 없다고 하는 논지의 주장들을 하는 것을 보면서 나름대로 분석을 해 보았다.

나는 이런 생각을 한다. 과거에 아인슈타인의 특수 상대성 이론에 의해 인간이 시간여행을 할 수 있다는 식의 해석을 함으로써 대중들이 착각에 빠져 타임머신을 타고 미래로 과거로 자유롭게 여행을 하는 영화도 만들어 졌다. 물론 지금도 물리학자들 사이에서 과거는 어렵지만 미래로의 시간 여행은 가능 하다는 주장을 하는 교수들을 보게 된다.

양자역학의 발전으로 원자세계에 대한 연구가 활발해 지고 있다. 특히 인간의 뇌에 대한 연구가 집중적으로 이루지고 실험들도 많이

한다. 뇌를 연구하는 전문가들이 실험을 했다고 한다. 켈리포니아 대학의 벤자민 리벳은 참가자들의 머리에 뇌파검측기를 설치하고 손목을 스스로 꺽어 보라는 주문을 했다. 그런데 손목을 꺽기 전 0.35초 전에 뇌 부위가 할성화 되었다는 실험 결과를 발표 했다.

그리고 프리드, 무카엘, 크라이맨도 비슷한 실험으로 참가자 들에게 벨을 누르라고 지시를 하고 뇌파측정을 했는데 벨을 누르기로 결정한 순간보다 0.7초 빨리 뇌가 활성화 되었다는 실험 결과을 발표했다.

이러한 실험들이 뇌 전문가들에 의해 계속 이어지고 있고, 양자 역학을 연구하는 물리학자들에 의해 인간의 자유의지에 대한 논쟁을 촉발시켰다.

그러니까 내가 그 무엇을 선택하기 전에 이미 뇌가 작동했기 때문에 인간은 자유의지가 없을 수 있다. 라는 논쟁이 벌어진 것이다. 고전역학에서 이 세상의 모든 현상을 뉴턴의 운동법칙으로 정리 할 수 있으며, 미래까지 예측 가능하기 때문에 인간은 자유의지가 없다는 가설인 강성결정론이 지배적이었는데, 양자역학에서는 하이젠베르크의 불확정성의 원리에 의해 미시세계의 물리법칙이 정리되어 있지 않기 때문에 "인간은 자유의지가 있을 수 있다"라고 하였다.

사실 고전역학의 강성결정론은 미시세계에서 만큼은 명함을 내밀지 못한다. 그리하여 양자역학이 뜨고 있는 작금에는 강성결정론은 수면 아래로 가라 앉아 있었다.

그런데, 뇌 과학 연구자들이 위와 같은 실험 결과를 가지고 "인간은 자유의지가 없을 수 있다"라고 하니 물리학자들도 좀 헷갈리고 있는 상황이다. 이러한 상황에서 최근에는 물리학자들 사이에서 인간이 자유의지가 없을 수 있다는 주장이 나오고 있는 실정이다.

나는 하이젠베르크의 불확정성의 원리를 학습 한 후 우주 만물의 법칙을 알아 차렸다. 미시세계는 반드시 물리법칙이 있다. 그러나 인간이 관찰하는 순간 빛이라는 에너지가 개입하기 때문에 알아차릴 수가 없는 상태가 되는 것이다. 물리법칙을 찾을 수가 없게 된다는 것이다.

그래서 천재 중에 천재인 하이젠베르크가 울면서 포기하고 미시세계는 불확실하다는 결론을 내린 것이다. 양자세계는 매우, 매우 다양한 경우의 수가 존재하며 운동법칙은 있으나, 인간은 알아차릴 수 없게 되는 것이다.

단적인 예로,
지구상에 살고 있는 인구가 80억 명인데 전부 얼굴이 다 다르다.
심지어 쌍둥이도 자세히 살펴보면 미세하게 다른 부분이 있다. 이런 것이 미시세계의 경우의 수가 많다는 반증이다.

이런 것을 인간이 어떻게 물리법칙을 완성할 수 있단 말인가
그냥 자연의 섭리대로 흐르게 놔두자 자연의 작동원리는 있지만, 우리 인간은 알아차릴 수가 없다. 자유의지 얘기 하다가 약간 삼천포로 빠진 듯하지만, 인간의 뇌는 양자역학의 결정판이다. 인간의 뇌만큼 섬세한 양자세계는 없다.

우리 인간의 뇌는 매우 섬세하게 움직이기 때문에 미세한 상황변경(느낌, 촉)에 의해서도 즉각적으로 반응을 하게 되는 구조를 가지고 있다. 호모사피엔스의 뇌와 신경세포는 매우 정밀하게 만들어져 있

기 때문에 스스로 무언가를 생각 하는 순간 우리의 뇌는 우리가 인지 하기 전에 먼저 작동 할 수가 있다는 것이다. 이러한 뇌의 특수한 구조로 인해 내가 무언가를 결정하기 전에 뇌는 감지를 하고 미리 반응을 할 수 있다.

무기물질들의 원자세계와 유기물질들의 원자세계는 메커니즘이 다르다는 것을 알아야 하고 뇌 신경세포를 타고 이동하는 전자기력은 어쩌면 빛보다 빠를 수가 있다고 생각한다.

아인슈타인에 의해서 시간여행을 할 수 있다는 망상에 빠진 것처럼 이번 자유의지 논쟁도 같은 맥락에서 물리학자들에 의해 확대 해석이 되어 대중들을 또 혼란스럽게 하는 헤프닝임을 강조 하고자 한다.

결론적으로 우리 인간의 신경세포가 "자유의지가 있을 수 있다"가 아니라 "100% 자유의지가 있다"는 것이니 마음 놓고 각자의 삶을 각자의 방식대로 자유롭게 내 의지대로 살아갔으면 한다.

인간의 의식은 육체의 전기적 에너지에 의해 생성되고 있으며, 그 누구도 내 자신의 의지를 조종 할 수가 없으며 오로지 나의 뇌세포에서 자유롭게 분석하고 선택하며 결정하면서 내 삶을 결정지을 수가 있는 것이다.

물리학자들이 자신들의 영역인 양자세계를 마치 신비스러운 분야인 것처럼 확대 해석 하면서 인간이 자유의지가 없는 것처럼 대중들을 학습시키고 있는 작금에, 마치 인간은 자유의지가 없으며 정해진 시뮬레이션이 되어 있는 것처럼 여론몰이 하지 말았으면 한다. 인간의 뇌 시스템은 우주만큼 “알지“ 못하는 영역이다.

3)인간의 의식-뇌(腦)

인간의 뇌는 우주만큼이나 알 수 없는 미지의 세계다. 한마디로 양자역학 학문의 모든 것이 들어 있는 결정판이며, 어쩌면 인간은 자신의 뇌를 다 정복하지 못 할 수도 있다.

최근 들어 뇌 과학의 발달로 어느 정도 개념정리는 된 듯하지만, 뉴런과 시냅스의 복잡한 미로와 각각의 그 기능은 신의 영역이라 할 만큼 복잡하고 하이젠베르크의 불확정성의 원리를 그대로 보여주는 미시세계의 축소판이라 할 수 있다.

뇌세포도 물질인데 어떻게 물질들의 메커니즘으로 인간의 마음이라는 무형의 개념이 창조 될 수 있는지 나는 이것이 가장 궁금하다. 그리고 우리 몸이 반응하기 전에 느낌과 촉만으로 뇌 신경세포가 활성화 되는 것도 뇌의 독특한 특이점일 것이다. 그럼 뇌의 구조에 대해서 학습해 보자.

(1)뇌의구조 : 우뇌는 신체 왼쪽을 좌뇌는 신체 오른쪽을 담당 한다.

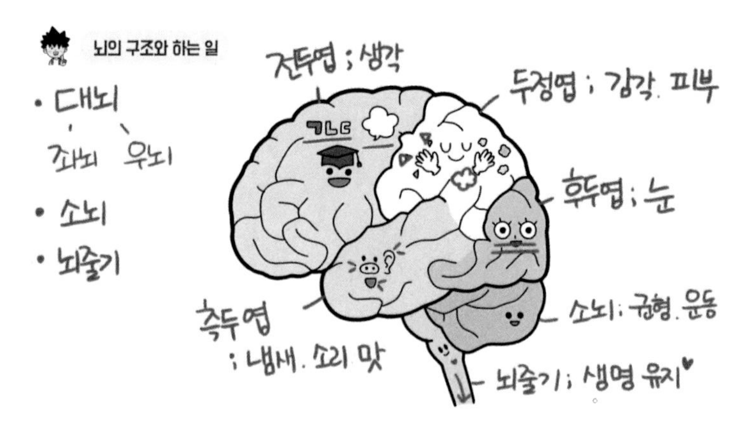

(2)뉴런과 시냅스의 신경세포

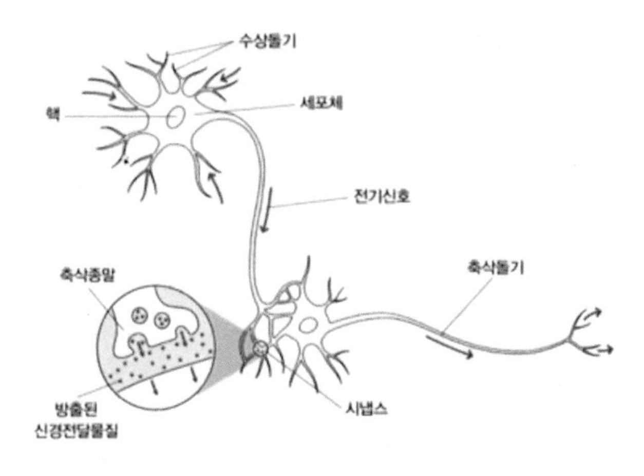

인간의 모든 뉴런을 연결하면 그 길이가 100,000km나 된다.

(3)신경망 조직도

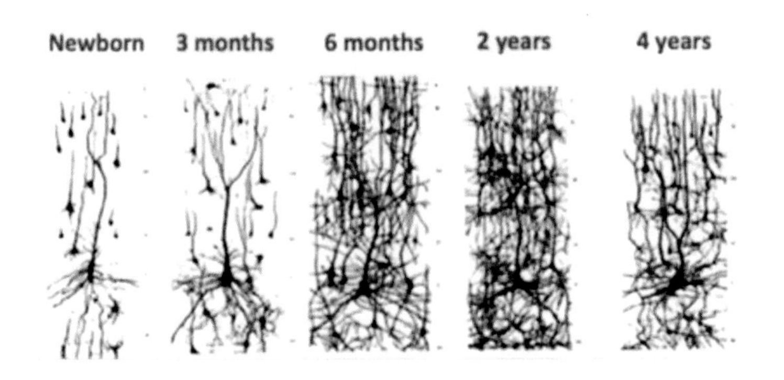

위 신경망 조직도에서 보면 태어났을 때는 신경망이 느슨한 것을 볼 수가 있는데 태어 난지 3개월이 지나면 조금씩 신경망이 늘어나고, 6개월이 되면 복잡한 형태로 만들어지며, 태어 난지 2년이 되면 가장 복잡한 신경망을 형성 하게 된다. 이후부터는 신경망이 최적화 되면서 줄어들고 성인이 될 때까지 뉴런은 1,000억 개, 시냅스는 백조개가 만들어지면서 완성이 된다.

(4)뉴런과 은하단의 조직도

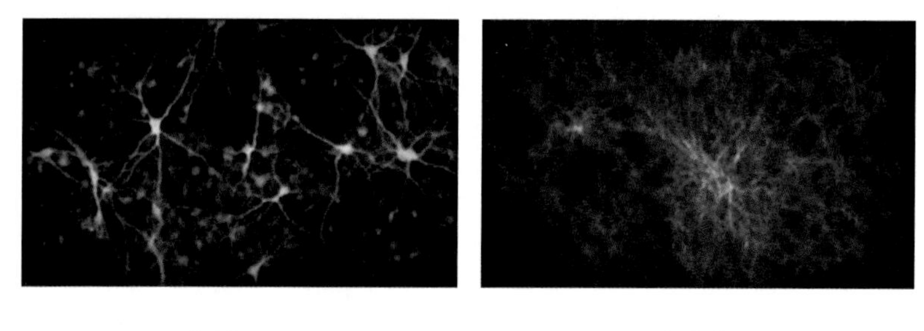

뉴런 은하단

우주만큼이나 인간의 뇌도 복잡하다고 했는데 조직도를 보면 매우 놀라울 정도로 비슷하다. 하지만 거시세계의 우주는 과학의 진보에 따라 그 비밀이 풀릴 것으로 보이나, 살아 있는 인간의 뉴런과 시냅스는 볼 수가 없기 때문에 완벽한 비밀을 풀지 못 할 것이라는 것이 나의 생각이다.

인간의 생각과 감정 운동 등에 대한 정보를 처리 하는 소립자세계의 상호작용은 매우 빠르고 복잡한 구조로 활성화 되면서 인간의 자아를 형성 해 나가는 것이야 말로 지적 생명체의 위대하고 독특한 현상이라 할 수 있다.

4)인간의 의식-영(靈)

“영”의 사전적 의미는 “육체 속에 깃들어 생명을 부여하고 마음을 움직인다고 여겨지는 무형의 실체”다. 보통 우리가 영혼이라고 부르기도 하는데 영혼은 육체와 상반된 개념으로 받아들이기도 한다.

영혼이 존재 한다고 믿는 사람들은 종교인들이 많고 신을 추앙하는 사람들의 활동을 통해서 발전 해 왔다. 즉 영혼이라는 무형의 실체는 인간의 종교 활동의 진화 과정에서 만들어진 개념이라 말 할 수 있다.

역사의 기록이 없는 선사시대 때부터 토속신앙은 발전해 왔으며, 서기 1788년까지 문자기록이 존재 하지 않았던 오스트레일리아 원주민들도 토속신앙은 발전해 왔다.

토속신앙의 공통점은 당시대 지배계층의 신념이나 인간의 생명을 위협 했던 동물들이 그 대상이 되기도 했으며, 인간들의 삶을 풍요롭게 해 주는 동물들이 신의 대상이 되기도 한다.

인간이 농경생활을 하면서 국가가 만들어지고 왕이 등장하면서 종교는 필연적으로 정치 전면에 등장 한다. 왕은 신의 대리인이고 왕의 말이 즉 신의 말이 되는 시대에 본격적으로 영혼이라는 존재가 인간의 종교생활에서 크게 영향을 미치게 된다.

죽어서 내 영혼은 신이 영역의 범위에서 안위를 보장 받고 영생을 누리는 삶이 나와 내 가족에게 가장 중요한 목표가 되었다. 이렇게 인간의 뇌는 오랜 세월 동안 세뇌되고 그것이 뇌 활동에 영향을 미치면서 고착화 되어 믿음이라는 확신이 뇌에 저장된다.

이러한 반복적인 뇌 활동을 통해서 뇌세포는 진화를 하고 양자세계의 상호작용은 프로그램화 되어 나의 정체성으로 자리 잡아 내 삶은 완성이 되어 간다.

나도 9살 때까지는 교회를 다녔었고 하나님은 계시며 영혼의 존재도 믿었으며 귀신의 존재도 믿었다. 그러나 성인이 되면서 신의 부재를 깨닫게 되었고, 영혼과 귀신의 존재도 믿지 않게 되었다. 이러한 일련의 영적 세계는 사람의 인생을 좌지우지 할 만큼 영향력이 크며 호모사피엔스의 의식에 대한 진화에도 파급효과가 크다.

영혼의 존재를 믿고 있는 사람들 중에는 죽었다가 사후의 세계를 경험 하고 다시 살아난 사람들도 있다. 나는 이러한 현상을 뇌세포가 아직 죽지 않은 상태에서 일어 날 수 있는 체험이라고 생각 한다.

귀신을 보았다는 사람들의 주장에 대해서도 인간은 어둠에 노출되면 공포심을 관장하는 뇌세포가 활성화 되어 환영을 보게 되고 환청을 경험 하게 된다. 이러한 현상들도 모두 뇌세포의 정교한 활동성에 기안한 체험들이라고 할 수 있다. 살면서 귀신을 보았다면 휴식을 취하면서 영양보충과 숙면을 충분히 해 주면 해결 된다. 물론 이런 경우도 있다. 선천적으로 뇌세포에 이상이 생겨 수시로 환영을 보는 사람도 있다. 이런 사람들은 마인드 컨트롤을 하면서 극복 해 나갈 수밖에 없다.

신을 믿고 있는 종교인이나 영혼의 존재를 믿고 있는 독자 분들은 나의 글을 읽으면서 심기가 매우 불편 할 것이지만, 양자역학을 공부하고 나면 세상의 모든 현상에 대해서 깨달음을 얻을 수밖에 없다.

이것이 과학이고 과학을 알면 알수록 나 스스로를 어느 영역의 울타리에 가둘 수가 없게 된다. 그리고 나라는 생명체도 여타 곤충이나 벌레들과 별반 다르지 않다는 것을 알게 되어 죽음이라는 공포심에서 자유롭게 된다.

즉, 내 자신이 특별한 존재가 아니라는 것을 알게 되어 삶이 겸손해진다는 것이고, 살아 있는 동안 하루하루 살아가는 내 자신에게 최선을 다하고 응원하면서 내 살아생전에 꼭 이루고 싶은 목표에 충실하게 된다는 것이다.

“죽으면 모든 것이 ”끝“이라는 진리는 변함이 없다.”

5)인간의 의식-심(心)

인간은 여타 다른 동물들과 다른 이타심과 이기심이란 2개의 마음과 기쁨,희(喜), 분노,노(怒), 사랑,애(愛), 즐거움,락(樂) 4개의 감정으로 살아간다. 인간의 감정은 매우 신비스럽고 복잡한 뇌의 시스템에 의해 작동 한다.

또한 하나의 감정에서 여러 단계의 감정으로 나누어지기도 하는데 작게 느끼는 기쁨과 크게 느끼는 기쁨, 작게 느끼는 분노와 크게 느끼는 분노 등 단계적이고 복잡한 감정을 느끼며 살아가는 매 순간 느끼는 감정들은 내 삶을 불행하게 만들기도 하고 행복하게 만들기도 한다.

방금까지 즐거움을 느끼다가도 어느 순간 슬픔을 느끼는 감정 변화는 정교하게 짜여 진 뇌세포 속 양자세계의 입자들 간 상호작용이며 뉴런과 시냅스의 전기적 정보 전달속도는 물리학적으로 아직 밝혀내지도 못한 미지의 현상이다.

하지만 언젠가는 뇌의 신경세포들의 구조와 전기적 흐름을 수학적으로 표현 할 수 있을 때가 오겠지만 100% 다 알지는 못 할 것이라고 생각 한다.

인간의 이기심과 이타심이란 마음은 본능과 이성이라는 양면성을 동시에 표현 할 수가 있어서 아무리 과학이 발달 한다고 해도 인간의 감정을 물리적 현상으로 해석 할 수는 없을 것이다. 인간의 마음도 근본을 쫓다보면 물질들의 상호작용이지만 그 상관관계를 이해한다는 것은 분명 인간의 한계를 초월한 영역이다.

인간의 뇌라는 물질의 세계에서 감정을 만들어 내는 메커니즘은 어떻게 보면 초자연적인 현상이라고 할 수 있지만, 이 우주의 물리법칙은 인간의 뇌에서도 적용되기 때문에 초자연적인 현상은 아니라고 본다. 단지 우리가 아직 뇌를 정복하지 못했기 때문에 그런 생각을 하고 있다고 생각이 든다.

우리 속담에 "열길 물속은 알아도 한길사람 속은 모른다."는 말이 있다. 매우 정교하게 움직이는 인간의 마음은 겉으로 들어 내지 않고 감출수가 있어서 사람들은 사람들과의 관계에서 가장 스트레스를 많이 받는다. 그 만큼 인간은 인간을 모른다는 반증이기도 하며 지적 생명체만이 가지고 있는 독특한 능력일 것이다.

그러기에 요즘에는 다수의 폭넓은 인간관계를 지양하고 소수의 깊이 있는 인간관계를 추구하는 사람들도 늘어나고 있다. 나 역시도 사람을 사귈 때도 가려서 사귀는 편이며, 좀처럼 마음을 열지 않고 닫고 사는 사람 측에 속한다.

인간의 뇌에 가장 안 좋은 것이 스트레스다. 뇌구조가 매우 복잡해서 스스로 방어 시스템을 작동 시키는 기능도 있기 때문에 스트레스를 받으면 우리 몸은 독성물질을 분비하게 된다. 감정만으로 새로운 물질들을 만들어 내는 인간의 육체는 정신까지 지배해 버린다.

어떤 이는 정신이 육체를 지배 할 수 있다고 주장 하지만 이는 영혼이 있다고 믿는 사람들의 착각일 뿐이다. 따라서 인간의 마음은 한낮 신기루에 불과 하지 않고, 육신이 죽어 전기가 사라지면 인간의 정신도 사라진다는 진리는 변함이 없을 것이다.

인간의 마음은 한평생을 살면서 삶에 가장 큰 영향을 미친다. 본인이 어떤 마음자세로 살아가느냐에 따라 습이 결정되고 그 습은 자신의 하루를 만들어 내며 그 하루는 내 인생이 된다.

좋은 습과 나쁜 습 중 무엇을 선택하는 문제는, 뇌의 뉴런과 시냅스의 발달 경로에 따라 결정 되는데, 이는 사람이 부정적인 생각을 많이 하느냐 긍정적인 생각을 많이 하느냐의 습에 의해서 완성된다.

인간은 태어나 두 살 때가 되면 뇌의 신경세포들이 가장 많고 복잡하게 만들어졌다가 점차 습에 의해서 뇌 신경세포 경로가 최적화 되며 단순화 된다. 이는 곧 그 사람의 성격과 기질이 결정되는 순간이고 7살이 되면 그 사람의 인성은 완성 된다. 그래서 사람의 교육은 태어나 7살 때까지가 가장 중요하다고 할 수 있다.

마음을 생산하는 뇌는 살아 있는 동안 육체를 움직이게 하는 엔진과도 같다. 뇌가 고장이 나면 온전한 생활을 할 수가 없게 되고 수리 또한 매우 어렵다. 뇌를 고장 나지 않게 하려면 맑은 피가 지속적으로 뇌에 공급 될 수 있도록 음식, 운동, 숙면에 신경 쓰고 스트레스를 받으면 바로 바로 회복시킬 수 있는 자기만의 메뉴 얼이 있어야 한다.

인간은 이타심이 강한 사람과 이기심이 강한 사람 두 종류가 있다. 이타심이 강한 사람은 이기심이 강한 사람에 비해 스트레스가 많은 편이다. 인간도 동물이기 때문에 그 본능은 감출 수가 없다. 이타심이 강한 사람은 될 수 있으면 이타심이 강한 사람들과 어울릴 수 있도록 노력해야 한다.

그래야 하루하루의 삶을 행복하게 채울 수가 있다. 뇌 신경세포와 전기, 호르몬에 의해 생성되는 내 자신의 마음은 나의 정체성을 완성시키고, 내 자신이 사람으로 살아 갈 것인지, 아니면 인간으로 살아 갈 것인지를 결정하는 핵심 포인트가 된다.

진정한 호모사피엔스라면 "사람냄새"가 나는 사람으로 살다가 죽자.

6)인간의 의식-사(死)

죽음이란 무엇인가?
위 질문에 나는 명쾌하게 답을 할 수가 있다. 세상의 모든 현상은 양자역학적인 미시세계의 법칙에 의해 설명이 가능하다. 죽음이란 방안의 전등이 꺼지는 것과 같다. 방안의 전등 스위치를 끄면 천정에 달려 있는 전등이 꺼지면서 방은 어두워진다. 인간의 몸은 전기적 신호에 의해서 움직이고 있는데 뇌에서 지속적으로 전기를 만들어 내지 못하면 모든 인간은 죽는다.

그렇다면 인간을 죽음에 이르게 하는 스위치는 무엇일까? 그 것은 산소(CO2)다. 인간을 살리고 죽일 수 있는 물질이 바로 산소인 것이다. 우리 뇌는 산소공급이 4분만 멈추게 되면 의식을 잃게 되고 뇌사 상태에 빠지게 되며 뇌혈관 혈액 속 산소를 다 소진하면 전기 신호는 더 이상 일어나지 않고 죽음에 이르게 된다. 우리가 살아 있는 동안 한순간도 “숨”을 멈추지 않고 쉬어야 하는 이유다.

죽음의 사전적 의미는 “생물의 목”숨“이 끊어지는 일”이다. 여기에서도 숨이 나오는데 “숨”이 멈추면 죽는다는 뜻이다. 그래서 숨을 멈추면 죽음에 이르게 되니 한순간도 숨을 멈추어서는 안 된다. 사람이 살면서 죽음에 대한 생각들을 누구나 몇 번씩 하면서 살아간다.

또는 죽을 고비를 경험하면서 기적처럼 살아 내기도한다. 내 의도와 관계없이 부모의 동물적 본능에 의해 세상에 태어나서 내 의지대로 또는 본능적으로 살아 가다가 생물학적 한계에 도달하면 삶은 끝이 난다.

때로는 내 삶을 내 의지대로 끝내버리는 경우도 많다. 삶에 지치고 몸과 마음이 아파서 그 고통에서 벗어나고자 “자살”이라는 행위로 내 숨통을 끊어버리는 극단적인 선택이다. 이 선택 또한 나의 자유 의지에 의한 결정이며 그 결과에 대해서도 온전히 받아들일 수 있을 때 죽게 된다.

내가 세상에 태어나는 것은 내 자유의지와 상관없이 벌어지는 자연 현상이지만, 태어난 다음은 하나의 생명체로써 주체가 되어 내 의지대로 살아간다. 이것이 자연의 섭리다.

나는 내 아버지와 어머니의 본능적인 성관계로 태어났지만, 이는 종족번식이라는 본능과 인간의 성적 쾌락을 위한 본능에 의한 결과이지 결코 나의 의지와는 무관하다.

나는 태어나 지금까지 죽을 고비를 2번 경험 했으며, 자살 생각을 10여 차례 하였고, 자살을 시도 해 본 경험은 없다. 2번의 죽을 고비를 경험 했을 때는 살기 위해 발버둥을 쳤으며, 10여 차례 자살 생각을 했을 때는 내 가족들을 위해서 살아 내야 한다는 내 자유의지로 버텼다.

인간의 정신은 육체에서 나오고 육체가 생물학적으로 죽게 되면 정신도 사라진다. 육체가 생물학적으로 죽는다는 것은 전기가 사라진다는 의미고 전기는 산소가 공급되지 않으면 생산하지 못한다.

따라서 생물학적 사망은 정신의 소멸도 수반되며 죽은 육신은 우주 먼지가 되어 영겁의 시간동안 무주(無宙)공간에서 머물다가 또 다른 물질들과 엉키며 새로운 무기물질로 남게 될 것이다.

여러분은 임사체험에 대해서 얘기를 들어 보았을 것이다. 죽음에 이르기 전 뇌세포가 완전히 100% 죽기 전에 하는 체험으로 생물학적 사망 초기 단계에서 체험 할 수 있는 뇌세포의 마지막 활동이다. 심장마비로 쓰러진 사람을 심폐소생술로 회복을 시킬 때 그 짧은 몇분 동안 경험 할 수 있는 무의식 세계의 꿈이라고 할 수 있다.

사람이 죽으면 우리는 장례식을 치른다. 보통 3일장을 하는데 3일장을 하는 이유가 있다. 옛날에는 의사도 없었기 때문에 사람이 죽으면 주변 사람들이 죽었음을 판단하는데, 간혹 죽은 줄 알았던 사람이 장례식 치르는 동안 다시 살아나는 경우가 발생 한다.

다시 살아난 경우를 확인해 보니 3일안에 살아난 경험을 봐왔기 때문에 3일 정도는 지켜보면서 장례를 치르게 되었다. 수천 년 동안 인류가 살아오면서 경험에서 얻은 지혜인 것이다.

이렇듯 삶의 마지막 단계인 죽음의 문턱은 내 몸의 마지막 저항이며 죽기 전 남은 모든 에너지를 토해내는 고통의 순간이다. 그 고통의 순간이 지나면 나의 의식과 무의식의 세계는 모두 끝이 나고 육신도 썩어 우주 섭리에 따라 사라진다.

인간의 죽음이란 몸속 화학반응의 멈춤이다.
몸의 구성 물질들의 상호 작용이 더 이상 일어나지 않으면 인간의 의식은 사라지고 육체라는 물질은 유기물질에서 무기물질이 되어 우주의 먼지로 돌아가고 “나“라는 존재는 사라진다.

12장. 지구의 탄생과 물의 기원

내가 어디서 왔는지..

독자들의 메모장

당신의 의견을 적어 보세요.

12.지구의 탄생과 물의 기원.

이 단원은 독자 여러분이 세상에 태어나서 왜 여기에 있는지를 알 수 있는 매우 중요한 부분이다.

최소한 내가 어디서 와서 어디로 가는지 정도는 알고 죽어야 하지 않겠는가! 내가 가장 공들이고 그동안 많은 학습을 했던 부분이기 때문에 차근차근 정독을 해 주시면 고맙겠다.
저 우주 밖은 몰라도 된다. 과학자들이 밝혀낸 우주세계의 진실 따위들은 몰라도 된다. 그게 진실인지 사실인지 정확한 것인지도 모르는 것이고, 과학계에 종사하는 분들 중 전부는 아니겠지만 우주에 대한 열정적인 탐구는 어쩌면 진실을 쫓기보다는 자신의 명예를 위한 도전일수도 있다는 생각을 해본다.

1)지구의 탄생

빅뱅이라는 사건으로 우주가 탄생 했다는 이론은 차지하고, 나는 지구탄생의 과학적 접근을 시도해 보았는데, 우주가 만들어지는 과정도 생애주기가 있을 것으로 생각한다.

예를 들면 a수소원자생성기, b항성생성기, c가스구름생성기, d핵융합기, 은하생성기, 은하단생성기, 우주태동기, 우주소멸기등 각 단계별로 수백억 년에서 수천억 년이 걸릴 것으로 생각한다. 따라서 지구라는 행성이 하나 탄생 하려면 수백억 년의 성숙단계가 필요 하다고 보는 것이다.

과학계에서는 지구의 나이를 46억 년으로 예측했지만, 이는 단편적인 방사능 동위원소로 측정한 나이기 때문에 나는 태양과 지구의 나이는 이보다는 더 오랜 시간에 걸쳐 태양과 지구가 만들어졌다고 생각한다.

그럼 지구라는 행성이 만들어지기 전의 억겁의 시간은 뒤로 하고 지구 탄생의 이야기 속으로 들어가 보자. 지금으로부터 46억 년 전 가스와 먼지로 가득한 우주는 여기저기에서 항성(태양)들이 수소 핵융합으로 만들어지기 시작했다. 태양의 질량이 어느 정도 커져야 중력이 생기는 것을 감안하면 지구는 태양과 동시대에 만들어 졌다기보다는 그 이전부터 태양은 만들어졌으며 지구는 그 이후에 철과 니켈을 중심으로 핵을 만들었다고 생각한다.

태양도 이때부터 수백만 년 동안 수소 핵융합으로 크기가 커져 갔으며, 행성들도 만들어지기 시작 했다. 지구 또한 격렬한 화학반응으로 물질들을 만들고 에너지를 축적해 간다.
우주의 모든 행성들은 가장 무겁고 강력이 가장 센 물질들이 서로 상호 작용을 통해 뭉치기 시작해서, 점점 크기가 커지는 메커니즘에 의해 만들어 진다.

이러한 물질들의 융합은 수억 년에 걸쳐 이루어졌고, 지구 내핵과 외핵을 만들어 낸다. 이후 지구의 중력은 점점 세지고, 주변 물질들을 빨아들이며 맨틀이 만들어진다. 지구 탄생에 있어서 가장 중요한 시기는 맨틀 형성 시기다.

이 시기에 생명 탄생의 기본 원소들이 만들어졌으며, 이때 산소도 만들어 지기 시작했다. 이때 만들어진 산소는 우주의 수소와 결합하여 물을 만들어 낸다.
지구 내핵은 고체 상태이고 외핵은 액체상태다. 이것으로 미루어 볼 때 지구가 만들어 질 때부터 수소와 산소의 결합으로 많은 수분이 태양계에 존재 했다고 본다.

초기지구의 탄생이후, 현재 지구를 이해하기 위해서는 네 가지 개념 정리를 해야 한다. 첫 번째는 항성(별)과 행성(천체)의 차이, 두 번째는 물질구성에 대한 이해, 세 번째는 힘, 네 번째는 지구 내부의 구성과 외부의 구성이다.

그럼 항성과행성의 개념부터 알아보자. 항성(별)은 스스로 빛을 내야 한다, 스스로 빛을 내지 않으면 항성이 아니다.

그리고 행성은 항성주위를 돌아야 한다. 스스로 돌지 않으면 행성이 아니다. 지구는 행성이다. 우주에서 만들어진 물질로 구성된 천체이며, 지구가 태양을 한 바퀴 도는데, 365.2422일이 걸린다(2024년 현재 기준) 그래서 지구는 행성이 맞다.

두 번째로 물질의 구성과 개념에 대해서 알아보자. 분자의 구성, 원소의 개념, 원자의 구성, 여기까지만 알면 된다. 더 깊이 들어가면 주제에서 벗어나기 때문에 여기까지만 이해하자.

먼저 분자의 사전적 의미는 물질이 가진 성질을 잃지 않고 나누어 질수 있는 가장 작은 입자다. 예를 들어, 물 분자를 살펴보자. 물의 화학식은 H2O로 수소원자 2개와 산소 원자 1개로 구성 되어 있다.

물 분자를 쪼개면 수소원자 2개와 산소원자 1개가 성질을 잃지 않고 하늘로 날아간다는 의미다.

다음은 원소에 대해서 알아보자. 원소의 사전적 의미는 물질을 이루는 가장 기본이 되는 성분으로 어떤 방법으로도 분해되지 않는 가장 작은 단위의 성분을 말한다.

여기서 중요한 것은 원소는 분자나 원자 같은 화학적 구성을 의미 하는 것이 아니라 물질의 성분을 의미 하는 것이다. 예를 들어 금, 은, 구리, 산소, 수소, 헬륨 등, 원소 주기율표를 참고 하면 좋을 것 같다.

주기율표는 러시아 화학자 드미트리 멘델레프가 공식적인 발명가로 인정 되고 있다. 하지만 원소 주기율표는 영국의 화학자 존 뉴랜즈가 최초로 발명한 사람이다.

존 뉴랜즈는 1865년 영국화학협회에 옥타브의 법칙이란 이름으로 논문을 발표 했으나 협회에 속해 있던 화학자들은 이를 인정하지 않고 조롱까지 하며 뉴랜즈를 비난했다, 이에 뉴랜즈는 회의감에 연구를 포기 하고 만다.

4년 뒤 1869년에 드미트리 멘델레프가 지금의 원소 주기율표를 완성해서 공식적으로 인정받게 된 것이다. 나는 원소 주기율표의 발명가는 존 뉴랜즈라고 생각한다.

그런데 앞에 언급한 주기율표를 보면 이상한 부분이 하나 있다. 벌써 눈치를 챈 독자분도 계실 것이다. 원자번호1번 수소(H) 위에 원소번호 0번 알지(A)라는 암흑물질이라고 표기 된 것이다. 이것은 내가 새롭게 만든 새로운 원소다.

아직 세상에 존재를 들어 내지 않은 암흑물질을 내가 발견 한 것도 아니다. “알지”라는 가상의 물질은 무주(無宙) 만물의 법칙을 완성

시키면서 확인 되지 않은 가설을 설정 한 것이다.

이 우주에서 가장 가벼운 물질이 수소인데, 그렇다면 수소는 어떻게 만들어져서 이 우주에 많은 것인지 알 수가 없었다. 이 마지막 퍼즐을 풀지 않으면 무주(無宙)만물의 법칙이 완성 될 수가 없었다. 그래서 가상의 물질 알지(Arlji)가 탄생 하게 된다.

알지(Arlji)라는 이름은 2023년 7월 21일 오전 7시 40분에 만들어졌다. 아침식사를 마치고 설거지를 하다가 문득 암흑물질에 대한 생각을 하게 되었다.

내손은 설거지를 하고 있었고, 내 뇌는 암흑물질을 만들고 있었다. "알 수 없는 물질"을 줄여서 "알물"로 지어 보았다. 좀 딱딱했다. "알질"로 지어 보았다. 좀 어색했다. 이번에는 "알지"로 지어보았는데 근사해 보였다.

그 순간 "김알지"라는 이름이 스쳐갔다. 김알지는 경주김씨 집안의 최초 시조였다. 원래 본명은 "김성한"이다 김성한의 조상은 중국 대륙에서 최초로 한반도로 이주한 왕족이었다. 이 부분은 나의 뿌리를 찾아서 편에서 자세히 설명 드리겠다.

암튼, 알지라는 이름이 너무 맘에 들었다. 원소 주기율표를 펼쳐놓고 수소위에 알지를 써봤다. 원소번호 0번 알지(Arlji)의 첫 자 "A"를 써 놓고 주기율표를 살펴봤다."A"라는 원소기호가 없었다. "됐어" "바로 이거야" 마치 드미트리 멘델레프가 영문 첫자 "A"라는 원소기호를 쓰라고 자리를 비워둔 것 같았다.

나는 너무 기뻐서 환호성을 질렀다. 만물의 근본 물질이 수소에서 알지(Arlji)로 바뀌는 순간이었다. 나의 이 환호성은 여기서 끝나지 않았다.

나는 설거지를 마치고 인터넷 검색창에 알지를 검색 해 보았다. 당연히 김알지가 나올 줄 알았는데, 알지의 사전적의미가"멈추게 함"이었다.

순간 나는 모든 생각이 멈춰버렸다. 만일, 수소를 만들어 내는 알지라는 암흑물질이 없으면 우주는 존재할 수 없고, 세상은 멈출 것이란 생각에 소름이 돋았다. 가상의 물질 알지(Arlji)는 이렇게 탄생하게 되었다.

여기서 독자 여러분들은 나의 철학적 직관과 통찰력으로 만들어진 이 알지(암흑물질)가 존재 한다면, 그럼 알지는 어떻게 만들어 졌는지 반문 할 것이고 의문을 제기 할 것이다.

나는 이렇게 답하겠다.

우주라는 공간은 매우 춥다. 우주를 벗어난 무주공간은 더욱 더 춥다. 여기서 춥다는 개념은 인간의 주관적인 개념이다. 무주세계에서는 우주는 따뜻한 공간이 될 수 있다. 그러나 우리 인간에게는 우주공간은 너무 너무 추운 공간이다.

영하 270도시는 상상도 할 수 없는 추위다. 춥다는 차가움이다. 나는 알지(암흑물질)라는 물질은 물질이 아닐 수도 있다는 생각을 하고 있다. 하지만 반드시 존재 해야만 한다. 알지는 차가움과 관련이 있다고 생각한다.

영하 250도시 이하의 무주공간에서 암흑물질을 만들어 내는 메커니즘은 반드시 존재 한다고 확신하고 있다. 이 믿음이 사실이 아니라면 우주는 존재 할 수 없다는 결론에 도달해 있다.

다음은 원자에 대해서 알아보자. 원자의 사전적 의미는 각 원소의 각기의 특징을 잃지 않은 범위에서 도달 할 수 있는 최소의 미립자(물질을 구성하는 아주 미세한 입자)다. 그렇다면 도대체 원자의 크기는 얼마나 작은 걸까? 궁금해진다. 분자를 쪼개면 원자가 되는데, 분자의 크기와 원자의 크기는 얼마나 작을까?

결론적으로 말씀 드리면 분자나 원자는 너무 작아서 각각의 크기를 잴 수가 없다. 그래서 분자나 원자를 잴 때는 여러 개의 분자나 원자를 하나로 모아서 그 부피를 개수로 나누는 방식으로 크기를 측정한다.

다음은 힘에 대해서 정리 해 보자.
현대 물리학에서는 우주와 지구에서의 모든 힘은 강력, 중력, 전자기력, 약력 이렇게 4가지 힘이 존재 한다고 정의했다. 이 4가지의 힘 중에 강력이 가장 세다.

강력은 원자핵 속에 존재하는 힘이고, 양성자(+)와 중성자(-)를 강하게 결속시켜 주는 힘이다. 세상의 모든 물질들은 강력에 의해 형태를 유지 하고 있다. 강력이 없으면 모두 와해된다. 돌맹이도, 자동차도, 건물도 와르르 무너진다.

다음은 중력에 대해서 알아보자. 중력은 어떤 공간상에 두 질점 사이에 작용하는 인력이다. 영국의 물리학자 아이작 뉴턴에 의해 발견된 만유인력의 법칙이 그 기초다.

세상의 모든 물질은 중력을 가지고 있다. 지구도 중력을 가지고 있으며, 지구 중력이 사라진다면 우리는 무중력 상태가 되어 공중에 둥둥 떠다닐 수 있다.

이번엔 전자기력에 대해서 알아보자. 물질의 최소 단위인 원자는 원자핵과 전자로 나뉠 수 있는데, 전자는 더 이상 나눠지지 않는 기본 입자다. 전자는 전하와 질량을 도두 가지고 있으므로 중력과 전자기력을 동시에 느낄 수 있다.

원자핵 주위에 전자 궤도가 형성되고, 모든 물질은 전자들의 결합과 공유로 만들어 진다. 원자들이 결합할 때 나타나는 화학결합, 화학반응, 화학작용, 물질대사, 생체신호, 체세포분열, 감수분열, 펩타이드 결합도 다 전자기 현상이다.

만약에, 지구상에서 전자기력이 사라지면 어떻게 될까? 여러분은 인터넷도 할 수 없고, 핸드폰도 쓸 수 없고, 자동차도 탈수 없다.

원시시대로 돌아가야 한다. 이게 다가 아니다, 인간을 포함한 지구상의 모든 생명체는 사라진다. 동물들의 모든 신경세포도 전기적 현상으로 움직일 수 있기 때문이다. 내가 볼 때 전자기력이 가장 위험한 놈 같다.

마지막으로 약력에 대해서 알아보자.
약력(약한 상호 작용)은 우라늄이나 코발트 같은 원소에서 방사능 붕괴를 일으키는 힘이다.

양성자와 중성자를 한데 묶어놓을 정도로 강하지 않기 때문에 핵자들이 떨어져 나가거나 붕괴되는 과정에만 개입한다. 원자핵에서 양성자가 중성자로 바뀌는 현상으로 짧은 거리에서는 중력보다 크다.

지금까지 우주의 4대 힘에 대해서 알아봤다. 그러나 힘에 대한 학습을 하면서 내 머릿속에는 의문점이 하나 생겼다. 강력, 중력, 전자기력, 약력 말고도 회전력이 있는데, 왜 물리학자들은 회전력을 포함 하지 않았을까?

몇 번을 곱씹어 봐도 우주는 쉼 없이 도는데, 왜 회전력을 무시 하는 것일까? 지구는 자전축을 중심으로 돌고, 태양도 돌고, 지구가 태양을 돌고, 은하도 도는데, 왜 회전력에 대한 언급이 없을까?

그래서 나는 회전력을 우주만물의 근본적인 힘으로 인정하기로 했다. 나의 그냥 개똥철학이다. 이유는 모든 물질은 핵을 가지고 있고, 핵 주변에는 전자가 돈다.

나는 이 전자의 스핀들이 강력에 의해 뭉쳐지면서 더 큰 회전력을 갖게 된다고 생각한다. 그래서 지구도 돌리고, 태양도 돌리고, 은하도 돌릴 수 있는 힘으로 확장 된다고 믿고 있다. 우주에서 가장 강력한 힘은 강력이 아니라 회전력이라고 생각 한다.

네 번째 지구 내부의 구성과 외부의 구성에 대해서 알아보자. 이 책을 펴내기까지 내가 가장 공부를 많이 한 부분이기도 하다. 왜냐 하면 지구라는 이 행성 하나만 파고들면 우주의 작동원리와 만물의 법칙을 알아 낼 수 있다는 직관 때문이었다.

많은 천문학자들이 지난 수십 년 동안 제2의 지구를 찾기 위해 노력 하고 있다. 골디락스 존(생명체 거주 가능 구역)은 천문학 용어인데 이 드넓은 우주에 생명체가 지구 외에도 존재 할 수 있다는 확신을 갖고, 천문학자들이 집중적으로 찾고 있는 곳이다.

나는 지구라는 행성이 우주의 비밀을 풀어 갈수 있는 단서를 제공 할 수 있다고 확신 하고 있다. 지구 하나만 알면 모든 만물의 법칙을 이해 할 수 있다는 뜻이다. 그럼 하나씩 하나씩 지구에 대한 공부를 시작해 보자.

지구를 보면 나는 참 신비스럽다는 생각이 든다. 이런 행성 하나가 만들어지기 까지 얼마나 많은 에너지가 필요 할 것이며, 긴 시간이 필요한지 경이롭고, 우주 모든 천체가 둥글다는 것도 환상적이다. 그리고 자전을 하면서 공전을 하고 있다는 사실도 매혹적이다.

이러한 현상들은 법칙과 시스템이 있다는 반증이기도 하다. 이러한 우주적 현상에 대한 고찰을 이 책을 쓰면서 마무리 하고 있다는 것에 약간의 자부심도 생겼다.

그동안 축척된 과학적 지식과 인문학적 성찰, 철학적 직관과 통찰력을 총 동원해서 쓰고 있다. 사실과 달라도 상관없다. 큰 틀에서 보면 크게 벗어나지 않을 것이라는 확신이 있기 때문이다.

지구라는 행성은 우주에서 매우 작은 행성이다. 지름이 12,742km로 어릴 적 구슬치기놀이 할 때, 구슬 한 개가 생각나게 하는 행성이다. 그리고 매우 아름다운 행성 중에 하나다.

이런 지구가 탄생하기까지 얼마나 많은 시간이 소요되었을까 상상을 해보지만 정확한 답은 찾을 수가 없다. 대략 46억년이라는 과학계의 주장을 믿고 갈수밖에 없다.

46억 년 전 우주는 가스와 먼지로 가득했다. 이 가스와 먼지가 만들어질 때까지 우주는 또 얼마나 많은 시간동안 격변의 세월을 보냈을까? 가늠이 안 된다. 확인할 수도 없다. 알지(암흑물질)와 수소에게 물어봐야 한다.

우주의 이미지들을 보면 혼탁한 공간에 작은 빛들이 보인다.
항성들이 만들어지고 있다. 수도 없이 수소핵융합이 일어나고 뜨거운 에너지를 축척해 간다. 항성 주변에도 물질들이 강력과 중력에 의해 결합 하고 있다. 이 가스와 먼지들은 강력이 센 물질들이 지배한다.

이 지구에서 가장 센 물질이 무엇일까? 아마도 지구 중심부인 내핵에 존재 할 것이다. 현재 과학계에서는 지구 중심부 내핵에는 철과 니켈이 고체 상태로 있다고 한다. 전문가들이 하는 말이니 믿어 주어야 할 것이나, 내 생각은 다른 물질일 가능성도 매우 크다고 생각한다.

초기지구 탄생 당시 중심부의 내핵은 강력 약력 회전력에 의해 고온을 유지 하면서 핵결합이 쉼 없이 일어나고, 용광로 보다 뜨거운 5,500도시 이상의 액체 상태로 덩치를 키워 간다. 몸집이 커진 내핵은 중력이 더 커지고 주변 물질들을 계속해서 잡아당긴다.

지구중심부는 내핵과 외핵으로 이루어졌다.
내핵은 반지름이 1,300km이고, 철과 니켈로 이루어져 있으며 현재는 고체상태다. 외핵의 두께는 2,250km이고 철과 니켈, 그리고 10%정도의 황, 산소, 수소로 이루어져 있으나 액체 상태로 4,000도시 이상 고온이다.

외핵이 액체 상태라고 한다면 초기 지구 형성 과정에서 철과 니켈 그리고 물이 존재했다는 반증이고, 물은 수소2개와 산소1개가 만나 화학결합으로 형성되기 때문에 초기 우주에 산소가 만들어 졌다고 할 수 있다.

여기서 주목 해야 할 부분은 내핵은 고체인데 외핵은 왜 액체 상태일까? 한 가지 추론 해 볼 수 있는 것은 내핵의 구성 성분이 철과 니켈이 아닐 수 있다는 것이다.

외핵은 온도가 4,000도시인데, 내핵은 5,500도시로 더 뜨겁다. 고온임에도 고체 상태로 유지 되는 다른 물질일 가능성이 매우 커 보인다. 아니면 지질학자들이 내핵이 액체인데 고체라고 오인 하고 있을 수 도 있다.

나는 내핵이 철, 니켈이 아닌 다른 물질일 가능성에 무게를 두고 있다. 또 하나 짚어봐야 할 점은 외핵에 산소가 포함된 것이다.

4,000도시의 뜨거운 온도에 산소가 분포 되어 있다는 것은, 외핵 형성 과정에 산소가 개입 했다는 증거가 될 수 있다.

그렇다면 산소는 식물의 광합성이 아닌 방식으로, 우주생성 과정에 만들어진 물질일 가능성 크다. 지금 현재 지구의 산소 분포 량이 아닌 지구 탄생 시점에 소량의 산소들이 알 수 없는 메커니즘에 의해 만들어져, 수소와 결합 한 물이 존재 할 수 있었다고 볼 수 있다.

근래 중국과 호주 지리학자들이 내핵 안에 또 내핵이 있다는 연구 결과를 발표했다. 행성이 만들어지는 메커니즘으로 볼 때 충분히 설득력 있는 연구라고 생각한다.

만약 이게 사실이라면 내핵 안의 내핵 구성 물질은 비중이 높은 또 다른 물질일 가능성이 높다고 생각한다.

46억 년 전 지구 탄생은 내핵과 외핵, 맨틀과 지각 순서로 만들었다. 여기서 우리는 맨틀에 대한 깊이 있는 학습을 하고 가야 할 것 같다.

맨틀은 지구 전체 부피의 80%를 차지하며, 주로 암석, 산소, 규소, 알루미늄으로 구성 되어 있고, 맨틀 상부는 화산 폭발로 생성된 감람암으로 형성 되어 있다. 지구가 살아 숨 쉬고 행성의 성질를 결정하는 중요한 부분이기도 하다.

맨틀 층의 두께는 2900km로 최상부의 온도는 100도시 정도 되고, 외핵과 가까운 곳은 4000도시에 달해서 맨틀 대류가 발생 하는 곳이다. 맨틀에도 물이 바다의 1.5배가량의 머금고 있다.

맨틀은 지구구성에서 가장 중요한 부분이고 지각을 요동치게 할 수 있는 부분으로 인간 생태계에 가장 영향을 많이 미치는 곳이다. 맨틀 대류란 맨틀 내부의 온도와 물질이 상대적으로 뜨거운 영역에서 차가운 영역으로 이동하는 현상이다.

맨틀 내부에 방사능 물질이 붕괴되면서 열이 발생하고, 핵에서는 열이 발생하기 때문에 이동하는 것이다. 이 맨틀 대류로 인해서 지구 생애주기가 좌우 될 것으로 보고 있다.

영국의 과학자 제임스 러브 록은 가이아 이론에서 지구를 살아 있는 하나의 생명체로 묘사했다.

지구를 새로운 관점으로 볼 수 있어서 매우 흥미롭게 읽었는데. 나는 가이아를 읽고, 우주는 무기물질의 세계이며, 무기물질들에 의해 우주가 돌아간다는 생각을 하게 되었다.

유기물질들은 무기물질로부터 파생된 존재라는 것을 깨달았다.

즉, 우주의 주인은 인간이 아니라 무기물질들이라는 것이고, 인간과 같은 유기 생명체들은 우주에 잠시 왔다가 떠나는 존재일 뿐이라는 것이다.

맨틀은 지구의 모든 수수께끼를 품고 있는 역사박물관이라 할 만큼 많은 것을 숨기고 있다. 인간이 우주에 눈을 돌리는 만큼 지구 내부에도 관심 있게 살펴봐야 한다고 생각 한다. 제임스 러브 록의 주장처럼 지구도 살아 숨 쉬고 있는 생명체 일수 있다.

다음은 지각 부분에 대해서 알아보자.
지각은 지구의 껍데기로 이해하면 된다. 지각은 깊이가 지상으로부터 40km의 깊이를 일컬으며, 여러 암석과 광석, 산소, 규소, 알루미늄으로 이루어져 있다.

지각은 지각 판 이론으로 설명 할 수 있다. 지각 판 이론은 1960년대에 개발 되었으며, 지각은 여러 개의 대형 및 소형"판"으로 이루어져 있다. 지각 판들은 지구 내부의 뜨거운 맨틀의 움직임에 의해 움직인다는 것이다.

지각 판은 지각의 바깥층. 즉 표층부를 형성하며, 이는 분명한 경계를 갖은 수많은 판으로 나뉜다. 지진은 맨틀의 대류가 지각 판에 영향을 주어 발생 한다.

이번엔 지구 외부로 눈을 돌려보자.
대기권은 대류권, 성층권, 중간권, 열권으로 분류된다. 대류권은 지표면으로부터 약 15km높이에 위치하며, 대기 중 80%의 질량을 차지한다.

대류권의 하층부분은 생물이 생활 하는 부분이다. 이곳은 지구의 대기가 교환되며, 수증기와 탄소들의 물질이 생활환경을 유지 하는데 중요한 역할을 한다.

성층권은 대류권 위에서 15km에서 50km 높이에 이르는 층이다. 성층권은 대류권에 비해 대기가 상당히 얇고 지구로부터 가장 멀리 떨어져 있기 때문에 광선과 나자 선을 많이 흡수 한다. 이에 따라 대기온도가 급격히 상승하는 곳이다.

중간권은 50km에서 80km 높이에 위치한다. 이 층은 성층권에 비해 대기의 밀도가 매우 낮으며, 오존층이 있어 지구 생명에 매우 중요한 역할을 한다.

열권은 대기 중에 가장 높은 80km이상에 위치하며, 대기의 밀도가 매우 적어 온도가 상승한다. 이곳은 차가운 별이나 위성과 상호작용하여 화학반응이 일어나는 곳이기도 하다.

지금까지 초기지구의 태동과 현재지구의 완성까지 46억년의 시간을 여행 했다. 이 책에는 과학계의 발표와는 다른 부분도 있다는 것을 알고 있다.

그동안 우주와 지구를 학습하면서 내가 생각하는 물리 법칙에 맞지 않는 부분에 대해서는 과감하게 수정 해 나갔다. 앞으로도 내 글쓰기의 논조는 비판과 반론으로 계속 될 것이다.

2)물의기원

현대 과학계에서는 물에 대한 기원을 아직 완성 시키지 못하고 있다. 가설이 난무 한 가운데 미궁에 빠진 상태다. 나는 양자역학과 천문학을 공부 하면서 우주 만물의 법칙을 완성 시키고 싶은 탐구욕이 생겼다.

이와 맞물려 항성과 행성의 탄생에 대한 기본적인 시스템을 이해할 수 있었고, 지구라는 행성은 이 우주에서 매우 독특하고 특별한 행성일 것이라고 생각했다.

태양과의 적당한 거리와 다른 행성과 다른 아름답고 푸른 자연을 간직한 지구의 모습은 초기 태양계의 생성 과정이 다른 항성과 행성이 만들어질 때와는 다른 메커니즘이 작동 했을 것이라고 예측해 본다.

우주라는 거시세계는 미시세계의 연장선상에서 보아야 하고, 미시세계의 작동 원리가 거시세계에 영향을 줄 수 있다는 것을 깨닫게 되었다.

우주에는 알 수 없는 물질(알지)들로 가득하다. 지금까지 인간이 찾아낸 물질들은 빙산의 일각이라고 생각한다. 분명 태양계가 태동 할 때 그곳에는 생명 탄생에 필요한 원소들이 많이 분포 되어 있었을 것이라고 추론한다.

지구내부에 핵이 만들어 질 때 초고온 상태의 어린 지구의 주변에는 가스와 물 먼지들로 가득했다. 이곳에는 질소와 산소도 분포되어 있을 것이라고 예측 할 수 있으며, 외핵이 액체 상태라는 것은 초기 지구 형성과정에서 다량의 산소가 있었으며 수소와 결합하여 많은 물이 존재했음을 알 수 있다.

점점 식어가는 초기 지구에 맨틀이 만들어질 때 산소는 수소와 반응하여 다량의 물이 만들어 졌고, 지각이 만들어 질 때 쯤, 초기대기에 가득했던 수소는 산소와 결합해 안개비를 만들어 냈다는 것이 나의 가설이다.

안개비는 화산 폭발로 요동치는 지구를 식혀 주었고, 원핵 식물인 남세균을 성장 시켰다. 남세균은 광합성으로 산소를 더 만들어 내기 시작하고, 이렇게 지속적으로 만들어진 산소는 초기 대기의 수소를 소진 시키면서 수백 년 동안 안개비를 뿌리게 된다.

이렇게 만들어진 물은 바다를 이루고, 초기 지구의 대기는 산소가 가득해져 생태계에 큰 전환점을 맞게 된다.

지각도 급격한 온도 변화에 여러 조각으로 나누어지고, 깊은 바다 속에서는 가스가 분출되기 시작 했다. 이 가스에는 단세포 박테리아가 생성 될 수 있는 탄소와 미네랄이 다량 분출 되었다.
그렇다면 바닷물은 왜 짤까?

바닷물이 짠 맛을 느끼는 이유는 바닷물에 녹아 있는 물질 중 "염화나트륨(NaCl)"이 가장 많은 비중을 차지하고 있기 때문이다.

바닷물에 녹아 있는 물질은 매우 다양하다. 염소, 나트륨, 마그네슘, 칼슘, 칼륨, 황산염, 붕산, 스드론튬등이 있다. 염화나트륨을 포함해 바닷물에 녹아 있는 염류는 해수 1kg에 대략 34g 녹아 있다.

그중 염소(Cl)와 나트륨(Na)이 염류에서 높은 비중을 차지하는데, 염소는 전체 염류의 대략 55%, 나트륨은 전체 염류의 30%를 차지한다.

짠 맛을 느끼게 하는 염화나트륨은 물속에서 염소와 나트륨이 녹아 이온화 되어 염화이온과 나트륨이온이 결합되어 생성된 물질이다.

그렇다면 염소와 나트륨은 어떻게 바다에서 만나게 되었을까? 바닷물에 녹아 있는 염류는 크게 2가지 경로로 바다에 유입 되었다.

(1)바다가 형성된 이후부터 지속적인 빗물 강물 파도 등에 의해 대륙을 이루는 암석이 풍화 침식 작용에 의해 깍여 나가면서 암석의 물질들이 바다로 유입되고 물질들이 녹으면서 해양에 존재하게 되었다. 나트륨(Na), 마그네슘(Mg), 갈슘(Ca), 칼륨(K)또한 이러한 경로를 통해서 유입 되었다.

(2)지구 내부 깊숙이 갇혀 있던 물질이 마그마 형태로 화산이나 바다 속 해저 화산을 통해 분출 되면서 해양에 존재 하게 되었다. 이러한 경로를 통해 나온 물질을 과잉휘발성물질이라고 한다.
과잉휘발성물질에는 염소(Cl), 황(S), 수소(H), 질소(N), 물(수증기상태), 플루오르(F)가 있다. 이렇게 해서 염소와 나트륨이 바다에서 만나 염화나트륨(소금)을 만들게 된 것이다. 그렇다면 왜 강물은 짠맛이 나지 않을까?

이유는 해저에서 분출 된 염소가 강물을 거슬러 올라 갈수 없었기 때문에 염소와 나트륨이 만날 수가 없었던 것이다.

지구상의 동식물에 없어서는 안되는 물, 우리를 존재 할 수 있게 해 준 물, 나는 이 물의 기원을 찾는데 오랜 시간이 걸렸다.

물리학과 양자역학, 화학과생물학, 지질학과 해양학까지 공부 하고서야 물의 기원을 완성 할 수 있었다. 물론 여기에는 나의 철학적 직관과 통찰력이 결정적인 역할을 했다고 본다.

지구상에서 물은 한정된 자원이다. 한정 된 자원이지만, 계속해서 순환하기 때문에 무한정 쓸 수 있다고 믿는 것은 잘 못된 사고방식이다. 우리 인류는 지난 300백 년 동안 엄청난 문명의 진보를 이루었다.

인간의 과학기술과 화석 연료와 원자력 발전소 덕분이다. 화석 연료는 점점 고갈 되어 가고 있다. 원자력 발전소는 시간이 지남에 따라 인간을 위협 할 것이다.

그렇다면 우리 인간의 삶을 영위하기 위해 어떤 에너지를 활용해야 할까. 그 답은 태양에서 찾아야 한다. 혹시나 수소에너지를 생각한다면 매우 바보 같은 선택이 될 것이다.
수소는 우주에는 많지만, 지구에는 물에 녹아 있다. 한정된 자원이라는 거다. 만일 물을 분해해서 수소를 에너지원으로 쓴다면, 지구에 있는 물은 점점 사라지게 된다.

한번 분해 된 수소는 100% 포집 할 수 없고, 산소와 결합할 때 수소는 100% 물로 환원 되지 못하고 일부는 우주로 날아 갈 것이다. 우주에 있는 수소를 끌어와서 산소와 결합해 물을 만들 수 있는 방법은 이론적으로는 가능 하지만, 인간의 능력으로는 불가능에 가깝다.

그래서 물을 전기분해 해서 만든 수소로 에너지원으로 쓰는 수소자동차도 만들면 안 된다. 지구가 탄생 할 때 만들어진 물은 두 번 다시 만들 수 없는 물질이기 때문에 오염시키지 말고 잘 관리해야 한다.

물은 우리 인간의 몸을 구성하는 원소이고 70%나 되는 매우 중요한 물질이다. 잘 관리해서 오염시키지 말아야 한다.

세상의 모든 물질들은 상호 작용을 하면서 새로운 물질들을 만들어 나간다. 물 또한 한정된 자원이고, 한번 오염되면 물속에 축적 되고 축적된 물질들은 물을 변질시킬 수 있다.

화석연료 쓰듯이 물을 펑펑 쓰지 말자 물도 유한한 자원이다.

13장. 진화론의 진실.

내가 어느 경로를 통해서 여기에 와 있는지 알 수 있다.

독자들의 메모장

당신의 의견을 적어 보세요.

13.진화론의 진실.

1)초기 지구의 진화.

선캄브리아기는 태양계가 만들어지기 시작한 45억 4,000만 년 전부터 5억 4,300만 년 전까지를 일컬으며,

이는 다시, (1)태고대(45억 년 전부터 38억 년 전, 지구가 초기 태양계를 형성 하고 있던 시기)와 (2)시생대(38억 년 전부터 25억 년 전까지 남조류인 시아노 박테리아가 생겨난 시기) 그리고 (3)원생대(25억 년 전부터 5억4,300만 년 전까지 즉, 동물이 생겨난 시기)로 나누어진다.

38억 년 전부터 1만 년 전까지를
지구 지질시대라고 하는데, 38억 전에 만들어진 두께 2,900km의 맨틀의 형성과정이나 내부구조와 맨틀대류현상에 대한 인간의 탐구가 있어야 할 것으로 보인다. 우리인류의 멸종과 관련 있기에 꼭 관찰하고 연구해서 데이터를 수집해야 한다.

지금으로부터 약 38억 년 전 초기 지구의 표면온도는 섭씨 150도(가설)에 육박하는 뜨거운 암석 덩어리였다. 대기는 수소와 가스로 가득 찼으며, 지구자전 속도는 하루가 17시간(가설)이었고, 태양 공전 속도는 283일(가설)이었다.

지구 내부의 뜨거운 철과 니켈 마그마는 소용돌이 쳤으며, 맨틀은 꿈틀대며 요동을 쳤다. 지각은 하루도 쉬지 않고 지진과 화산폭발이 일어나고, 우주를 향해 가스를 분출한다.

커다란 소행성 하나가 지구의 중력에 휘말려 지구를 돌고 있다. 달이 만들어 지고 있는 중이다. 달의 탄생 설은 (1)테이아 가설(천체와 지구의 충돌설)과, (2)시네스티아 가설(지구 와 달이 동시에 만들어 졌다)이 있는데, 나는 시네스티아 가설을 더 믿고 있다.

이유는 모든 물질은 각자의 중력에 의해 잡아당기고 전자에 의해 회전하며 뭉치면서 만들어지기 때문이다. 지구와 너무 가깝게 있다 보니, 지구 중력에 물질들을 빼앗기고 성장을 하지 못했을 것으로 추정 한다. 그러나보니 달의 크기가 너무 작아서 내부가 빠르게 식어버리고, 자전력도 상실 했을 것으로 보고 있다.

이렇게 달이 만들어질 때, 지구는 몸집이 짐점 커지면서, 지진과 화산 폭발로 울퉁불퉁 해지고, 지각은 쉼 없이 태양으로부터 날아오는 방사능을 온 몸으로 막아내고 있다.

생명체라고는 찾아볼 수 없는 초기지구, 가스와 먼지 방사능으로 가득한 대기는 앞을 볼 수 없을 정도로 뿌옇다.

약 3억년에 걸친 기나긴 시간 동안 지구는 서서히 식어가고, 지구를 감싸고 있던 가스와 먼지들은 지구의 중력에 붙잡혀 표면에 가라 앉아 켜켜이 쌓여 암석을 이루고 흙이 되었다.

이 흙속에는 소량의 산소를 머금고 있었으며, 산소는 우주에 가득한 수소와 결합해 지각표면에는 이슬이 조금씩, 조금씩 만들어지기 시작 했다.

지구대기는 아직 완성 되지 못했지만, 점점 맑아지기 시작했고,
수소와 질소, 이산화탄소로 가득 찼으며, 가끔씩 떨어지는 작은 소행성으로 지구는 불안정 상태에서 진화를 계속한다.

수천 년 동안 계속된 지구의 지각변동은 맨틀이 만들어진 이후 가장 활발해져, 맨틀대류로 인한 제1차 조산운동(대규모 습곡 산맥을 만들어 내는 지각변동)이 발생 한다.

맨틀의 대류현상으로 지각은 찢어지고, 또다시 화산 폭발이 계속 되며, 무수한 방사능 물질이 찢어진 지각 사이로 뿜어져 나온다.

제1차 조산운동 이후 수천 년 동안 지구는 또다시 냉각기를 거쳐 안정기에 접어들었고, 지각은 또다시 산맥과 협곡이 만들어지며 재편성 되었다.

지구자전 속도는 더 느려져 하루가 19시간(가설)으로 늘었으며, 지구공전 주기도 312(가설)일로 늘어났다.

대기는 수소와 이산화탄소, 질소가 풍부했으며, 소량의 산소도 있었다. 수소와 산소의 결합으로 물이 생성되었고, 식어가는 지표면과 차가운 대기에는 수소와 산소에 의해 수분이 만들어 진다.

초기 지구 대기는 대기권이 형성 되지 않았으며 광합성을 하는 남세균에 의해 산소는 증가하고 증가한 산소는 수소와 결합하여 안개비가 만들어져 지구에는 물이 증가하기 시작 한다.

2)남세균의 등장

35억 년 전 식물이 탄생하기 전 지구표면은 미세한 수분에 의해 시아노박테리라는 세균이 등장 한다.
이는 서호주 붉은 땅에서 스트로마톨라이트 라는 화석이 증명하고 있다.

스트로마톨라이트

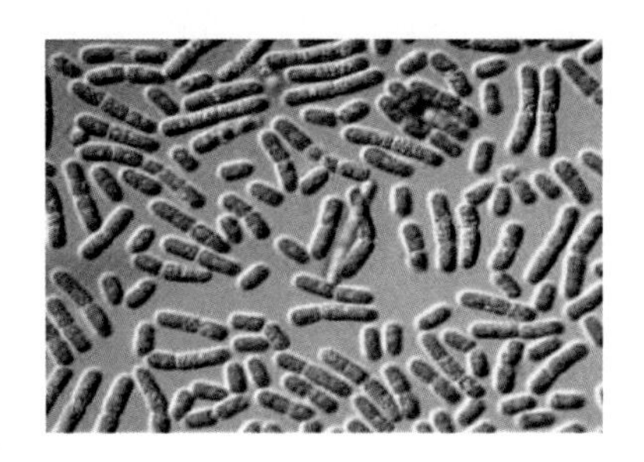

시아노박테리아

남세균은 이산화탄소를 흡수하여 산소를 만들어내는 광합성을 하면서 지구표면에 물과 산소를 공급하기 시작했다. 남조류는 13억년 동안 지구에 생명체가 탄생 할 수 있는 환경을 조성해 준다.

이 우주에서 가장 기적 같은 첫 번째 사건을 들자면 지구의 탄생이고 두 번째 기적 같은 사건은 남세균의 등장일 것이다. 남세균은 지구상에서 생명체의 등장을 알리는 서막이었으며 유기 생명체가 탄생 할 수 있는 환경이 조성되는 대 사건이라 하겠다.

지구 46억년의 역사 중에 13억년은 무기물질의 세계에서 유기물질들이 만들어지는 시기였으며 자연환경이라는 생태리듬이 싹트기 시작 하였다.

3)식물의 탄생과 진화

지구라는 행성이 만들어지고, 지구 대기가 완성되기 전 초기 식물인 녹조류가 없었다면, 지구 대기도 만들어지지 못했으며, 지구에 생명체도 탄생 하지 못했을 것이다.

사람과 나무는 물이 없으면 존재 하지 못하는 것처럼, 초기지구에 녹조류가 없었으면 동물은 탄생 하지 못했다.

초기 지구의 생명탄생의 서막은 녹조류의 등장으로부터 시작한다.
다시 말하면, 인류의 조상이 되는 생명체들은 녹조류를 먹이삼아 진화해 나갈 수 있었고, 바다에서 육지로 활동 공간을 넓혀 나갔다.

생명 현상의 뿌리는 단백질의 분자와
핵산 분자가 모든 동물과 식물에 관여한다. 즉, 분자 구성으로만 보면 동식물은 동일하다는 것이다.

그럼 우리의 조상들이 살아 갈수 있도록 환경을 조성 해준 식물의 세계로 들어가 보자.

식물은 여러 단계에 걸쳐 복잡성을 증가 시키면서 진화 해 왔다. 초기의 녹조류부터 이끼, 선태식물, 석송속, 양치류, 겉씨식물, 등을 거쳐 현재의 속씨식물에 이르게 되었다.

화석으로 식물변천 과정을 추측 할 수 있는 지질시대 이후부터 현재에 이르기까지 동물은 식물이 만들어 낸 물질을 이용 해 왔다.

이끼

러시아의 생물화학자 오파린이 주장한 코아세르베이트설에 의하면 원시 해양속의 단백질, 핵산, 당류 등은 전하를 지니고 있어서 주위의 물 분자들을 잡아 당겨서 콜로이드(한 물질이 다른 물질 속에 분산되어 존재 하는 것) 입자 상태로 존재 하였으며,

이들 콜로이드 입자들은 서로 모여 간단한 막에 쌓이면서 액체 방울을 이루어 주위와 경계를 이루게 되었다고 설명을 하고, 이를 코아세르베이트라고 불렀다.

그리고, 그는 원시 생명체는 코아세르베이트 상태에서 출발 했다고 가정하며, 코아세르베이트가 주위에서 각종 무기물과 유기물을 흡수함으로 해서 점점 원시세포의 형태로 발전되어 갔다고 설명 하였다.

실제로 코아세르베이트는 생김새가 아메바 등의 미생물 세포를 닮았고, 효소와 핵산이 존재 할 경우, 주변의 물질을 그 속으로 받아들이고 분열을 하며 증식 하는 등 생명체와 유사한 활동을 하는 것을 관찰 할 수 있다.

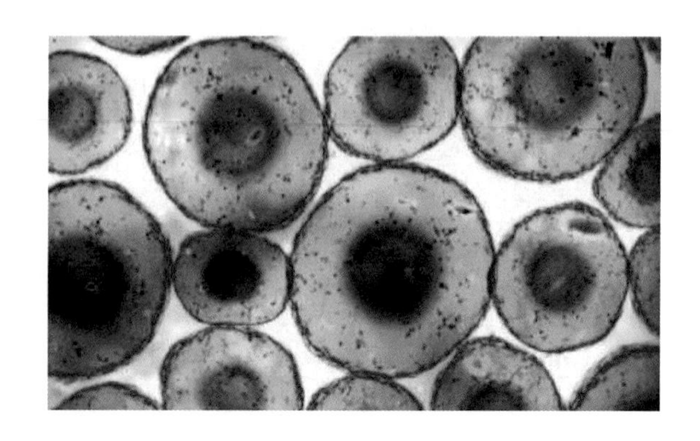

코아세르베이트

따라서 이와 같은 코아세르베이트와 핵산이나 효소의 존재 하에서 물질 대사 기능과, 자기 복제의 기능을 갖게 됨으로써 원시 생명체가 탄생 하게 되어 현재에 이르는 단계에 까지 진화했다고 생각 된다.

이처럼 원시 생명체가 탄생 되어 현재에 이르는 단계까지 유기물의 화학적 진화에 의해 만들어졌다면 코아세르베이트는 다른 코아세르베이트와 합쳐지거나, 원시 바다의 유기물을 끌어들여 생활 하고 있었을 것이므로, 원시 지구에 최초로 출현한 생물은 종속 영양 생물이었을 것이다. 이러한 상황에서 염록소와 같은 색소를 갖은 생물이 출현해서 태양 광선을 이용하여 이산화탄소와 물에서 당류를 합성하고 산소를 방출 하였다.

따라서 대기 중에는 산소가 점점 증가 되어 유기 호흡을 하는 독립 영양 생물이 서서히 출현 하게 되었다.
초기의 독립 영양 생물은 홍색황세균(염기성 광합성 자색 세균)이나 녹색황세균(광합성이 가능 하며,황하수소를 산화시키는 세균)등의 광합성 세균이었으나, 그 후 물을 분해하고 태양 에너지를 보다 효율적으로 이용하여, 광합성을 하는 조류 등으로 진화되었다고 생각된다.

이와 같은 식물의 출현은 지구 대기를 형성 하는데, 결정적인 역할을 하였고 원시 생명체를 멸종의 위기에서 구해냈다.

4)동물의 탄생과 진화

지구에 식물이 없었으면 대기를 만들어 낼 수 없었으며, 대기가 없었으면 생명체는 육지로 올라와 진화를 할 수 없었을 것이다.

그러기에 식물은 우리 인류를 탄생시킨 중요한 매개체인 것이고, 인류가 삶을 영위 할 수 있도록 도와주는 인간과 땔 수 없는 존재다. 즉, 식물은 동물의 어머니라고 해도 과언이 아니라고 생각 한다.

그럼 지금부터 지구 동물의 탄생과
진화에 대해서 알아보기 위하여, 시간을 25억 년 전으로 돌려서 천천히 거슬러 올라와 보자.

(1)원생대 억겁(최초의 초 대륙)

25억 년 전에서 5억4,100만 년 전의 원생대 시대는 지구역사에서 변혁의 시기였다. 이 기간 동안 최초의 초 대륙인 로디니아(7억5,000만 년 전~6억3,300만 년 전의 분열한 초 대륙)가 형성 되었다가 분리 되었다.

대기는 산소가 풍부해지고, 보호용 오존층이 형성되어 지구표면을 유해한 자외선으로부터 보호하고, 생명체가 육지로 이동 할 수 있는 발판을 마련하였다. 바다에서는 단순한 단세포 생물이 보다 복잡한 다세포 생물에게 자리를 내어 준다.

(2)진핵생물의 출현

약 20억 년 전, 진핵생물의 출현으로, 생명이 크게 도약 했다. 원핵세포와 달리 진핵세포는 핵과 다른 소기관을 포함 하고 있어 더 복잡하고 전문화 될 수 있었다. 이 발달은 단순한 조류에서 복잡한 동물에 이르기까지 다양한 유기체의 진화를 위한 문을 열었다.

(3)다세포 유기체의 등장

최초의 다세포 생물은 약 15억 년 전에 나타났다. 처음에 이들은 동일한 세포의 단순한 콜로니(동식물의 개체에서 수정을 거치지 않고 무성 생식에 의하여 부모와 유전적으로 똑같은 개체를 만드는 것)였지만,
시간이 지남에 따라 이러한 콜로니 내의 세포가 전문화되기 시작하여, 별개의 조직과기관이 발달 하였다.이 세포의 분화는 복잡한 생명체의 진화에서 중요한 단계였다.

(4)캄브리아기의 생명체 진화

약 5억4,100만 년 전의 급속한 진화적 다양화 기간인 캄브리아기 폭발은 복잡한 다세포 생명체 등장의
서막을 알렸다.

수천 만 년 동안 거의 모든 주요 동물 그룹이 화석 기록에 나타났다. 이 기간은 또한, 눈 껍데기 복잡한 섭식 구조와 같은 중요한 진화적 적응의 발달을 보았다.

(5)오르도비스기(4억8,500만 년 전~4억4,400만 년 전)

해양 생물이 번성하고 최초의 대량 멸종 오르도비스기동안 해양 생물은 극적으로 다양해졌으며, 최초의 산호초, 원시어류, 육지 생명체의 최초 증거가 나타났다.

그러나 이 시기는 빙하기로 인한 대멸종 사건으로 끝났고, 전체종의 약 60%~70%가 죽었다.

(6)실루리아기(4억4,400만 년 전~4억1,900만 년 전) 최초 육상 생물체 도착

실루리아기는 육지 생활의 확장을 목격했다. 최초의 관다발 식물이 진화 했고, 노래기 및 최초의 진정한 곤충과 같은 육상 절지동물이 땅에 서식하기 시작 했다. 바다에서 최초의 턱이 있는 물고기가 진화하여 척추동물의 출현을 위한 발판을 마련했다.
(7)데본기(4억1,900만 년 전~3억5,900만 년 전) 물고기의 시대

틱타알릭의 화석과 복원

데본기는 물고기의 시대로 알려져 있다. 그 것은 최초의 상어와 경골어류(골격으로 형성된 대부분의 어류)의 진화를 포함하여, 어류의 다양화를 목격 했다.

바다에서 생명체들이 번식하고 진화하기 시작해서 그 개체수가 폭발적으로 늘어난 시기이며 지구는 생명체들이 생존을 위해 먹이사슬이 만들어졌다.

육지에서 식물은 최초의 숲을 형성 했고, 최초의 양서류는 지상 환경을 탐험하기 시작했다. 양서류의 육지 등장은 생명체들이 바다에서 육지로 활동영역이 넓어짐을 의미한다.

이러한 육지 탐험은 해안가 곳곳에서 이루어졌으며 그 지역의 환경에 맞게 새로운 아종들이 진화 해 나갔다.

틱타알릭
최초로 육상에 진출한 물고기

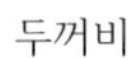

두꺼비

청개구리

(8)석탄기(기원전 3억5,920만년~기원전 2억9,900만년) 나무와 씨앗의 발명

석탄기에는 결국 석탄 퇴적물을 형성하게 될 광활한 늪지대 숲이 발달 했다. 종자식물과 최초의 파충류가 나타나 육지의 생태계와 발전을 촉진 시켰다. 나무도 이때에 등장하였고 분해와 퇴적이 용이해져 석탄이 지표면에 퇴적 되었다.

변산반도 적벽강

(9)페름기(2억9,900만 년 전~2억5,200만 년 전)

페름기는 초 대륙 판기아가 형성되고 최초의 공룡과 포유류가 진화한 시기다. 그러나 그것은 지구 역사상 가장 파괴적인 대량 멸종인 페름기-트라이아스기 멸종 사건으로 끝났다.

이 사건에서 모든 해양 생물의 최대 96%와 육상생물의 70%가 멸종 했다. 여기서 말하는 멸종은 개체수의 멸종이 아니라 생물의 종류를 의미한다.

(10)트라이아스기(2억5,000만 년 전~2억만 년 전)

헤레라사우르스

이 기간에는 초기 공룡들이 등장 했으며, 이는 크기와 생태적 다양성측면에서는 상대적으로 제한적이었다. 초기에는 공룡들이 다른 동물 군과 경쟁하며 생존 했다.

(11)쥐라기(2억만 년 전~1억4,000만 년 전)

스테고사우르스

이 기간에는 많은 공룡들이 번성 했으며, 크고 작은 고립된 대륙들이 형성되어 다양한 생태계가 발전했다. 이 시기에는 육식 공룡과 초식 공룡, 날개가 있는 공룡들이 등장 했다.

(12)백악기(1억4,000만 년 전~6,500만 년 전)

티라노사우르스

이 기간은 공룡들이 가장 번성한 시기로, 다양한 종류의 공룡들이 등장 했다. 이 시기에는 티라노사우르스와 스테고사우르스 같은 육식 공룡과 트리케라톱스와 파라사우롤로푸스 같은 초식 공룡들이 번성 했다.

(13)신생대(6,500만 년 전~현재)

다에오돈

신생대 시기에는 포유류와 속씨식물이 번성 한 것이 특징이다.
또한, 바다에는 화폐석이 번성 하였는데, 껍데기 모양과 크기가 주화와 유사하여 붙여진 이름이며, 이는 유공 층에 속하는 원생생물의 화석을 말한다.

포유류는 중생대 말기부터 증가하기 시작하여 신생대에는 그 종류도 다양해졌다. 포유류는 파충류와 달리 정온동물이기 때문에, 체온유지가 용이하여 적응력이 높아서 빠르게 번식 할 수 있었다.

신생대 말기 대륙이동에 의해 분리된 대륙에서 다양한 방식으로 포유류가 진화 하였는데, 그 예로 오스트레일리아에서만 서식하는 단공류와 유대류를 들 수 있다.

신생대 말기 인류의 조상이 출현 하였다.

(14)공룡의 멸종

영어의 "dinosaur"는 무서운 도마뱀이라는 뜻을 갖은 그리스어로부터 유래했다. 공룡은 주로 용반목(중생대 쥐라기에서 백악기에 걸쳐 번성 했던 파충류)과 조반목(중생대의 암석에서 화석으로 발견 된 공룡)이라는 2개의 목으로 분류 된다.

용반목은 조치류라는 작고, 두발 보행을 하는 조룡류에서 진화 했기에 대다수는 두발 보행을 했다.

조반목에 속하는 공룡들도 역시 조치류로 부터 진화했으나, 크게 성장하지는 않았고, 외갑과 특수한 적응으로 유명하다.

상당수의 공룡들은 육식성이었으나, 많은 공룡들은 점차 초식성으로 진화 했으며, 이 과정에서 네발 보행이 발달했다.

공룡들이 가진 긴 꼬리는 몸의 균형을 잡는데 사용되었고, 공룡은 다른 파충류와 마찬가지로 냉혈 동물(체온을 조절하는 능력이 없어서 바깥온도에 따라 체온이 변하는 동물)이었던 것으로 알려져 왔으나, 일부 공룡은 온혈 동물(외부 온도와 관계없이 체온을 일정하게 유지 할 수 있는 동물)이었다는 주장도 제기 되고 있다.

대부분의 공룡은 백악기의 마지막 시기까지 번성 했으며, 그 후 약 100만년 이후에는 지질기록에서 완전히 사라졌다.

갑작스런 멸종의 원인은 아직 확실하게 알려지지 않았지만, 소행성 충돌로 인한 대규모 제2차 조산운동(대규모 습곡 산맥을 만들어 내는 지각변동)설이 유력 하다.

소행성 충돌로 인해 대규모 지진과 화산폭발이 일어나고 지구 대기는 가스와 먼지로 가득 채워져 햇빛이 차단되었다. 광합성 작용을 하지 못한 식물이 멸종하였고, 식물을 먹고사는 초식동물이 멸종하였으며 이어서 육식동물들이 순차적으로 멸종 하였다.

지구에서 식물은 생명체들에게는 생존에 필요한 영양분과 산소를 공급해 주는 중요한 존재고 동물들의 활동 영역을 넓혀주는 동력이다.

따라서 공룡의 멸종은 우리 인간에게 시 사 하는 바가 크고 지구상에서 식물이 멸종의 위기를 맞이한다면 곧 동물들의 위기가 도래한다는 것을 알아야 한다.

14장. 인류의 진화와 문명의 탄생.

호모 사피엔스로의 진화는 기적이었다.

독자들의 메모장

당신의 의견을 적어 보세요.

14. 인류의 진화와 문명의 탄생.

1)오스트랄로피테쿠스의 등장 (390만 년 전~200만 년 전)

오스트랄로피테쿠스는 우리 인류의 시조로 인정받고 있다. 중생대 후기인 400만 년 전부터 살았던 종족으로, 인류의 진화과정에서 중요한 역할을 한 이른바, 원시인 종중 하나다. 그들은 인간과 침팬지 사이에 위치한 호모 계통의 조상 종으로 생각되고 있다.

오스트랄로피테쿠스는 주로 아프리카 대륙에서 발견 되었으며, 그들의 생활 영역은 지금의 탄자니아, 케냐, 에티오피아 등 광범위 했다. 이들은 주로 땅에서 걷는 것에 적합한 발을 가지고 있었으며, 뇌 용량도 침팬지 보다는 크지만, 인간과 비교 했을 때 상대적으로 작았다.

오스트랄로피테쿠스의 존재는 인류 진화 과정에서 매우 중요한 역할을 했으며, 인간과 침팬지 사이의 공통 조상을 이해하는데 매우 중요한 자료가 된다.

오스트랄로 피테쿠스는 인간과 침팬지의 공통 조상으로 생각 되며, 그 크기는 현재 살아 있는 인간과 비교 했을 때 매우 작았다.

남성의 경우 1.2M~1.5M, 여성의 경우 1M~1.2M 정도였고, 이들의 발바닥은 지금의 인간과 비슷한 형태를 가지고 있었다. 이는 땅 위에서 걷는 것에 적합한 발바닥으로 추정 된다.

오스트랄로 피테쿠스의 손은 침팬지와 비슷한 형태를 가지고 있었다. 그러나 그들은 더 발달된 손가락을 가지고 있었으며, 이는 더욱 섬세한 작업이 가능하게 해 주었다.

오스트랄로피테쿠스의 뇌 용량은 450cc~600cc 정도로 현재 살아있는 인간과 비교하면 상대적으로 작았다.

그러나 이는 침팬지보다는 크며, 진화과정에서 인간의 뇌가 더욱 발전 할 수 있는 여지를 남겨 주었다.

오스트랄로피테쿠스의 머리 형태는 오목한 형태였다. 이는 이들이 엎드리면서 먹이를 찾아 먹었다는 것을 시사한다.

이러한 특징들은 인류의 진화 과정에서 오스트랄로피테쿠스가 어떠한 역할을 했는지를 이해하는데 매우 중요하다. 그렇다면 오스트랄로피테쿠스의 건강 상태는 어떠했을까? 직접적인 단서는 없지만, 이들의 생활방식에서 몇 가지 유추 해 볼 수는 있다.

오스트랄로피테쿠스는 대부분 식물 기반의 식사를 하였으며, 적극적인 사냥을 하지 않은 것으로 추정 된다.

마지막으로 오스트랄로피테쿠스의 문명에 대해서 알아보자. 오스트랄로피테쿠스는 인류의 초기 진화 과정에서 발견 된 종으로, 문명을 형성 하지는 못했다. 다만, 자연에서 얻을 수 있는 돌과 나무를 이용해서 위험으로부터 자신을 보호 하고, 식량을 확보 하는 정도의 매우 원시적인 형태의 생활방식 뿐이었다.

2)호모 에렉투스

(200만 년 전~10만 년 전)

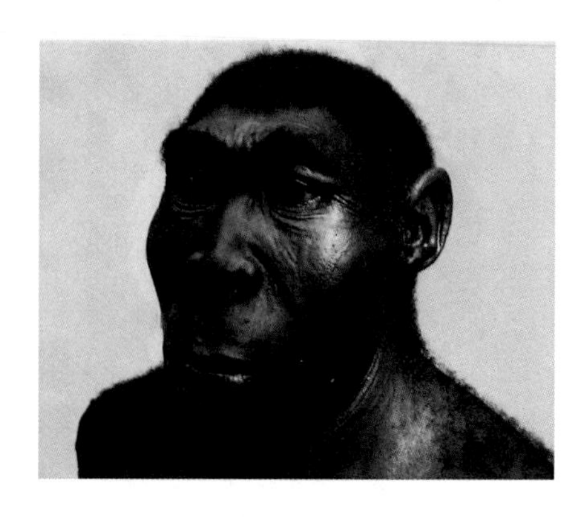

"불"을 최초로 발견 한 종족

호모 에렉투스는 자연 발화된 불을 보고 무서워서 도망가지 않고, 불을 탐구 했던 종족이다.

호모 에렉투스의 출현은 우리 인간의 진화적 측면에서 매우 중요한 변곡점이었다. 불을 발견하고, 불에 미쳐 있었으며, 불을 만들어 내기 위해서 무단히도 노력 했던 종족이다.

결국 그들은 불을 만들어 냈고, 불을 이용해서 추위를 견뎌 냈으며, 불을 이용해서 음식을 익혀 먹었다.

불을 이용 할 줄 알았던 호모 에렉투스 종족들에게 어떤 변화가 왔을까?

첫째, 맹수들의 공격을 불로 물리쳤으며,

둘째, 고기를 불에 익혀 먹을 수 있어서 소화와 흡수력을 높였고,

셋째, 불을 이용해서 추위를 견딜 수 있었으며,

넷째, 불을 들고 유럽이나 아시아로 이동해서 생활터전을 넓혀갔다.

호모 에렉투스의 동굴생활

호모 에렉투스는 초기 10만년 동안은 아프리카에서 살았지만, 180만 년 전부터 유럽과 아시아로 진출했다. 이들은 동굴과 물과 숲이 우거진 지역을 찾아 이동 했다.

3)하이델베르크인
(70만 년 전~20만 년 전)

하이델베르크인은 아프리카에서 살았던 현생인류와 네안데르탈인, 데니소바인의 공통 조상이다.

1950년대까지만 해도 호모에렉투스의 아종으로 분류 되었으나, 현재는 별개의 종으로 분류되었다.

하이델베르크인은 거대한 몸집의 인류중 하나이며, 수컷 기준 평균 신장이 1.8m로 몸무게는 90kg이 넘었다.

하이델베르크인은 덩치만 컷지, 호모 에렉투스나 네안데르탈인 데니소바인에 비해 존재감이 없었다.

4)네안데르탈인
(43만 년 전~2만8,000년 전)

네안데르탈인은 주로 유럽에 집중적으로 분포되어 있다.
완전한 형태의 네안데르탈인은 약 13만 년 전에 출현 한 것으로 추정된다.

마지막으로 발견된 네안데르탈인은 2만8,000년 전 스페인의 남부 해안가 동굴에서 발견 되었으며, 극심한 영양실조에 시달린 것으로 보인다.

네안데르탈인은 주로 육식 사냥으로 생존해왔으나, 사냥기술이 발달하지 못해서 극심한 식량난에 시달렸다. 네안데르탈인들이 쓴 사냥용 창은 투창이 아닌 직접 찌르는 방식이었다.

그러나 보니 사냥 성공 율이 낮았다. 이는 곧 식량부족으로 이어져 진화에 성공 하지 못하고 멸종 했을 것으로 보고 있다.

현생인류는 네안데르탈인보다 이른 30만 년 전에 출현 하였기에, 20만년이라는 긴 기간 동안 함께 생활 했던 것으로 보인다.

인류를 포함한 대다수 영장류들은 사납고 공격성이 강하기 때문에 네안데르탈인들도 대단히 사납고 호전성이 강한 영장류였을 것으로 추정한다.

네안데르탈인은 주로 육식 사냥으로 생존해왔으나, 사냥기술이 발달하지 못해서 극심한 식량난에 시달렸다. 네안데르탈인들이 쓴 사냥용 창은 투창이 아닌 직접 찌르는 방식이다 보니 생존 기술이 발달하지 못 하였다. 이는 곧 식량부족으로 이어져 진화에 성공 하지 못하고 멸종 했을 것으로 보고 있다.

네안데르탈인들도 동굴에 벽화를 그렸다.

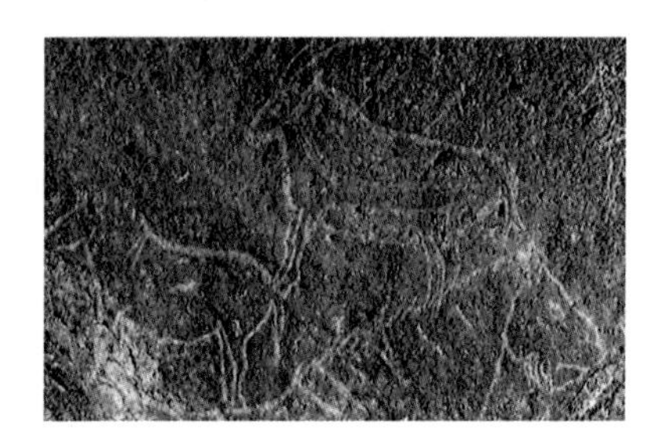

5)크로마뇽인
(3만5,000년 전~1만 년 전)

크로마뇽인은 후기 구석기시대에 출현 했다.1868년 나르테가 5개의 고고학적 단층을 발견 했는데, 가장 위쪽 단층에서 발견된 화석인 크로마뇽인은 대표적 선사인류로 간주 된다.

골격이 단단하고 억세며, 키는 166cm~171cm였던 것으로 추정되며, 앞이마는 평평하고 눈썹 뼈는 좁으며, 두개골은 길고 좁지만 얼굴은 짧고 넓다.

뇌 용적은 현대인의 평균 뇌 용적보다 다수 컸던 것으로 여겨진다. 크로마뇽인은 대부분 동굴 속이나 바위가 돌출되어 생긴 얕은 동굴에서 살았으며, 시신을 매장 했다.

최초로 예술 활동을 시작했는데, 동물의 형상을 음각 양각 하거나 조상으로 만들었고, 임신한 여자의 형상을 새긴 것이 많았다.

크로마뇽인이 인류 진화 단계에서 정확히 어디에 놓이는지는 단정하기 어렵다. 이들이 사용한 도구는 오리나시안 공작기에 만들어진 도구들과 관련이 있다.

이 시기에 만들어진 도구들은 블레이드 스크레이퍼, 끌 모양의 발화구 정교한 골각기 등이었다. 또한, 가죽을 문질러 매끄럽게 하는데 사용하는 도구도 만들어 졌다.

일부 도구들은 그라베티안 공작기에 만들어졌던 도구들과 관련이 있다. 그라베티안 공작기는 등이 평평한 도구를 생산하는 공작기법을 특징으로 한다.

암벽을 벽으로 이용한 달개집이나 완전히 돌로 지은 원시적 형태의 오두막이 발견되기도 했다.

이들은 새로운 사냥감이나, 환경의 변화로 인해 옮겨 다니는 것을 제외하면 암굴에서 거의 1년 내내 정착해서 살았던 것으로 추정된다.

크로마뇽인은 네안데르탈인과 마찬가지로 시신을 매장 했으며, 이들은 선사 인류 가운데 최초로 예술 활동을 시작 했다.

크로마뇽인들의 예술작품들을
감상해 보자.

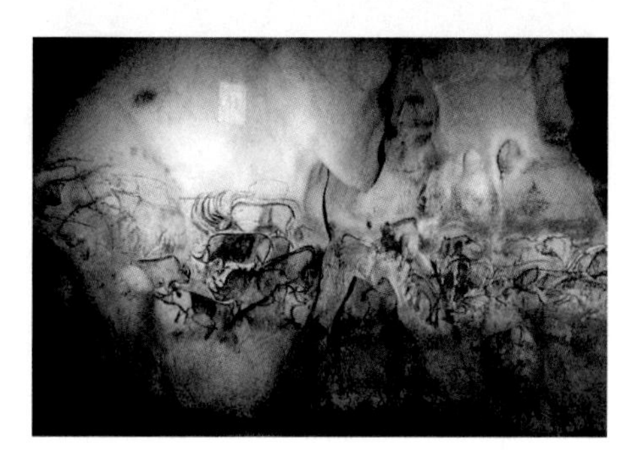

6)데니소바인 (30만 년 전~4만 년 전)

신생대 제4기 플라이스토세 중기~후기에 살았던 인류의 일종 정식 종명은 아직 없다.

2008년 7월에 러시아 시베리아의 알타이 산맥에 위치한 데니소바 동굴에서 41,000년 전의 손가락뼈와 어금니 화석이 발견 되면서 알려졌다.

30만 년 전부터 3.4만 년 전까지 시베리아와 우랄산맥 및 알타이 산맥 동아시아 지역에서 생존 했다고 추정된다.

현생 인류 및 네안데르탈인, 호모 플로레시엔시스 등과 공존하며 별도로 생존 했던 인류의 일종으로 데니소바 동굴에서 발견된 치아 화석 및 다리뼈 화석 오스트레일리아 원주민 일부의 유전자 검사를 통해 그 존재가 확인 되었다.

현생 인류의 조상과 네안데르탈인과 생존 시기가 겹치며, 그 때문에 현생 인류, 네안데르탈인과 통혼하기도 했다. 사실 DNA분석은 이들이 다른 호미닌보다 특히, 네안데르탈인과 더 가까움을 시사한다.

데니소바인의 유전자 검사결과 미토콘드리아 DNA에 따르면 네안데르타인과 현생 인류와 관련이 있으며 공통 조상은 약 100만 년 전에 있었던 것으로 확인 되었다.

7)호모 사피엔스
(35만 년 전~25만 년 전에 출현)

620만 년 전 침팬지와 인간이 분리 되었다. 약 600만 년 전 사하라 사막 이남 지역에서 인류의 첫 조상으로 추정되는 사헬란트로프스 차덴시스가 출현 했고, 약 390만 년 전 직립 보행을 하는 인간인 오스트랄로피테쿠스가 출현 하였으며, 지구상에 인류라고 이름 붙일 만한 존재가 등장 한 것은 35만 년 전에서 25만 년 전쯤이다.

구 인류와 현생인류를 구분하는 호모사피엔스는 "지혜가 있는 사람" 이라는 뜻이다. 호모사피엔스는 수렵활동을 했고, 동물을 길들일 줄 알았다. 언어를 사용하고, 추상적인 사고를 시작했다.

추상적인 사고는 각각의 대상, 혹은 현상에 대한 상징화를 가능하게 했으며, 죽음과 사후세계에까지 인간의 관념을 확장시켰다. 이들은 시체를 매장 할 줄도 알았다.

호모 사피엔스의 기원에 대해서는 크게 두 가지로 의견이 나뉜다. 아프리카 대륙에서 태동하여 전 세계로 이주 했다는 아프리카 기원설과 여러 대륙에서 동시에 진화했다는 다 지역 기원설이다.

단 학자들은 최근 초기 호모 사피엔스의 화석이 아프리카 지역에서만, 발견 된다는 데에 착안하여 아프리카 기원설에 점차 무게를 싣고 있다.

그러나 아프리카 기원설을 반증하는 증거도 많으며, 호모 사피엔스를 최초의 현생 인류로 보아야 하는지 그들이 정확히 언제 출현을 했는지 등에 대해서도 많은 논란이 있다.

수백 만 년에 걸쳐 진화된 현생 인류의 모습은 전 세계 여기저기에 흩어져있는 화석들을 통해 알아내야 하기 때문에, 일관된 상을 그리기 어렵고, 새로운 증거들이 속속들이 발견되고 있으므로 논란은 그치지 않을 것으로 보인다.

아프리카 기원설에 따르면 아프리카에 살던 호모 사피엔스는 약 10만 년 전 사하라 사막을 거쳐 서남아시아 지역 등으로 퍼져 나갔다. 유럽으로 이동한 호모 사피엔스는 당시 유럽과 유라시아 지역에 정착하고 살던 네안데르탈인을 만나게 된다.

네안데르탈인은 1856년 독일의 네안데르 계곡에서 발견된 화석을 통해 처음 세상에 알려졌다. 35만 년 전쯤 등장한 네안네르탈인 유럽과 유라시아 대륙에서 진화했으나 아시아에서는 5만 년 전 유럽에서는 2만4,000년 전 혹은 3만3,000년 전쯤 갑자기 멸종했다. 이들을 호모 사피엔스의 한 부류로 볼 것인지, 구 인류로 볼 것인지는 오랜 논쟁거리였지만 최근 DNA 연구를 통해 네안데르탈인과 호모 사피엔스는 유전적으로 전혀 연관이 없는 별개의 종이라는 주장이 설득력을 얻었다.

그렇다면 과연 어떤 특징이 호모 사피엔스를 구 인류와 구분 짓게 만들었을까? 학자들은 호모 사피엔스가 예술 활동을 했다는 점을 주목한다. 유럽 전역에서 출토 되는 여성과 사자의 모습을 형상화한 이런 조각상들은 지역에 관계없이 대게 비슷한 형상을 하고 있다.

호모 사피엔스는 기술도 발전 했다. 굳이 먹을 것을 찾아 나서지 않고 정착 생활을 하면서 식량을 충분히 구할 수 있는 수준이 되었다. 호모 사피엔스는 특히 손재주를 발전시켜 독특한 석기도 만들어 썼다. 추상적 사고와 언어생활, 도구의 사용과 목축의 시작 등 인류가 정착생활을 할 수 있는 근거가 발달 하였고,이후 인류는 씨족사회의 탄생에서 문명의 발전까지 급속도로 진화 하게 된다.

호모 사피엔스의 진화는 아프리카 기원설이 아닌 다 지역 연계설이 정설로 받아들여질 것으로 생각 된다. 남아프리카에서 호모 날레디가 발견되고, 인도네시아서 플로가 발견 되면서 현재 다 지역 연계설은 학계에서 힘을 얻고 있다.

★기원전 8,000년경 농경의 시작.
신석기 시대로 인류가 정착 생활을 하기 시작하면서 농사를 짓기 시작했으며 손으로 농사를 지으면서 기술의 발전이 시작 되었다.

★기원전 4,000년경 수메르 문명의 시작.
메소포타미아의 남쪽지방(이라크)에서 최초의 문명이 시작 되었다. 수메르문명의 상징 지구라트는 성전으로 훗날 이슬람교와 기독교의 뿌리가 된다.

★기원전 2,560년경 쿠브 왕의 대 피라미드 건설.
고대 이집트 왕들의 무덤이다. 피라미드도 기본적인 형태는 지구라트와 닮았다.

★기원전 1,750년경 함무라비 법전.
바빌로니아의 함무라비 왕이 제정한 세계에서 가장 오래된 성문법

★기원전 1,400년경 페니키아 알파벳의 탄생.
페니키아 알파벳은 북셈 문자가 기원이며 고대 그리스어를 거쳐 서양 알파벳이 되었다.

★기원전 1,300년경 히브리인(유대인)의 이집트 탈출.
히브리인이 정치적 그리고 기근으로 인해 이집트로 이주하였고, 이것이 지금의 이스라엘 팔레스타인과의 갈등의 원인이 된다.

★기원전 1,000년경 철기시대 시작.
인류사에 철기시대는 지금의 산업혁명과도 같은 혁명적 시기다.
국가가 발전하고 정복전쟁으로 하루도 편안 할 날이 없었으며
태어나 평생을 전쟁을 하다가 죽어야 하는 시대였다.

15장. 나의 뿌리를 찾아서.

나의 뿌리 시조는 몽골 초원에서 발원 하였다.

독자들의 메모장

당신의 의견을 적어 보세요.

15.나의 뿌리를 찾아서.

기원전 1,000년경부터 시작한 인류의 철기시대는 세계적으로 씨족 사회에서 발전하여 국가가 만들어졌으며, 철로 만든 무기로 정복 전쟁이 끊이질 않았다.

즉, 철기시대는 "피"의 시대다.

몽골고원의 북아시아 초원지대는 해발 1,000m이상의 고지대가 비교적 평단하게 펼쳐져 있다.

텡게리, 바단지린, 오로도스 사막 외에도 유목하기에 적당한 목장과 산림이 이어져 있다. 그리고 남쪽에는 음산 산맥이 있어 유목민의 생활에 천연 울타리가 되어준다.

이런 까닭으로 훈(흉노)족을 비롯한
선비 거란 등의 기마 민족들이 이곳에서 창궐 하였다.

음산 산맥의 북쪽이 유목문화의 근거지라면, 그 아래쪽은 농경문화의 근거지다. 그런데 음산 산맥을 경계로 북쪽의 기온은 변화가 심해 식량 수급에 어려움이 많았다.

이 과정에서 유목민족과 농경민족은 필연적으로 충돌 하였는데, 대부분 유목민의 공격으로 싸움이 벌어졌다.

훈(흉노)족은 한때 음산 산맥 북쪽으로 광대한 지역에 제국을 건설하였다. 전성기의 훈(흉노)족은 한(중국)족 국가보다 3배나 넓은 영토를 다스렸다.

진나라 진시황제는 북쪽의 훈(흉노)족의 침략을 막기 위해 만리장성을 쌓기 시작했지만,

기원전 206년 유방이 한나라를 건국한 이후에도 훈(흉노)족은 한(중국)족 국가를 수시로 공격 했으며, 그들을 굴복 시켰고 매년 조공을 받았던 민족이다. 전한시대의 한무제는 이러한 굴욕적인 평화에서 벗어나기 위해 칼을 갈았다.

한무제는 위청과 곽거병의 활약으로 훈(흉노)족을 하서주랑에서 몰아내는데 성공한다.

알타이 산맥 아래 내몽골 자치구에 신석기시대부터 유목민 생활을 해오던 훈(흉노)족은 매우 용맹스러웠으며, 금을 화폐로 사용 하였다.

기원전 2세기 초 훈(흉노)족은 드넓은 제국을 경영하기 위해, 선우(훈족의 왕의호칭) 아래에 우현왕과 좌현왕을 두어 통치하게 하였는데, 우현왕에는 휴도왕을, 좌현왕에는 혼야왕을 두었다. 지금의 무위일대는 휴도왕의 관할 지역이었다.

선우는 탱리고도선우의 줄임말이고, 탱리는 하늘이요, 고도는 아들이라는 뜻이다. 그래서 탱리고도선우는 하늘의 아들이요, 위대한 지도자라는 뜻이다.

기원전 127년 훈(흉노)족의 우현왕 휴도왕은 한무제의 장수 위청이 이끄는 기마병과의 전투에서 계속 패배하며 선우(흉노족의 왕)의 심기를 불편하게 하였다.

훈(흉노)족은 한나라와의 패권전쟁에서 단 한 차례도 져 본적이 없었는데, 휴도왕은 한나라와의 국지전에서 계속 패배하며 훈족의 자존심을 상하게 하였다.

이에 이치선우(훈족의왕)는 화가 났고, 휴도왕에게 책임을 묻기 위해 소환을 준비 할 때쯤, 한나라군이 침략한다는 첩보를 받고, 휴도왕의 문책을 뒤로 미루었다.

한무제는 위청의 활약으로 훈(흉노)족을 하서주랑에서 몰아 낸 후, 비밀병기 젊은 장수 곽거병에게 훈(흉노)족을 멸할 것을 명한다.

곽거병은 40만 대군을 이끌고 훈족 정벌에 나서는데, 이 당시 훈(흉노)족은 위청의 신출귀몰한 공격으로 대 혼란에 빠져 있을 때였고, 정치적으로 갈등과 반목을 하고 있었을 때였다.

그 대표적인 것이 휴도왕과 혼야왕의 갈등이었다. 둘은 힘을 합해서 한나라 곽거병을 막아내야 했음에도 혼야왕은 휴도왕을 암살하기 위하여 첩자를 보낸다. 휴도왕 수하에는 7명의 장수가 있었는데, 그 중 2명은 혼야왕의 첩자였다.

휴도왕은 곽거병과의 전투에 나가기 전 아내 연지(알지)부인과 두 아들 일제와 윤을 부른다. 이때 14살이었던 첫째아들 일제는 자신도 전투에 임하기를 아버지에 청하였으나,

휴도왕은 일제에게 단검 하나를 주면서 "너는 아직 골격이 완성 되지 않아 전투에 나갈 수 없으니."어머니와 동생을 대리고 부여로 피신 할 것을 명한다.

그리고 단검 하나를 주면서 "이 단검을 부여왕에게 보여주면 너희가 누구인지를 믿을 것이니 조속히 짐을 챙겨 호위무사 3명과 함께 부여로 출발하라"고 명하고, 7명의 수하 장수들을 소집한다.

이때 혼야왕은 휴도왕의 장수 2명에게 휴도왕을 암살을 하라고 지시한 상태였다. 혼야왕은 휴도왕이 한나라군에 투항을 한다는 누명을 씌워 휴도왕을 제거하려는 계략을 세웠고, 휴도왕은 전투에 나가기 전날 부하장수2명에게 암살을 당한다.

휴도왕의 사망소식을 들은 휴도왕의 왕비 연지(알지)부인과 두 아들은 연지부족민들과 함께 부여국으로 피신하다가 한나라군에 붙잡혀 포로가 된다.

한무제는 휴도왕의 첫째아들인 일제가 말을 잘 다룬다는 말을 듣고, 연지(알지)부인과 두 아들을 한나라로 압송해 지금의 성동성 하택시 성무현 인근에 터를 마련해주었다.

이후 일제와 윤은 한나라에서 궁정의 마구간 지기로 일을 했고, 어머니와 가족의 안위를 위해서 숨죽이며 살았다.

휴도왕의 아내 연지(알지)부인도 두 아들을 살리기 위해 온갖 수모를 겪으며 인내하며 살아간다. 아마도 연지(알지) 부인의 고뇌가 그 누구보다도 컸을 것으로 유추 해 볼 수 있다.

“알지”는 훈(흉노)족의 왕비를 지칭하는 고유 명사다. 훈(흉노)족의 왕인 선우의 왕비는 연지부족 사람으로 연지부족의 여자만이 왕비가 될 수 있었다.

한무제는 훈(흉노)족의 왕자였던 첫째아들의 일거수일투족을 살피며, 지켜보는데 아무런 사고를 치지 않고, 매우 총명한 솜씨로 말을 관리하는 것을 보면서 조금씩 경계를 풀기 시작한다.

어느 날 한무제는 말들이 사열하는 과정에서 일제의 총명함을 발견하고, 한무제는 훈(흉노)족이 금을 좋아하고, 금을 화폐로 사용 한 것을 착안하여 두 왕자에게 김씨 성을 하사했다. 첫째아들은 김일제로 둘째아들은 김윤으로 이름을 지어 주었고, 김일제에게는 부마도위와 광록대부 관리직으로 임명하였다.

장골이 크고 총명하였던 김일제에 대한 한무제의 신임은 두터워졌으며, 무제는 김일제를 자신의 호위무사로 임명하는 대사건이 벌어진다.

무제의 신하들은 오랑캐 출신을 호위무사까지 임명하는 것을 보고 불만을 토로 했지만, 무제는 괘념치 않았다. 그러던 중 시중이었던 망하라가 무제의 침실에 침입하여 암살 하려고 했으나, 김일제가 격투 끝에 체포한다.

이 일로 신하들은 김일제를 폄하하지 못하고, 무제는 자신의 딸과 혼인시키려 했으나, 일제는 정중히 사양을 했다.

임종을 앞둔 한무제는 김일제와 곽거병의 동생 곽광을 부른다.

"내가 죽거든 막내아들을 황제로 세우고, 그대들은 주공의 일을 하라."

곽광은 "저는 김일제보다 못합니다."

김일제는 "저는 외국인이요, 곽광보다 못합니다."

한무제는 김일제를 투후(황제 다음의 벼슬)로 임명하고, 일제를 거기장군직으로, 곽광을 대사마대장군으로 임명하면서 어린황제를 보필하라는 유조를 남기고, 기원전 87년 3월 29일 한무제는 사망 한다.

한무제

김일제는 한무제가 사망한 다음해 기원전 86년 8월 지병으로 사망한다.

김일제 묘비

중국 역사상 외국인 신분으로 황제의묘 옆에 비석이 세워진 인물은 김일제가 유일하다.

김일제 동상

한무제가 죽은 뒤 64년후, 김일제의 증손자 김당은 외삼촌 왕망의 구테타를 돕는다. 구테타는 성공 하였으며, 전한을 멸하고 신나라(기원전23년~9년)를 세운다.

왕망은 여러 개혁 정책을 펴보지만, 너무 급격한 변화를 도모 하다가 백성들의 언성을 사고 신뢰를 잃게 된다.

왕망이 죽자, 왕망을 추종했던 세력들은 구심점을 잃었고, 결국 한족들에게 역 쿠데타를 당해 신나라는 멸망 한다. 왕망을 도왔던 김씨 세력들은 살기 위해 요동으로 피신해 보지만, 숨을 곳을 찾지 못하고 결국 배를 타고 대륙을 떠나게 된다.

김씨 왕족들(김일제 후손과 김윤의 후손)은 한반도 최남단 가야한국(경상남도 김해)이라는 무역 거점지역으로 뱃길을 돌려 한반도 서쪽을 따라 이동 한다.

김일제의 5대 후손 김성한(성한왕 김알지)은 경주로 이주해 그곳의 토착민(박씨, 석씨)들과 함께 6개 부족 세력(서라벌)을 구축해 나간다. 경주 김씨의 시조다.

김윤의 5대 후손 김탕(김수로왕)은 1세기경 가야한국에 남아 흩어져 있던12구역의 가야 부족국을 (1)금관가야, (2)대가야, (3)성산가야 (4)아라가야, (5)고령가야, (6)소가야 6개 부족 국으로 정비하고, 단단한 연맹체를 구성해 "가락국"을 창궐했다. 김해 김 씨의 시조다.

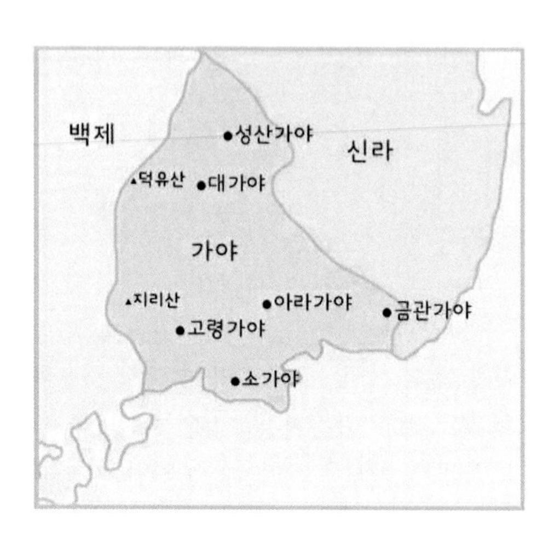

이당시 한반도 최남단 가야한국은 철이 풍부해서 동북아 무역의 거점 도시였다. 왜를 비롯한 해외에서도 가야한국에서 철을 수입 해갔다.

신나라(왕망세력)가 멸망하고 김씨 왕족들이 도피처로 가야한국을 선택 한 것은 중국 대륙에서 먼 이유도 있었지만, 풍부한 철이 있었기 때문이다.

나(김길성)는 김해김씨 삼현파로 김수로왕 72대손이다. 나의 뿌리를 찾아서 떠나는 여정이 매우 흥미롭다.

지금까지는 나의 시조(아버지)를 만나 보았으니, 지금부터는 나의 시조(어머니)를 찾아 여정을 떠나본다.

나의 시조(어머니)는 "허 황옥"이다. 인도의 아유타국(아요디아) 공주로 알려져 있으나, 역사적으로 볼 때 허황옥(서기 33년~189년)의 존재는 미스테리로 남아 있다.

지금 현재까지 알려진 바로는 허 황옥는 고대인도 아유타국의 공주로 아버지의 유지를 받들어 금관가야까지 15명의 선원과 함께 배를 타고, 이주한 인물로 알려져 있다.

나는 내 뿌리를 끝까지 쫒고 싶었다.

여러 가지 가설이 난무한 가운데, 나는 허 황옥이라는 호모 사피엔스의 행로를 쫒아 인터넷과 유튜브를 검색하기 시작했다.

여러 가지 가설들을 노트에 적어놓고, 가장 핵심적인 키워드를 추려보았다

"허 황옥" "보주태후" "유리 구술" "아유타국(아요디아)" "타밀나두" "배" "보물" "파사석탑" "쌍어 문" "실크로드" "정변" "피" "선원15명" "상인" "철기시대" "생존" "이동" "기술" "제국" "신화" "허씨" "DNA" "아버지의 유지" "본능"

위의 키워드를 가지고, 여러 가지 가설들을 짜 맞추는 작업을 하기 시작한 후 50여일 만에 그 해답을 찾아냈다.

그럼 그 진실 속으로 들어가 보자.

아유타국(이요디아)은 인도 우타프라데쉬 주의 갠지스강 주류인 가가라강 연변에 있었다.

나의 시조 어머니 허 황옥의 뿌리를 찾아 가기 위해서는 기원전 6세기로 거슬러 올라가야 한다.

허황옥

기원전 6세기경 인도는 16대국시대였다. 이때 아유타국은 불교사원이 100여개나 있을 정도로 불교의 중심지였다. 16대국(산스크리트어: 마하자나파다스)은 고대 인도의 일꾼의 왕국들을 칭하는 낱말로, 마하자나파다스의 문자 그대로의 의미는 대영역들(great realms)이라는 뜻이다.

16대국 국가들은 오늘날 북인도 지역에 해당하는 아리아바르타 지역을 중심으로 퍼져 있었다. 고대 인도의 정치적인 구도는 반 유목종족의 부족수를 헤아릴 때, 사용한 자나(Jana)라는 부족 단위로부터 시작 된 것으로 보이는데, 초기 베다문헌에 따르면, 몇몇 아리아인 자나들 또는 부족들이 자신들 서로 싸우거나 또는 비 아리아족과 싸웠다.

이들 베다시대(기원전 1,500년~500년) 초기의 자나들은 인도 서사 시대(Epic India:기원전800년~서기200년)의 자나파다스로 발전 하였다. 고대 인도의 힌두교 서사시인 라마야나와 마하바라타는 이 시대를 배경으로 하고 있다.

베다시대 후기부터는 북인도 지역에서는 자나파다 국가들 중, 강대한 세력을 지닌 국가들이 주변 자나파다 소국들을 합병 시킨 후 총 16개의 자나파다가 살아남아 16대국을 형성 하였다.

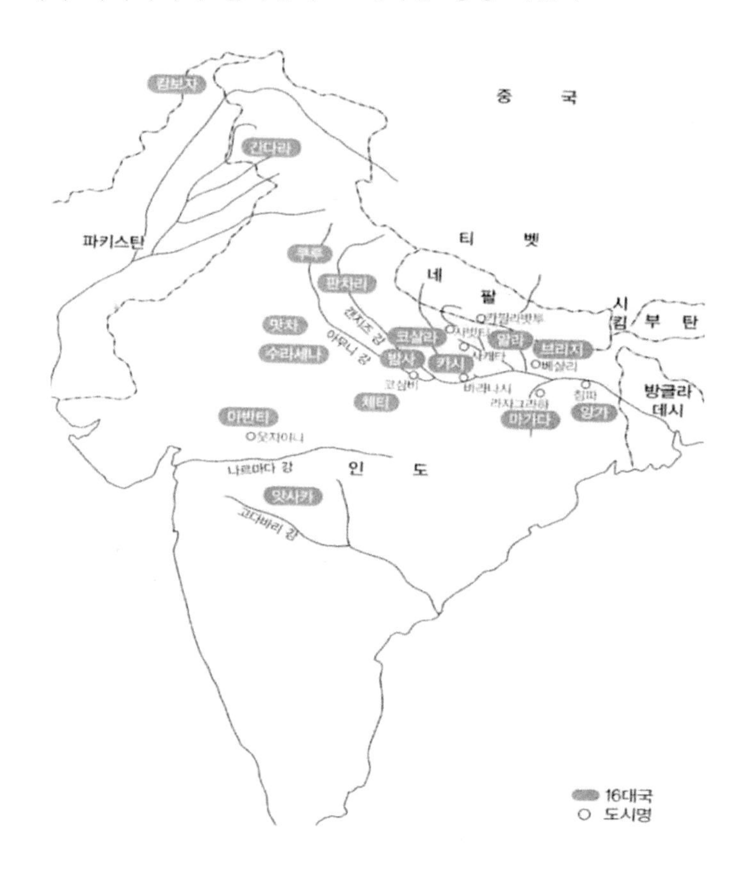

1.앙가

2.밧지

3.마가다-최초로 인도를 통일한 왕조인 마우리아 왕조의 전신이자, 16대국 국가들 중 제일 막강했던 국가이다. 수도는 파탈리푸트라이다.

4.카시-이 왕국의 수도인 바라나시는 힌두교의 최대 성지로, 힌두교에서 신성시 하는 강인 갠지스강과 맞닿아 있으며, 주로 시바신을 숭배하였다.

5.말라

6.코살라-붓다(석가모니)의 출신지이자 라마야나의 주인공인 라마의 고향이며, 수도는 "아요디아"이다. 불교사원이 100여개에 이를 정도로 불교 성지였다. 이곳이 나의 시조 어머니 허 황옥의 왕족들이 세운 나라다. 코살라는 기원전491년~459년경 마가다의왕 아자타사트루에 의해 멸망한다.

7.밧사

8.체디

9.판찰라-마하바라타의 히로인인, 드라우파디의 고향이다.

10.수라세나

11.쿠루-16대국 중에서도 가장 초기에 형성 된 국가로 마하바라타의 주연들인 판다바들과 카우라바들의 고향이며, 수도는 하스트나프라이다.

12.아슈마카

13.아반티

14.마츠야

15.간다라-간다라 불상 양식의 탄생지이며, 동시에 마하바라타에 등장하는 드리타라스트라 왕의 아내인 간다라의 고향이기도 하다.

16.칸다라

인도 서사시 2대 작품으로 꼽히는 라마야나와 마하바라타가 이 시기를 배경으로 하고 있는 점 때문에 이 시대를 인도 서사시대라고 부르기도 한다.

기원전 2세기경 마가다 지역에서 일어난 마우리아 제국이 인도 아대륙 거의 대부분을 정복함으로써 16대국 시대는 끝이 났다.

나의 시조 어머니 허 황옥의 뿌리를 찾아가 본 결과, 허 황옥은 인도 16대국시대의 코살라(초기수도:아요디아)라는 나라의 왕족의 후손이라는 사실을 알게 되었고,

북부 코살라 사키아에서 태어난(기원전 563년경) 석가모니는 가끔 코살라의 수도 슈나바스티(불교시대부터 수도)에서 설법을 했으며, 말년 25년 동안은 이곳에서 지냈다는 사실을 알게 되었다.

코살라는 기원전 5세기경 마우리아 제국에 의해 멸망 하고, 불교 신자였던 허황옥의 조상 왕족들은 중국 보주(쓰촨성 안위에)로 이동해 불교를 설파하며 살았다.

이후, 허 황옥이 한반도로 이동한 경로는 고고학박사 김 병모 박사의 오랜 추적 끝에 밝혀졌다. 김해 가락국시조 김수로왕의 부인 허황옥의 묘비 "가락국 수로왕비 보주태후 허씨릉" 의 보주태후 허씨릉의 수수께끼 같은 글자 "보주"의 해석을 두고, 그동안 고고, 인류, 역사학계는 의견이 분분하였다.

알고 보니 "보주"는 중국 쓰촨성의 한 지방도시 안위에의 옛 이름이었다. 안위에는 청주와 충칭 사이의 양쯔강 지류를 끼고 있는 내륙

도시였다. 보주라는 이름은 주나라부터 송나라 사이에 사용한 이름이었다.

후한서에 따르면 서기 47년경 허 씨 집단은 허성을 중심으로 수탈에 항거하는 집단 반란에 가담하였고, 강제 이주 당했다는 기록이 있다. 허성의 "허"는 성씨가 아니고 세습되는 무사라고 한다.
따라서 "허"는 사제를 의미하는 말이다.

한족의 입장에서 보면 이민족의 신앙지도자를 말한다. 허 황옥도 따라서 브라만 계급출신의 사제나 제관이었을 가능성이 높다고 김 교수는 말한다.

이 글자의 비밀을 풀어낸 김 병모 박사는 김해김씨 김수로왕의 후손으로 자신의 피부가 유난히 검다는 것에 의문을 가지고, 자신의 혈통의 원류를 찾아보겠다는 야심을 일찍이 가지고 있었다. 나 또한 그러 하다.

김 교수는 중국 쓰촨 보주(현 안위에)를 직접 방문해 보았는데, 보주 허 씨들도 어렴풋이나마 보주 출신의 한 처녀가 가야한국 땅으로 시집가서 왕비가 되었다는 전설을 기억하고 있었다고 한다.

김 교수는 고고학자의 현장답사의 일환으로 그곳 뒷산 암벽으로 올라갔다. 암벽 앞으로 우물이 하나 있었다. 암벽에는 신정이라고 음각되어 있었고, 그 바로 아래에 신어상 한조가 새겨져 있었다. 음각된 글자 중에 허 황옥이라는 글자를 발견하게 된다.

나중에 탁본을 해독해 보니 다음과 같았다. "동한(한자)초에 허 황옥이라는 처녀가 있어 용모가 수려하고 지략이 뛰어났다. 어릴때부터

어른들의 이야기를 듣기 좋아했다.

김수로왕과 허 황옥의 결혼은 당시 국제적인 정략결혼일 가능성이 높다. 김 교수에 따르면 페르시아 신화에서 가락국의 별칭인 가라(한자) 즉, 가라(kara)는 만병통치약을 생산하는 코케레나 나무의 뿌리를 물속에서 보호하는 물고기의 이름이다.

바빌로니아 페르시아의 신화는 유목민들의 이름으로 인도와 중앙아시아로 퍼졌는데, 이 신어(한자)사상은 코살라국의 아이콘이 되었다가 아요디아(아유타국) 주민의 이동으로 중국 남부지방으로 퍼져갔고, 그 끝이 한반도의 고대사의 한 주인공인 허 황옥에게로 연결 되었다는 것이다.

그렇다면 허 황옥의 DNA와 인도 남부지방의 타밀나두 지역 사람들의 DNA가 일치 한다는 사실은 무슨 의미일까? 유추하건데, 아마도 아프리카에서 이주한 호모 사피엔스 종족이 타밀나두 지역에 정착하여 씨족사회를 구성한 후 인도 16대국시대 이전에 아요디아로 이주해서 씨족국가를 창궐 했을 것으로 생각 해 볼 수 있다.

김수로왕은 허 황옥을 만나기전 이미 중국보주지역에 불교를 설파하는 왕족출신의 이민족이 살고 있음을 여러 상인들로부터 듣고 알고 있었을 것으로 유추 해 볼 수 있다.

김수로왕은 허 황옥이 인도 불교의 성지에서 이주한 불교사제였다는 것과, 수려한 외모와 뛰어난 지략을 겸비한 제관 이였음을 익히 들어 그 존재를 알고 있었을 것이다.
하여 , 김수로왕은 해상 무역 상인들을 통해서 국제적인 정략결혼을 추진했을 가능성이 높다고 볼 수 있다.

허 황옥 역시 철기문화가 발달한 가야한국(지금의 김해시)에 김수로라는 사람이 나라를 세웠다는 사실을 무역 상인들을 통해서 들었을 것이고,

그리하여 허 황옥이 여러 보물들을 준비해서 가락국에 도착하였을 때 친히 마중을 나가 맞이했을 것이다. 이때 인도문화와 보주지역의 불교 차 문화도 한반도로 유입되었다고 볼 수 있다.

하여, 나(김길성)의 핏속에는 단군(조선족)의 피가 아닌, 북방의 유목민 왕족(훈족)과, 인도 코살라왕족 그리고, 중국 한족의 피가 흐르고 있다는 사실을 알게 되었다.

서기 42년 3월 16일 김수로는 9개 부족 족장들로부터 왕으로 추대되고, 허 황옥을 만나 슬하에 10남 2녀를 낳았다. 첫째 아들은 거등왕이 되어 대를 이었고, 둘째와 셋째 아들은 김해 허 씨가 되었으며, 나머지 7명의 아들들은 스님이 되어 지금의 경상남도 하동군 화개면의 칠불사에서 성불 하였다 한다.

나는 지금(2023년10월16일) 현재 경상남도 하동군 옥종면에 작은 터를 사서 쉼터 하나를 만들어 놓았다. 이곳에 쉼터를 마련하기까지 전국을 돌아다니며 터를 찾아 헤맸는데 터를 구하기까지 3년이 걸렸다.

경이롭게도 내가 도착한 곳이 나의 시조 김수로왕과 허 황옥왕비가 세운 가락국에 똬리를 틀었다는 것에 놀라움을 금치 못하겠다. 경상남도 하동군은 김수로왕이 다스렸던 6개 가야국 중에 고령가야의 중심지였다.

더더욱 나를 놀라게 한 것은 내가 힘든 시기를 겪을 때마다 석가모니의 가르침에서 답을 찾아 위기를 넘겨 왔다는 것이다. 나는 무신론자인데 석가모니의 가르침은 내 가슴에 깊숙이 들어와 있다는 것도 나를 놀라게 한다. 허 황옥의 피가 흐르고 있음을 느끼게 하는 대목이다.

결국 우리 호모사피엔스는 향후 수천 년을 살면서 진화해 나가겠지만 종착지는 석가모니가 말한 해탈의 경지일 것이다. 어느 누구도 피해 갈수가 없다.

45억년의 영겁의 세월을 쫒아 여행을 떠난 내가 1981년 전의 시간으로 돌아가 나의 시조 김수로왕과 허 황옥을 만나고 있는 듯하여 가슴이 설레고 있다.

김수로왕은 서기199년 3월23일 향년 157세 나이로 죽었고, 왕비 허 황옥은 김수로왕이 죽은 10년 뒤 서기 189년 향년 156세로
생을 마감 하였다.

제2대 거등왕 서기199년~253년
제3대 마품왕 서기253년~291년
제4대 거질미왕 서기291~346년
제5대 이시품왕 서기346~407년

서기400년 고구려 광개토대왕의 침략으로 가락국은 쇠퇴하기 시작한다.

제6대 좌지왕 서기407년~421년
제7대 취희왕 서기421년~451년

제8대 질지왕 서기451년~491년
제9대 겸지왕 서기491년~521년
제10대 구형왕 서기521년~532년을 마지막으로 가락국은 490년의 역사를 뒤로 하고 신라에 흡수 된다.

가락국 마지막 구형왕의 셋째아들 김무력은 서기 532년(신라 법흥왕19)에 부왕(구형왕)과 왕모 큰형 노종과, 둘째형 무덕과 함께 금관가야를 신라에 바친다.

이렇게 나의 뿌리인 김해김씨는 신라로 이주하였고, 김무력은 관산성 (지금의 충청북도 옥천) 전투에서 백제의 성왕을 죽이고, 좌평4명과 병사 2만9,600명을 전멸시키면서 신라의 진골이 되었다.

이후 김무력의 아들 서현은 진평왕때 대량주도독을 역임 하였고, 손자 김유신은 태종무열왕과 문무왕을 보필하여 삼국통일의 대업을 이루었다.

문무왕은 전한(한무제)시대 중국의 3배나 넓은 영토를 다스렸던 휴도왕의 장남 김일제의 직계 후손이고, 김유신은 휴도왕의 둘째 김윤의 직계 후손이다.

김일제 김윤의 두형제의 후손인 문무왕(김법민)과 김유신은 힘을 합쳐 나당연합군을 형성하여 백제를 멸망(660년7월9일)시킨다.

백제의 마지막 장수 계백은 김유신이 이끄는 5만 병력을 막아내기 위해, 5,000명의 병사를 소집한 후, 아내와 자식에게 "이번 전투는 마지막이고 나는 살아 돌아오지 못한다. 내가 죽으면 너희들은 신라의 노예로 살아가야 하는데, 그리 사느니 죽는 게 났다"라고 말한 뒤 아내와 자식을 죽이고 황산벌로 향한다.

황산벌에서 계백은 처절한 전투에서 연전연승 하면서 김유신의 발을 10일 동안 묶어놓는데 성공 했지만, 신라의 어린 화랑 반굴과반창이 계백을 잡기 위해 최선봉에서 싸우다가 전사를 한 후 신라군은 사기가 올랐고 총공세를 하여 계백군은 무너졌다.

내가 만약 계백이었다면, 처자식을 죽이지 않고 휴도왕이 했던 것처럼 처와 자식을 피신시킨 뒤 황산벌로 향했을 것 같다.

백제가 멸망한 직후 신라29대 태종무열왕은 서기 661년 59세의 나이로 생을 마감한다. 무열왕이 죽고 아들 문무왕은 당나라 이세민도 감히 넘보지 못한 고구려(서기667년)까지 멸망시킨 후, 삼국통일을 이룬 뒤 당나라군까지 한반도에서 몰아내는 대업을 완성했다.

대업을 이룬 문무왕(김법민)은 죽기 전에 자신이 죽어서 왜의 공격을 막을 것이라며 바다에 수장 시키라는 유지를 남기고 서기681년 7월 1일 사망한다.

김유신은 김수로왕의 12대손으로, 서기595년에 태어나 서기673년 8월 21일에 사망했다. 김유신의 묘는 경주시 충효동에 자리하고 있다.

김유신의 위상으로 김해김씨는 후손들의 수가 급속도로 늘어났으며, 현재 대한민국에 김해김씨는 전체인구의 21.5%로 1,069만 명에 달한다.

김유신의 직계종파는 김관의 삼현파, 김목경의 경파와, 김익경의 사군파로 나누어지는데, 나(김길성)는 삼현파 직계 김수로왕 72대손이다. 나의 딸 김다정과 아들 김범진은 김수로왕의 73대손이 되지만, 나의 후손은 여기서 멈출 것이다.

기원전 1,000년부터 서기 2,024년까지 3,000년의 시기는 호모 사피엔스들은 자신들의 신념으로 서로 죽이고 빼앗고 다툼의 연속이었다.

피의 시대에 태어나지 않은 것만으로 나는 큰 행운아다. 나(우리)는 인류 역사상 가장 평화로운 시대에 살고 있지만, 앞으로 호모사피엔스들의 삶은 매우 고달플 것이다.

지구환경의 변화로 우리 인류인 호모 사피엔스는 큰 변혁기를 맞이할 것이니, 나의 종족 번식은 여기서 멈추려 한다.

나는 우주의 본질이 무엇인지 답을 찾았고 내가 왜 여기에 있는지 앞으로 무엇을 하고 어디로 가는지를 46억년의 억겁의 시간을 더듬어 깨닫게 되었다.

"알지"는 이 우주를 이루는 모든 물질들의 근본이요,
나의 시조 김수로왕의 시조어머니다. 그래서 우연히 만들어진 "알지"라는 이름은 나에게 매우 특별한 의미가 있다.

지금으로부터 1,600억 년 전 태초의 우주가 탄생해서 억겁의 시간 동안 우주가 만들어지고 우리 은하 안에 태양계가 생성된 후 지구라는 독특한 행성이 만들어졌다.

46억 년 전 기적처럼 탄생한 지구라는 행성에서 인류가 진화에 진화를 거치면서 또 기적처럼 진화한 호모사피엔스는 지적 생명체인 현생 인류가 되어 문명을 창조하면서 역사를 써가고 있다.

지금 까지 여러분은 우주(宇宙)를 넘어 무한대 시공간인 무주(無宙)라는 세계가 존재 할 수 있다는 새로운 가설을 토대로 1,600억년의 억겁의 시간동안 우주가 만들어지고, 이 우주에서 기적처럼 탄생 한 지구에서 46억년의 시간을 거슬러 올라와 인류의 진화를 연대기 순서로 경험 해 보았다.

다음 장부터는 나의 자서전을 통해서 한 호모 사피엔스의 삶을 기록해 보았고 나라는 호모 사피엔스가 또 어떤 세계관을 가지고 어떤 메시지를 던지고 있는지 알 수 있다.

우주 태초부터 시작해서 2024년 현재까지 인류의 발자취를 살펴보고 미래를 어떻게 준비해야 하는지 다 함께 고민 하는 시간이 되었으면 한다.

16장. 싯째의 추억.

한 호모사피엔스의 자서전을 통해서
죽기 전, 나를 기록 해 두고자 한다.

독자들의 메모장

당신의 의견을 적어 보세요.

16.싯째의 추억.

전라북도 고창군 부안면 용산리 233번지. 나의고향.
내가 살았던 주소다.

마을 사람들은 우리 마을을 용산동이라 불렀다. 용산동을 떠난 지 44년이 지났는데도, 난 주소를 정확히 기억하고 있다.

그때 편지 한 장 써 본적도 없고, 편지를 받아 본적도 없었는데도 말이다. 아마도 그리움이 아닐까 싶다. 이제껏 살면서 어릴 적 추억을 자주 생각했었으니까.

우리 가족은 어머니 아버지 그리고 5형제였다. 경성이, 우성이, 길성이, 고성이, 순명이, 이렇게 5형제 중 나는 셋째였다.

마을 사람들은 부정댁네 셋째아들인 나를 싯째야 싯째야 라고 불렀다. 싯째라는 말은 전라도 사투리다.

싯째의 가장 어릴 적 추억은 5살 때 기억이 있다. 큰형인 경성이형이 동네친구와 함께 나를 들고 다녔다.

한사람은 나의 양손을 또 한사람은 나의 양발을 들고 집에까지 갔다 가다가 힘들면 바닥에 내려놓고 쉬다가 또 들고 가다가 힘들면 내려놓고, 난 하늘을 바라보며 집에까지 가는 길이 너무 재미있었다. 덕분에 내 이마엔 돌 뿌리에 부딪혀 난 상처가 남아 있다.

6살 때, 어느 여름날 비가 자주 내리던 장마철이었다. 부모님은 밭에 일 나가시고 형들은 학교에 가고, 집에는 벙어리 할아버지와 동생 고성이랑 셋이 있었다. 나는 화장실이 급해서 뒷간에 갔다. 그런데 발을 헛디뎌 항아리 똥통에 빠져버리고 말았다.

옛날 시골 변소는 항아리 묻어놓고 위에 나무판 두개 올려놓은 퍼내기 식이였다 벽이며 지붕도 대충 비바람만 막아주는 허름한 변소였다. 몸부림을 쳤다. 똥물은 허리만큼 차 올라왔고, 구더기가 여기저기 내 몸을 감싸며 우글거렸다.

항아리를 붙잡고 올라가려고 발버둥을 쳐도 버거웠다. 울면서 할아버지를 불렀다. 집이랑 변소는 멀리 떨어져 있어서 그런지 할아버지는 아무리 불러도 오지 않았다.

나는 똥통 안에서 꼼짝을 할 수가 없었다. 몇 십 분이 흘렀는지 한 시간이 흘렀는지 나는 눈물 콧물로 얼굴이 난리가 났는데도 손에 변이 묻어 콧물도 닦지 못하고 하염없이 울고만 있었다.

나는 있는 힘껏 벙어리 할아버지를 부르고 또 불러댔다. 그때마침 밖에서 할아버지의 웅얼거리는 소리가 들렸다. 나는 더 큰소리로 울어댔다. 할아버지는 날 나무라시며 똥통에서 꺼내주셨다 너무도 비참한 하루였다.

7살 때, 어느 봄날이었다.
어머니께서는 아궁이에 불을 붙여 밥을 지의시고 계셨다. 나는 아궁이의 따뜻한 온기가 좋아 옆에 있던 볏짚을 깔고 그 위에 앉아 있었다.

어머니는 밥을 다 지으시고 아궁이에 있는 불씨를 화로에 담아 한약을 달이는 사이 나는 잠이 들었다.

푹 잠들었던 나는 갑자기 기침을 하며 일어났고 눈을 떠보니 연기로 가득한 정지에서 앞을 볼 수가 없었다. 목이 아파오기 시작하며 기침을 멈출 수가 없었다. 정신이 혼미 해 지면서 여기저기 기어 다녔다 화재였다.

어머니는 한약단지를 불에 올려놓고 옆집에 잠깐 마실을 가셨다가 깜박 하셨던 것이다. 나는 혼미한 상태에서 정지 문을 찾을 수가 없었다.

그때 마침 어머니가 오셨다 어머니는 불이야! 불이야! 외치시며 나를 밖으로 꺼내주셨다. 나는 그 자리에 주저앉아 피를 토하기 시작했다.

토를 해도 해도 계속 나오는 피, 마을 아짐들이 웅성웅성 하는 소리를 듣고 난 후 기억이 없다. 어느 병원에서 어떻게 치료받고 왔는지 기억이 하나도 없다.

8살 싯째는 대나무로 칼 만들기를 좋아했고, 흙구슬 만들기, 닥나무로 활 만들기, 새총 만들기도 좋아했다. 경성이형이 만드는 방법을 알려주었다.

대나무 칼로 친구들과 전쟁놀이도 하고 흙구슬로 구슬치기하며 놀았다. 봄에는 개구리 잡아서 삶아먹고, 도롱뇽 알을 잡아서 먹기도 하고, 마을 어르신들에게 막걸리 안주로 10마리에 10원씩 팔기도 했다.

여름에는 깨복쟁이 친구들과 냇가에서 물놀이도 하고, 붕어도 잡고, 검정고무신으로 물총 쏘기 놀이도 재미있었다.

무엇보다 스릴 있는 것은 서리였다. 수박서리, 참외서리, 보리밭에서 청 보리를 서리해서 불에 구워 먹었다. 청 보리를 불에 구워 다 구워지면 손바닥에 올려놓고 비비면서 입으로는 후후 불어주면 녹색 청 보리 알만 남는다.

맛이 구수하고 좋았다. 간식거리가 귀했던 시절 싯째는 이렇게 지냈었다. 어린 시절의 너무도 향기로운 추억이 아니겠는가, 두 번 다시 올수 없는 그리운 추억이다.

9살 싯째는 국민 학교에 입학했다
보통 8살이면 국민 학교에 입학하는데, 싯째는 키도 작고 12월생이고, 무엇보다 부모님은 학교가 멀어서 걸어서 다니기에 힘드니까 9살에 입학 시켰다고 하셨다, 현명한 판단이었다고 생각한다.

용산동에는 깨복쟁이 친구가 총 7명이었다, 박종길, 김성원, 김길성, 최헌국, 전양선, 김영학, 이동윤 이렇게 일곱 명이였다. 그리고 여학생이 여덟 명인데 이름은 기억나지 않는다.

이렇게 열다섯 명은 등굣길에 마을 어귀에 모여서 등교를 함께 했다. 그것도 한 줄로 쭉 서서 걸어갔다 남자들이 위에 이름 써 있는 순서대로 줄을 서면 여자들이 그 뒤에 줄을 섰다.

남자들은 전부 빠박 머리에 검정고무신 책보를 크로스로 메고, 여자들은 책보를 허리에 맸다. 참고로 책보는 요즘의 책가방이다, 네모난 천에 책을 놓고 둘둘 말아 어깨에 크로스로 메고 다녔다. 깡촌 시골엔 가방도 귀했다 그렇게 병아리들은 줄을 서서 4킬로미터를 걸어서 부안국민학교에 다녔다. 가는 길에 굴재라는 산을 하나 넘어야했다. 비가 오면 우산 대신 비료포대를 쓰고 다녔다. 지금 생각해보면 캉촌중에 깡촌 이었던 것 같다.

국민 학교에 입학 후, 따스한 어느 봄날 담임 선생님은 수업이 다 끝나고 급식 빵을 먹을 학생은 신청하라고 하셨다.

담임 선생님께서는 빵을 먹고 돈은 내일 가져와도 된다고 하셨다. 빵값은 10원이었다. 나는 빵이 너무 먹고 싶어서 외상으로 하나 먹었다.

집에 와서 엄마한테 빵을 외상으로 먹었다고 말하고 10원만 달라고 하니까 엄마는 막 화를 내시며 어린놈이 외상으로 먹었다고 부지깽이로 나를 때리셨다.

나는 잘못했다고 울면서 용서를 빌었다. 그러나 엄마는 화가 안 풀려서 계속 때리셨다.

나는 도망갔고 엄마는 나를 쫒아 와서 또 때리셨다. 또다시 도망가는데 엄마는 또 쫒아 와서 부지깽이로 마구 때리셨다.

나는 도망가는 것을 포기하고 부지깽이를 붙잡고 버텼다. 엄마는 손바닥으로 내 등짝을 때리며 잘못했다고 빌라고 하셨다.

손을 비비며 용서를 구했고, 엄마는 화가 풀리셨는지 부러진 부지깽이를 내던지고 집으로 가셨다.

10원밖에 안 되는 빵 하나 먹고 난 마음의 상처가 크게 남았고, 엄마가 무서운 사람이라는 것을 처음 느꼈다.

어느 날 싯째는 또 대형 사고를 쳤다.
나는 막내 순명이를 등에 업고 있었다.
우성이형이 친구랑 우리 집 뒤 밭에 참새가 많다고 참새 잡으러 간다고 해서 따라갔다.

참새가 엄청 많이 앉아 있었다. 형들이 돌멩이를 들어 무리지어 있는 참새를 향해 돌을 던졌다. 하지만 참새들은 날아갔다가 다시 돌아와 무언가를 열심히 쪼아 먹고 있었다.

나도 돌멩이를 집어 던져 참새를 잡고 싶었다. 내가 던진 돌멩이는 멀리 가지 못했다. 다시 돌멩이를 집어 멀리 던지려고 팔을 뒤로 젖히다가 업고 있던 순명이 머리에 내 팔이 부딪혀 들고 있던 돌멩이가 내 뒤로 떨어졌다.

그런데 그때 택시가 지나가다 뒤로 떨어진 돌멩이에 부딪혀 앞 유리가 깨지고 말았다.

난리가 났다.
택시기사 아저씨는 나를 붙잡고 너 어디서 사냐, 부모님은 어디 계시냐, 물어내야 한다고 큰소리를 치기 시작했다. 공교롭게도 옛날 택시에는 새 모양의 장식품을 달고 다니는 차들이 많았다.

우성이형은 너 저 택시에 매달린 새 잡으려고 돌 던진 거 아니냐고 막 야단쳤다. 난 그게 아니고 돌멩이 던지려고 뒤로 팔을 젖히는데 순명이 머리에 부딪혀 손에서 빠져 뒤로 떨어진 거라고 설명을 했는데도, 택시기사 아저씨는 우성이형 말을 곧이곧대로 믿고 나를 야단쳤다.

우성이형이 아버지를 불러왔다. 또다시 형은 아버지에게 길성이가 택시 안에 있는 장난감 새를 잡으려고 돌을 던졌다고 말해버렸다. 난 너무 억울했다. 아버지는 경찰서까지 가서 조사받고 수리비로 2만원을 물어냈다.

나는 억울해서 경성이형한테 억울함을 호소했다. 큰형은 내말을 믿어주었다. 경성이형은 우성이형을 막 나무랬다. 큰형과 작은형은 한참을 언쟁을 하면서 싸웠다 그랬음에도 나의 억울함은 해소 되지 못했다.

그 이후 내 별명은 싯째에서 2만 원짜리가 되어 버렸다. 마을사람들이 나만 보면 2만 원짜리 2만 원짜리 하면서 놀려댔다.

그해 가을. 가을걷이가 다 끝난 을씨년스러운 어느 가을날, 난 큰형 경성이형과 어머니 심부름을 다녀오는 길이였다. 감나무 밭을 지나고 있었는데, 감나무 몇 그루에 빨간 홍시 몇 개가 눈에 들어왔다.

오후 늦은 시간이라 배가 고파서 형한테 저 감 먹고 싶다고 했더니 저건 새들 먹으라고 남겨둔 감이라고 따먹는 게 아니라고 했다.

하지만 난 너무 먹고 싶어서 형한테 우리 저거 따먹자고 때를 썼다. 형은 발걸음을 멈추더니 그럼 저 감나무에 있는 홍시가 가장 낮으니까 저거 하나만 따보자고 하더니 긴 나뭇가지 하나를 가져와 감나무에 오르기 시작했다.

경성이형은 힘이 되게 쌨다. 수영도 엄청 잘했다. 나는 형이 저 감하나 따는 건 어렵지 않을 거라 생각했다.

나무에 오른 형은 나뭇가지로 감을 따려고 했는데, 나무가 짧았다 계속 시도를 했지만 쉽지 않았다 해는 산 너머로 넘어가 어두워지기 시작했다.

형은 나무에서 내려왔다 난 휴. 못 먹나보다 하고 포기했다. 하지만 형은 좀 굵은 나무를 구해오더니 반으로 쪼개서 다시 감나무에 올라갔다.

감나무 절반쯤 올라가서 가지고 있던 나무토막을 홍시를 향해 던졌다. 나무토막으로 감을 맞춰서 떨어트려는 것 같았다. 그런데 빗나가고 말았다.

아이고. 안되는구나. 형 집에 가자. 어두워지기도 해서 그냥 집에 가자고했다. 그런데 형은 던진 나무토막을 집어 오더니 다시 나무에 오르는 것이다. 또 던졌다. 또 빗나갔다.

형 그냥 집에 가자.

아니야. 몇 번 던지면 맞출 수 있을 것 같아. 그러곤 나무토막을 다시 집어 들고 나무에 올랐다. 그러길 몇 차례 했을까 결국 형은 홍시를 맞추는데 성공했다. 그런데 홍시가 바닥에 떨어져 터져버렸다. 형은 내려와서 터진 홍시에 묻은 흙을 털어내어 나에게 건네주었다. 나는 너무 맛있게 먹었다.

17장. 고향을 떠나 인천으로.

농촌을 벗어나 도시로 이주하는 어느 호모사피엔스.

독자들의 메모장

당신의 의견을 적어 보세요.

17.고향을 떠나 인천으로.

1977년 3월 17일
우리가족은 정든 고향을 떠나 인천으로 이사를 했다. 국민 학교 3학년 때 다 이사한 날짜를 기억하고 있는 것도, 고향집 주소를 기억하고 있는 것처럼 참 신기하다.

부모님은 농사를 지어서는 아들 다섯을 키울 수 없다는 생각에 인천이사를 결정 하셨다. 아버지는 이사하기 1년 전 먼저 인천으로 가셔서 집이랑 먹고 살거리를 찾으셨다. 인천에 고모님이 살고 계셨기 때문에 비빌 언덕은 있었다.

그동안 농사는 어머니와 큰형, 작은형 그리고 나 이렇게 4명이서 밭농사 논농사를 도맡았다. 나야 뭐 옆에서 잡심부름이나 하고 있었지만, 어머니가 고생을 많이 하셨다.

이사 날짜가 다가오자 큰형 경성이형은 인천가기 싫다고 때를 쓰곤 했다. 나도 정든 고향을 떠난다는 것에 불안한 마음이 들었다, 매우 혼란스러웠다. 부모님의 결정이니 안 갈수가 없었다.

하지만 중학교 3학년인 경성이형은 사춘기가 아니던가. 나름 꿈도 있었을 것이고 나보다 더 정든 고향이었을 것이다. 이사날짜가 다가올수록 큰형의 얼굴은 어두워졌다. 울기도 많이 울었다.

이삿날 우리 여섯 명은 짐을 하나씩 챙겨 들었다. 난 네모난 밥상 하나를 들고 버스에 올라탔다. 난 버스 맨 뒷자리에 앉아 신작로 뿌연 먼지 속에서 멀어져간 우리 집을 보는데 눈물이 났다. 이것이 고향의 마지막 모습이었다.

인천에 도착해서 들어 간 집은 너무 좁았다. 아버지도 1년 만에 만났다. 나중에 알았지만 6평짜리 블록집이였다. 6평 안에 방 2개 부엌 달랑 3칸이었다, 화장실은 200미터 떨어진 곳에 용산동 화장실처럼 퍼내기 식이었다.

경기도 인천시 동구 만석동 9번지3통1반 우리 집 주소다. 인천에서도 빈민가에 속한다. 1미터 정도 되는 골목길로 들어가야 우리 집 대문이 있었다.

짐을 풀고 우리 식구는 고모 집에서 저녁밥을 먹었는데 흰쌀밥 이였다. 용산동에서는 특별한 날 외에는 구경도 못하는 흰쌀밥을 먹어보니 너무나 꿀맛이었다. 쌀밥과 보리밥의 차이를 이때 처음 느꼈다.

인천 만석국민학교 3학년4반에 전학했다 빠박머리에 내 뒤통수에는 땜통이 크게 있었다. 우리나라 지도 모양처럼 생겼다. 반 아이들이 내 모습을 보고 웃는 아이들이 많았다.

용산동에서는 아무런 문제가 없었던 내 모습은 인천에서는 웃음거리가 되었고, 난 웅크러지고 있었다. 친구 사귀는데도 소극적이 되고 말수가 줄어들었다.

이사 온 지 한 달쯤 되었을까. 큰형과 작은형이 말다툼이 많아졌다. 아침에 눈만 뜨면 싸웠다 경성이형은 중학교 3학년 우성이형은 국민 학교 6학년이었다. 비좁은 작은방에서 둘이 잠자고 일어나면 싸웠다, 그 뿐만 아니라 부모님이 일 나가면 방에 불도 때고 가사일도 해야 하는데 그 문제로 싸우는 것 같았다.

나의 가장 큰 고민은 친구가 없는 것이었다, 용산동에서는 친구도 많고 놀 거리도 많았는데 인천에서는 친구를 사귈 수가 없었다. 그래서 난 고모네 집에 자주 놀러갔다 사촌 누나와 사촌동생들이 이것저것 놀 거리를 알려주었다.

그해 5월로 기억한다. 일요일 날 난 또 고모 집에 놀러갔다.
재미있게 놀고 점심 먹고 집으로 오는데, 동네 길을 익히고 싶어서 집 반대방향으로 걸어 가봤다. 동네 한 바퀴 돌고 싶었다. 도로 가장자리 맨홀 뚜껑만 보면 집에 찾아 갈수 있다는 고모의 말이 생각나서 그 맨홀만 보면서 동네를 한 바퀴 돌고 싶었다.

한참을 가는데 꺾이는 도로가 없었다.
아니다 싶어서 그냥 집에 가려고 되돌아 걷기 시작했다. 맨홀 뚜껑만 보면서 걸었다. 그런데 한참을 걸어도 우리 동네는 나오지 않고, 길이 낯설기만 했다. 좀 걱정되는 마음이 들면서 큰형이 생각났다. 큰형은 나에게는 부모님보다 더 의지되는 존재였다. 아. 큰형이 있었으면 집 금방 찾을 텐데. 하면서 멈칫 멈칫 주위를 살폈다.
가까이에 한 아주머니가 보였다.

나는 아주머니에게 만석동 갈려면 어디로 가야하냐고 물었는데, 여기가 만석동이라고 했다. 나는 길을 잃어버렸다고 하니까 아주머니는 너희 집 번지수가 몇 번지냐고 물어보시는데, 난 주소도 몰랐다. 그때 문득 생각난 것이 철길이었다. 우리 집 화장실이 철길 옆에 있었기 때문이다.

그럼 철길이 어디냐고 물어봤다. 아주머니는 철길 가는 길을 알려주셨다. 와. 이젠 찾을 수 있을 것 같았다.
드디어 철길을 찾았다. 철길 따라 신나게 걸었다. 얼마나 걸었는지

다리가 아파오기 시작했다. 다리가 아파서 철길에 앉아 쉬고 있는데 멀리서 기차소리가 들렸다. 나는 막 뛰기 시작했다. 안전한 곳을 찾아야 했기 때문에 정신없이 뛰었다. 마침 철길 옆에 전봇대가 하나 보여서 전봇대 뒤에 몸을 숨겼다. 기차가 지나가는 소리와 세찬바람이 무서웠다.

기차가 지나가고 난 계속 걷고 있는데 어두워지기 시작했다. 화장실은 보이지 않고 날은 어두워지고 큰일 났다고 생각했다. 배도 고프고 몸은 지쳐가고 주저앉아 울기 시작했다.

그때 지나가던 젊은 형과 누나가 울고 있는 나에게 다가왔다.

너 여기서 왜 울고 있어
집으로 가는 길을 잃었어요

너 어디서 사니
만석동요

학교는
만석국민학교요

여기는 북성동인데
만석동은 저쪽으로 가야돼

두 사람은 우리가 애 집 찾아 주자고 대화를 나누더니 나를 일으켜 주었다. 나는 집 반대 방향으로 걸어갔던 것이었다.

날은 어두워져 철길도 잘 보이지 않았다. 하지만 형과 누나는 나에 대해서 이것저것 물어보면서 계속 나를 대리고 걸었다.

나는 우리 집 화장실이 철길 옆에 있다고 화장실만 찾으면 집에 갈 수 있다고 했다. 누나는 내말을 듣더니 어딘지 알 것 같다고 하면서 나를 위로해 주었다.

나는 안도의 숨을 쉬면서 걸었다.
우리는 한참을 걸었고 드디어 화장실을 찾았다 날 뛰듯 기뻤다.

형과 누나는 나를 우리 집 골목길까지 데려다 주고 발길을 돌렸다.
너무 너무 고마웠다. 정말 착한 형과 누나였다.

집에 도착해서 시간을 보니 밤 9시가 넘었다. 어머니는 화를 내시면서 너 어디 갔다 이제 들어 왔냐고 야단 치셨다. 길을 잃어버렸는데 어떤 형, 누나가 집을 찾아 주었다고 하니까

오사하네, 얼른 밥 먹어라.

난 서러워서 또 눈물이 났다.
큰형이 다가와 무슨 일이냐고 나를 다독여 줬다.

서글픈 하루였다.

1977년 8월 5일. 이날은 55년 내 인생에서 가장 슬픈 날이다.
고향을 떠나 인천에 이사 온 지 4개월이 조금 넘은 뜨거운 어느 여름날 이였다.

우리 아버지는 생계수단으로 노 젓는 작은 나룻배 하나를 가지고 계셨다.

여름방학이라 큰형 경성이형은 먼 친척뻘 되는 명배 형으로부터 우리 나룻배 타고 바다에 놀러 가자는 제안을 받고, 아버지에게 승락을 받았다. 고등학교 3학년이었던 명배 형은 우리 동네에 사는 친구(강씨형)와 함께 가자고 했고, 우성이형도 간다고 했다.

경성이형(중3),
명배형(고3),
강씨형(고3),
우성이형(국민 학교6)

이렇게 4명은 나룻배를 타고 인천 앞바다로 물놀이를 갔다. 인천 앞바다는 갯벌이 많아 바닷물이 들어오면, 깊지 않고 물놀이하기 좋은 곳이 있었다.

물놀이도 하고, 망둥어 낚시도 하면서 재미있게 놀고 있는데, 수영을 못하는 강씨형이 자기도 물놀이 하겠다고 나룻배에 있는 긴대나무 꼬챙이로 바닷물 깊이를 쟀다. 깊지 않는 것을 확인한 강씨형은 옷을 벗으면서 물에 들어갈 준비를 했다. 물에 풍덩 들어간 강씨형은 들어가자마자 물속에서 허우적거리기 시작했다.

명배형은 허우적거리는 강씨 형에게 야. 야. 장난치지 마. 하면서 낄낄대고 웃었다. 경성이형도 우성이형도 강씨 형이 장난치는 줄 알았다고 했다. 하지만 상황은 그것이 아니었다. 갯벌은 움푹 패여 있는 물길이 있다, 대나무 꼬챙이로 물깊이를 쟀을 때는 낮은 곳이었는데, 강씨 형이 물에 들어가기 전 옷을 벗고 준비운동을 하는 사이에 배는 갯벌 물길 깊은 곳으로 움직였던 것이다.

강씨형은 그것도 모르고 물에 들어가 허우적거렸고, 주변 형들은 장난치는 것으로 오판 했던 것이다. 하지만 수영을 잘했던 경성이형은 깊은 물에 빠진 것을 직감했고, 강씨 형을 구하기 위해 물에 뛰어들었다. 힘도 세고 수영도 잘해서 충분히 구할 수 있을 거라 판단했던 것 같다.

그러나 공교롭게도 경성이형은 수영을 잘 했지만, 물에 빠진 사람을 구하는 인명구조방법에 대한 학습이 없었다. 덩치가 컸던 고3 강씨 형을 구조하기에는 중3 경성이형에겐 버거웠다. 결국 본능적으로 살기위해 발버둥 치는 강씨 형에게 붙잡히고 말았다. 둘은 물속에서 허우적거렸고, 긴박했던 그 순간에 명배 형은 우성이형에게 저 두 사람을 구하다가 배가 뒤집혀 우리 모두 죽을 수 있다는 판단을 했다. 그래서 구조를 하지 않고 배에 가만히 엎드린 채 주변에 구조요청만 했다고 한다.

나의 수호신이었던 경성이형은 강씨 형과 함께 그렇게 하늘나라로 떠났다. 고향을 떠나기 싫어서 울었던 형의 모습이 떠올라, 난 오열을 했다.

대나무 꼬챙이만 잡게 해줬어도 살 수 있었는데, 왜 구조를 안했는지 명배 형과 우성이 형이 원망스러웠다.

이 사고로 아버지는 경찰서에서 조사를 받았고, 경찰은 미성년자들에게 왜 배를 타게 했냐고 추궁을 하면서 처벌을 하려고 했으나, 장남의 사망을 참작해서 무혐의로 결론 내렸다.

내 인생에서 형의 죽음은 큰 영향을 미쳤다. 형이 보고 싶을 때마다 사고현장에 가서 다짐을 했다.

경성이형 형이 다하지 못한 삶
형 몫까지 내가 오래오래 살게.

의인 김경성

형의 유일한 흔적인 사진 한 장으로 아름다운 소년 김경성을 기리고 싶다.

큰형이 돌아가신 후 나는 무척 소심해졌다. 말수도 줄고 학교 가기도 싫고, 친구들 사귀는 것도 귀찮아 졌다. 학교에서 시험을 보면 꼴찌에서 맴돌았다.

전학 후 난 시험을 봤다. 학교 다니면서 처음 본 시험이었다. 담임 선생님이 1번부터 호명을 하면 네. 하고 일어나야 했다. 일어나면 선생님은 몇 등이라고 말해주었다. 선생님은 제일 마지막으로 나를 호명했다.

64번. 김길성.
네.
64등.

그 순간 우리 반 아이들은 모두 깔깔대고 웃었다. 난 창피해서 얼굴이 홍당무가 되었고, 얼굴을 들 수가 없었다. 공부를 해본 적이 없는데, 성적이 잘 나올 리가 있었겠는가. 하지만 굳이 선생님이 성적을 공개적으로 알릴 필요가 있었을까. 어린 마음에 담임 선생님을 원망 했었다. 그렇게 나의 국민 학교 시절은 외롭고 쓸쓸하게 친한 친구 하나 없이 졸업했다.

사춘기에 들어선 길성이가 중학교에 입학했다. 송림동에 있는 대헌중학교에 배정 받았다. 중학교 때부터는 교복을 입었고, 머리도 스포츠머리를 해야 했다. 그런데 첫 등교날 문제가 생겼다, 정문에서 복장단속을 하던 선생님이 나를 부리는 것이다.

너 교복이 왜 그래
네?

영문도 모른 채 대답은 했는데,

“교복 색깔이 왜 그래. 우리학교 교복이 아니잖아”

그렇다. 대헌중학교 교복이 아니었다. 우성이 형이 입었던 다른 학교 교복을 입고 갔다. 어머니가 형 옷이 멀쩡하니까 입고 가라고 하셨다. 나는 교실로 향하면서 다른 학생들 교복을 살펴봤다 모두 똑같은 교복이었다. 나 혼자만 교복이 달랐다. 교실에 들어서니 낯선 아이들과 눈을 마주치며 인사도 하는데, 교복만 눈에 들어왔다. 너무 창피해서 반 친구들 얼굴도 못보고 한없이 쪼그라들었다.

담임 선생님이 들어 오셨다, 여자 선생님이었다. 얼굴도 참 예쁘셨다. 칠판에 고혜자 라고 크게 쓰셨다.

나는 고혜자 선생님이고, 너희들 담임이고, 과목은 영어를 가르친다.

나는 선생님이 나를 불러 교복에 대해서 이야기 할 줄 알았다. 드디어 출석을 부르셨다. 이름을 부르면 네. 하고 일어났다가 앉아야 했다. 내 이름이 호명 되었고 대답하며 일어났다가 앉았는데, 교복에 대해서 말씀을 하지 않으셨다.

집에 와서 어머니에게 교복 얘기를 꺼냈다, 어머니께서는 여름 되면 하복사야 되니까 그때까지만 입고 다니라고 하셨다.

등교 3일째 되던 날 담임 선생님께서 나를 부르셨다, 쇼핑백에서 교복을 꺼내시더니 상의와 하의를 내 몸에 맞춰보면서 입어도 되겠다며 내일부터는 이걸로 입고 오라고 하셨다. 졸업한 형이 입었던 건데 키가 작은 학생한데 부탁해서 가져온 거라고 약간 클 것 같다고 하시며 교복을 건네 주셨다.

하마터면 울 뻔 했다.
큰형 돌아가신 후 따뜻한 감정을 느껴본지가 참으로 오랜만이었다.

이후로 난 학교 다니는 것이 너무 너무 재미있었다. 공부도 열심히 했다. 특히 영어공부는 정말, 정말 열심히 했다. 다른 과목은 성적이 중간정도 했지만, 영어 과목은 61명 중에 5등 안에 들었다.

1학년이 끝나갈 무렵 토요일이었다. 수업을 하지 않고 자유시간이 있었다. 담임 선생님께서 오늘은 수업을 하지 않고, 자기 가족에 대해서 소개하는 시간을 갖기로 하셨다. 1번부터 차례로 앞에 나가서 5분 내외로 나와 가족에 대해서 발표 하는 시간이었다.

나는 딱히 자랑 할 것도 없는데, 무슨 말을 해야 할지 긴장하기 시작했다. 워낙 소심한 성격이라 앞에 나가서 발표하는 것은 더더욱 나를 괴롭게 했다. 나는 고민 끝에 우리 4형제를 가르치기 위해 고생 하시는 부모님에 대해서 발표하기로 마음먹고 순서를 기다렸다.

드디어 내 차례가 왔다. 얼마나 긴장 되던지 손에서 땀이 났다.

저의 이름은 김길성 입니다.
저의 고향은 전라북도 고창이고요.
초등학교 3학년 때 인천으로 이사 왔습니다.
저는 영어공부 하는 것이 재미있습니다.
우리 가족은 어머니 아버지 형 나 그리고 동생 둘이 있습니다.
원래는 5형제였는데, 큰형이 물에 빠진 형 구하다가 함께 돌아 가셨습니다.

여기서 잠시 울컥 하면서 말을 잊지 못했다.

저희 부모님이 하시는 일은 바다에 있는 원목에서 나무껍질을 벗겨서 말린 뒤 노끈으로 묶어서 팔고 있습니다.
그런데 일이 너무 힘든 일입니다.
형이랑 내가 조금씩 도와 드리고 있는데, 너무 힘든 일입니다.
바닷물에 젖은 나무껍질을 벗겨서 묶은 뒤 배에 실어서 뱃터에서 축대 위로 올려야 하는데 아버지는 높은 축대 중간에 빠루 2개를 꽂아 그 위에 올라타서 어머니가 배에서 올려주면 아버지가 받아서 위로 던집니다. 그런데 나무껍질이 물에 젖어서 많이 무겁습니다.

순간 고생하시는 부모님과 돌아가신 형이 생각나서 난 그만 울어버리고 말았다. 훌쩍 훌쩍 거리며 고개를 숙이고 말을 잊지 못했다.

듣고 계신 선생님이 나에게 물으셨다.

길성아 빠루가 뭐니?

네. 빠루는요. 나무껍질을 벗길 때 쓰는 철로 된 꼬챙이예요.

그래. 고생하시는 부모님을 생각하며 울었구나. 수고했다. 자리에 앉아.

난 너무 창피했다. 애들 앞에서 울어버리다니. 태어나 여러 사람들 앞에서 발표하는 경험이 처음이었는데, 엉망이 되어 버렸다.

어느 날, 담임 선생님은 영어 수업시간에 다음달에 1학년 영어암송 대회가 있다고 하시며, 3명을 지명해 자리에서 일어나라고 하셨다. 나와 다른 두 학생을 지목 하셨다. 3명중 2명을 선발해서 반대표로 영어 암송 대회에 나갈 거라고, 영어책 1과에서 9과까지 암기 하라고 하셨다. 최종 선발에 내가 합격했다.

나는 다른 과목은 쳐다보지도 않고 암송 대회에 집중했다. 그동안 영어책을 끼고 살아서 술술 외워졌다. 문제는 나의 울렁증이었다. 사람들 앞에만 서면 긴장하는 공포감.

대회당일. 반대표 16명은 다목적실 강단에 올라섰다. 한 줄로 쭈욱 서서 순서대로 1과에서 9과까지 한 문단씩 말하는 방식이었다. 처음에는 순조롭게 잘했다. 몇몇 학생은 단어가 빠지는 실수를 했다. 6과부터가 난관이었다. 문장이 길어지기 때문이다.

나의 첫 번째 실수가 나왔다. 단어 하나가 생각이 나지 않아 잠시 머뭇거리다가 잘 마무리 했다. 마지막 9과에서 난 큰 실수를 하고 말았다. 한 문난을 빼먹고 뛰어넘어 버렸다. 담임 선생님 얼굴이 찡그러지는 모습이 보였다. 돌이킬 수 없는 실수였다. 대회가 끝나고 선생님이 막 화를 내셨다. 영어 선생님 반이 대회 우승을 못했다는 것에 화가 많이 나셨던 것이다. 너무 죄송하고 반 친구들에게 미안해서 고개를 들 수가 없었다. 그 이후로 영어공부에 대한 흥미가 점점 줄어들었다.

1학년을 마치고 겨울 방학이 왔다. 어느 날 TV에서 이소룡 영화를 보게 됐다. 쌍절곤을 현란하게 돌리며 악당을 물리치는 이소룡의 쿵푸 무술을 보고 깜짝 놀랐다. 너무 멋진 무술실력에 반해서 나도 운동을 하고 싶어졌다. 쌍절곤을 사고 싶었다. 어머니에게 쌍절곤을 하나 사달라고 했는데 씨알도 안 먹혔다.

일단 쌍절곤은 나중에 생각하고 운동을 시작했다. 조깅, 팔굽혀펴기, 윗몸일으키기, 줄넘기, 다리 찢기. 겨울방학 내내 운동을 열심히 했다. 특히 팔굽혀펴기를 가장 많이 했다. 방문 앞에 기역자 모양으로 된 시멘트 마루가 있었는데, 팔굽혀펴기 하기에 안성맞춤인 장소가 있어서 틈나는 데로 팔굽혀펴기를 했다.

이렇게 시작한 운동은 날이 갈수록 강도를 높여 갔다. 돌아가신 경성이형도 운동 하는 것을 좋아 했는데, 아마도 살아 계셨으면 운동선수가 되지 않았을까 하는 생각이 들었다. 운동을 할 때마다 난 항상 경성이형을 생각하면서 운동을 했다.

형. 형 몫까지 내가 오래오래 살게.

겨울방학이 끝나고 2학년이 되었다. 프로야구가 열리고 야구 열풍이 불기 시작했다. 우성이형이 야구글러브와 공을 가지고 왔다. 형과 나는 야구를 좋아하게 되었고, 일요일만 되면 야구 연습을 했다.

어느 날 형과 야구 연습을 하로 갔는데 목발집고 다니는 소아마비 아저씨가 공터에서 다른 사람들과 야구연습을 하는 것을 보았다. 참 신기했다. 양쪽 목발을 집고 팔의 힘으로만 안타를 치고 1루로 뛰는 것이 아닌가. 와.

형과 나는 그 야구팀에 합류했다. 알고 봤더니 목발 짚었던 소아마비 아저씨가 감독이었다. 이름은 이종식. 그냥 종식이형이라고 불렀다.

우리는 일요일만 되면 공터에서 야구연습을 했고, 다른 동네 팀과 학교운동장에서 내기 게임도 하곤 했었다. 우성이형은 투수 나는 중학생이라 체구가 적어서 2루수 2번 타자였다. 형이 투구 연습할 때 내가 포수가 되었다.

나의 중학교 2학년은 운동에 미쳐 있었다, 우성이형이 방학 때 신문배달 아르바이트를 해서 야구방망이도 사오고 쌍절곤도 사왔다.

학교 끝나고 오면 도로에 나와 반대쪽 벽에 스트라이크 존을 그려놓고 투구 연습을 하고, 타이어를 매달아 놓고 야구방망이로 하루에 500번씩 때렸다.

아침에 일어나면 윗몸 일으키기 팔굽혀펴기 학교에 가서도 쉬는 시간이면 창틀에 손을 대고 팔굽혀펴기 100번씩 했다.

점점 내 몸은 이소룡의 몸을 닮아가고 있었다. 신체검사 할 때 반 아이들이 내 몸을 보고 놀라기도 하고, 팔씨름 도전도 해왔다. 팔씨름해서 져 본적이 없었다.

3학년에 올라갔는데 학교에서 야구선수를 모집했다. 제물포고등학교에 야구부가 생기면서 우리학교 3학년 형들이 모두 제물포 고등학교로 입학을 하였고, 2학년 선수가 부족해져 일반 학생들을 상대로 모집공고를 하고 있었다.

나는 야구를 해보고 싶었다. 그래서 감독님께 찾아가서 테스트 시험에 응시원서를 제출했다. 1차 테스트에 12명이 지원했다. 1차 테스트는 공 멀리 던지기, 받기, 치기, 땅볼수비하기, 달리기, 테스트를 받았다. 결과는 합격이었다.

2차 테스트 날짜를 통보 받고 합격한 친구들과 이런 저런 대화를 하다가 야구를 하려면 돈이 많이 들어간다는 정보를 알게 되었다. 시합 한 번 나갈 때마다 돈이 100만원씩 들어갈 때도 있다는 이야기를 듣고 바로 포기했다.

자연스럽게 나는 나의 진로에 대해서 고민하게 되었다. 나는 가정형편상 대학은 갈수 없었다. 실업계 고등학교에 가서 기술 배워 취직해야 하는 코스로 정해져 있었다. 형도 실업계 고등학교 건축과를 다니고 있었으니까.

나는 깊은 고민에 빠졌다. 내가 하고 싶은 일이 무엇일까? 어떤 직업이 좋을까? TV를 볼 때도 사람들의 직업에 대해서 나오면 관심있게 보았다. 하루는 뉴스를 보는데, 기자가 나와서 사건 사고에 대해서 말하는 것을 들었다. 그런데 너무 멋있었다. 나는 담임 선생님한테 기자에 대해서 물어봤다. 설명을 해주시면서 대학을 가야 좋다고 하셨다. 대학을 못가는 형편상 기자도 힘들겠구나 생각하며 현실적인 고민을 하기 시작했다.

실업계 고등학교에 들어갈 수 있는 학과가 기계과, 전기과, 토목과, 건축과, 자동차과 정도였다. 기계과와 자동차과는 손에 기름을 묻혀야 되는 직업이고, 전기과, 토목과, 건축과는 손에 기름을 묻히지 않는 직업이다. 그런데 전기과는 무서웠다. 예전에 전기에 감전 된 적이 있어서 전기 만지는 거에 대한 트라우마가 있었다. 나의 선택지는 토목과 아니면 건축과였다.

한번은 형이 도면 그리는 것을 보았는데, 이게 뭐냐고 물어봤다. 집을 지을 때 필요한 설계도면이라고 하면서 이것저것 알려주었다. 살짝 호감이 갔다. 형한테 물어보면서 공부도 하면 괜찮겠다는 생각이

들었다.

나는 점점 혼자 생각하는 시간이 많아졌다. 부모님이 저렇게 열심히 일하는데도 우리는 대학을 가지 못하는 현실.

나는 뭐지? 저 하늘나라에 경성이형이 있는 걸까? 나중에 늙어 죽으면 경성이형을 만날 수 있을까? 형도 많이 늙어 있을까? 우주에는 무중력 상태로 사람이 둥둥 떠다닐 수 있다는데, 저 수많은 별들에 영혼들이 사는 걸까? 만약에 이 세상 사람들이 모두 죽고 없으면 우주는 어떻게 되는 거지? 나도 없고 아무도 없으면 우주는 어떻게 되는 걸까?

3학년이 되어서 기침을 자주했다.
운동하고 나면 더 심해졌다. 감기려니 하고 그냥 넘겼다. 기침이 멈추지 않아서 병원에 갔는데, 검사결과 폐결핵이라고 했다. 그것도 3기라는 것이다. 조금만 늦었으면 4기로 넘어가서 사망 할 수 있다고 했다. 너무 무서웠다.

폐결핵3기

나의 모든 시간이 멈춰버렸다.
운동도 못하고 매일 약 먹고 엉덩이에 주사 맞고, 학교도 마스크 쓰고 다녀야 했고, 집에서는 밥도 혼자 따로 먹어야 했다. 친했던 친구들과도 어울리지 못하고 철저하게 혼자가 되었다. 체육시간에는 교실에 혼자 남아 시간을 보내야 했다.

그렇게 투병생활을 하면서 고등학교 진학을 결정해야 했다. 담임 선생님과 상담을 했다.

조철구 선생님. 생물선생님이었다.
인문계를 갈 건지 실업계를 갈 건지 물으셨다. 난 실업계 간다고 말씀 드렸다. 그럼 학교를 어디 갈 건지 1지망과 2지망을 쓰라고 했다.

1지망은 인천기계공업고등학교 건축과를, 2지망은 정석항공 항공정비과를 지망했다. 그런데 선생님께서 인천기계공업고등학교는 내 성적으로는 힘들다고 하셨다. 반등수가 10등정도 했는데, 인천 기계공업 고등학교는 경쟁률이 세서 합격하기 어렵다는 것이었다. 할 수 없이 1지망에 정석항공 2지망에 운봉공고를 지망했다. 그렇게 내 운명의 주사위는 던져졌고, 난 투병생활에 전념했다.

하루하루가 지옥이었다. 특히 매일 주사를 맞을 때는 통증이 너무 심해서 울기도 했다. 두 달 정도 매일 주사를 맞다보니 주사 바늘 자국으로 엉덩이는 벌집이 되어 있었다.

어느 날 수업을 마치고 집에 가려는데 선생님께서 날 부르셨다. 인천기계공고에 1지망으로 지원해보자고 하셨다. 나는 흔쾌히 그러자고 했다. 인천기계공고는 실업계 고등학교에서는 전국적으로 명문고였다.

공부는 잘하는 학생들이 형편이 어려워 대학진학을 못하는 학생들이 지망하는 학교였다. 전국에서 지원하는 학교다 보니 경쟁률이 센 학교다. 하루하루 우울하게 지내는 나에게는 작은 기쁨이었다.

결과는 합격이었다.
조철구 선생님께 감사드립니다.

18장. 삶에 지치고, 삶에 미치다.

개천에서 “용” 났다

독자들의 메모장

당신의 의견을 적어 보세요.

18.삶에 지치고, 삶에 미치다.

폐결핵3기라는 투병생활로 시작한 고등학교 생활, 기계과 등 다른 학과는 학생 수가 두 반씩이었는데, 건축과는 한반 52명뿐이었다.

1학년 전체 입학 학생 수는 821명, 821명중 건축과 꼴찌가 300등 안이라고 했다. 건축과에 공부 잘하는 학생들이 들어왔다고 학교에서는 건축과에 거는 기대가 컸다. 건축과 꼴찌가 아마도 나일거란 생각이 들었다.

건축과 수업은 재미있었다. 형한테 배운 것들도 있어서 생소하지 않고 적응이 빨랐다. 문제는 내 건강이었다.
공부보다는 결핵균과 싸움이 더 다급했기 때문에 학교생활에 적응하는 게 더뎠다.

결핵환자는 금방 지친다. 면역력이 떨어지지 않게 잘 먹어야 했다. 무엇보다 약을 잘 챙겨 먹어야 한다. 하루도 빠지지 않고 6개월 동안 주사를 맞는 것이 중요했다.

가장 고통스러웠다. 계속 주사를 맞다보니 엉덩이가 딱딱해지기 시작했다, 주사바늘이 잘 들어가지 못 할 지경이었다. 이렇게 난 1년 6개월 동안 치료를 한 끝에 완치판정을 받았다. 어머니가 고생을 많이 하셨다.

나는 고등학교 2학년이 되어서야 몸이 정상 컨디션으로 돌아왔다. 그때부터 공부와 운동에 전념 할 수 있었다.

건축설계 도면을 그릴 때는 시간 가는 줄 모르고 그린다. 좀 꼼꼼한 성격 탓일까 도면을 완성하고 나면 만족감이 매우 컸다. 건축과를 선택한 것이 참 다행이란 생각이 들었다.

건축과는 반이 한반이라 52명이 그대로 2학년 같은 반이 되었다.
그러다보니 반 친구들이 가족 같은 분위기였다.
좀 껄렁껄렁한 친구 몇 명 빼고는 다 원만하게 지냈다.

한번 크게 아프고 나니, 성격이 소심해지고 자신감이 떨어지면서 내 삶에 대한 고뇌가 깊어졌다. 생각이 너무 많아졌다. 나의 수호신 같았던 큰형님이 돌아가시고, 가정형편도 좋지 않고, 결핵으로 죽을 고비도 넘기고, 자꾸 불행이란 말이 내 주변에 맴돌았다.

나는 누구인가?
죽음이란 무엇인가?
신은 정말 존재 하는 걸까?
신이 나한테 벌을 주는 것인가?
내가 무엇을 잘못 했지?

내가 잘못한 것은 용산동에서 남의 밭에서 서리한 것과, 중학교 때 현대시장에서 배가고파서 사과 하나 훔쳐 먹은 것이 전부인데, 이것으로 죄를 받는 것인가?

나는 착한 일도 많이 했는데.

국민 학교 때는 가정형편이 어려워서 도시락도 못 싸오는 친구하고 내 도시락도 나눠먹고, 비오는 날 어느 노숙자가 길가 처마 밑에서 담배 피우려고 성냥에 불을 붙이는데, 성냥이 물에 젖어 담배를 못 피우는 것을 보고 안쓰러워 가게에 가서 성냥 하나 사다주었고, 고생하는 어머니를 위해서 불도 때고 설거지, 청소, 빨래 등 가사 일은 거의 도맡아서 하고, 주말이면 아버지 일도 도와드리고.

또 사촌 여동생이 눈이 나빠 안경을 맞춰야 하는데, 돈이 없어서 안경도 못쓰고 있을 때, 찔끔 찔끔 모아둔 비상금으로 안경도 맞춰주었는데,

신이 나한테 벌을 주는 거라면 내가 착한일 한 것도 생각해 줘야하지 않나.

어느 날 뒷집 아주머니가 나보고 교회에 한번 다녀보라고 권하시길래, 하나님이 정말 있냐고 여쭈어 봤더니, 하나님은 정말 계신다 하면서 일요일만 되면 교회에 한번 가보자고 하셨다.

하지만 고향 용산동에서 교회를 다녀봤는데, 목사님이 성금을 많이 내는 친구한테는 학용품도 자주 주고 예뻐하시면서 성금을 거의 내지 못하는 나에게는 쌀쌀 맞게 대해 주었던 기억 때문에 교회 가는 것이 썩 내키지는 않았다.

내가 궁금한 것은 정말 신이 존재 하는가, 였다. 혹시 성경책에서 해답을 찾을 수 있을까?

고민 끝에 뒷집 아주머니한테 성경책을 빌릴 수 있냐고 여쭈어 봤더니 흔쾌히 빌려 주셨다. 나는 성경책을 열심히 읽어봤다. 구구절절 좋은 말씀은 있었지만 명쾌하고 논리적 증거를 찾지는 못했다.

나는 불교에도 관심 있게 살펴봤다.
동인천에 있는 대한서림에서 불교서적을 찾아봤다. 반야심경 해설본을 읽어봤는데, 훌륭한 가르침이 되는 멋진 글들로 가득했다. 부처님의 좋은 글들도 읽어봤다. 인생에 좌우명으로 삼고 싶은 좋은 글들이 많았다. 한 구절이 눈에 들어왔다.

너 자신을 등불로 삼고
너 자신에게 의지하라

신에게 의지 하지 말고, 내 자신을 믿고 의지 하라는 뜻으로 들렸다. 기독교에서는 유일신 하나님을 믿으면 구원을 받는다고 하는데, 불교에서는 내 자신에게 의지하라는 가르침에 울림이 있었다.

스스로 부처가 되어 해탈의 경지에 오를 수 있도록 나를 성찰 해 나가라는 교리가 마음에 들었다. 하지만 인간은 절대 해탈의 경지에 오를 수 없다고 생각한다.

나는 무신론자다. 하느님의 존재를 믿지 않는다. 또한 석가모니나 예수 공자는 철학자일 뿐이다. 종교적 집단은 정치적으로 필요에 의해서 만들어진 활동으로 결론 내렸다.

고3이 되면서 나는 산업전선에 뛰어들 준비를 해야 했다. 학교수업도 도면 그리는데 중점을 두었고, 졸업 작품도 준비를 해야 했다. 이렇게 나의 고등학교 시절이 마무리가 되었다.

졸업 후, 나는 부천에 있는 건축사사무소에 실습을 나갔다. 3개월간 수습 기간을 보내고 정식 기사로 일하기 시작했다. 그 곳에는 임철중 이라는 선임이 계셨는데 도면을 잘 그리셨다. 나는 임철중 형님을 롤 모델로 삼아 열심히 따라 그렸다.

일은 참 재미있었다. 선배님들로부터 도면을 잘 그린다는 칭찬을 받았다. 문제는 사무실에서 담배를 많이 피웠다. 나는 기관지가 약해서 절대 담배피우면 안 되는 사람이다. 그런데 담배 피우는 사람들이 너무 많았다.

더구나 사무실에 일이 너무 많아서 매일 야근을 해야 했다. 아. 몸이 점점 지쳐갔다. 언제부턴가 가래도 많아졌다. 아침저녁으로 가래가 많이 나왔다. 그렇게 1년 정도 지날 때 난 피를 토하고 말았다. 7살 때 화재로 피를 토했을 때가 생각났다.

길병원에 입원했다. 기관지확장증이라고 했다. 결핵을 앓으면 후유증으로 기관지확장증이 발병 할 수 있다고 했다. 그런데 기관지확장증은 완치가 안돼서 관리를 잘 해야 한다고 했다. 3주정도 입원치료 하고 퇴원했다.

어머니는 개고기를 사다 보신탕을 끓이셨다. 페에는 개고기가 최고라고 하셨다. 우리집안은 문중의 장손집이라 1년에 제사를 명절까지 해서 5번을 지냈다. 그때마다 어머니는 조상님께

우리 길성이 병 싹다 가지고 가시오이.
나는 그때마다 아버지를 생각했다. 어머니가 저렇게 조상님께 빌면 뭐하나, 보신탕 열심히 먹으면 뭐해, 아버지는 옆에서 담배를 태우시는데.

내 삶이 점점 수렁에 빠지는 것을 느꼈다. 열심히 돈 모아서 이 지긋지긋한 6평짜리 집에서 탈출하려 했던 작은 꿈이 점점 멀어지고 있었다.

하지만 포기 할 수는 없었다. 돌아가신 경성이형에게 다짐했던 약속 때문이라도 어떻게든 살아내야 했다.

너 자신을 등불로 삼고
너 자신에게 의지하라

그래 내 자신을 믿고 내가 원하는 것을 하자. 나는 가장 먼저 직장을 인천으로 옮겼다. 그리고 내 폐가 좋아하는 맑은 공기를 마시러 등산을 하기 시작했다. 친구들과 강화도에 있는 마니산을 자주 갔다. 혼자서도 많이 다녔다.

그러나 일이 너무 힘들었다. 매일 야근을 해야 했다 그때는 야근 수당이라는 것도 없었다. 일에 대한 회의감도 느끼고 이 길이 내가 가야 할 길이 맞나 고민을 많이 했다. 산에 가면 행복한데 일은 하기 싫어졌다. 오너는 왜 그렇게 성질이 불같은지, 스트레스에 시달리기 시작했다.

친구들은 하나 둘 군대에 가기 시작했다. 나는 폐결핵 앓았던 흔적과 기관지확장증으로 군대를 못가고 보충역 대상으로 분류도어 4주 군사 훈련으로 병역을 마무리 했다.

그 무렵 내 깨복쟁이 친구(박종길)의 비보 소식이 들려왔다. 군복무

중이던 종길이와는 아주 가끔 편지를 주고받았는데, 글쓰기를 좋아했던 친구다. 어느 날, 종길이가 병장 말년휴가를 나와 서울 천호동에서 여자 친구와 데이트를 하다가 천호동 대로에서 뺑소니 교통사고를 당했다.

운전자는 어느 대기업 과장이라고 들었는데, 음주운전에 엄청난 과속으로 종길이와 여자 친구를 치고 달아났다. 둘은 하늘로 솟구쳐 30m 날아갔고 현장에서 사망했다.

어떤 운명의 장난인가 종길이와 여자 친구는 나이도 같았고, 생일도 같았다. 같은 날 태어나서 같은 날 사망했던 것이다. 나는 이 소식을 듣고 종길이가 보내준 편지를 찾아보았다. 그 편지에는 멋진 시 한편이 적혀 있었는데, 내 삶의 나침판이 될 만한 시였다. 제목과 작가는 기억이 없다.

닭처럼 일찍 일어나되,
소처럼 열심히 일하고.

돼지처럼 아무거나 먹되,
염소처럼 청렴결백 하고.

여우처럼 지혜롭되,
학처럼 늠름히 살아라.

나는 삶과 죽음에 대한 의미를 조금씩 느끼고 있었다. 내 인생을 어떻게 살아 내야 할까? 나는 내 미래에 대한 고민을 또 하기 시작했다. 과도한 업무량에 스트레스가 극에 달해서 미쳐버릴 것 같았다. 누구와 상담 할 사람도 없었고, 혼자 깊은 고뇌에 빠져 허우적거리다. 힘을 내야 한다는 생각을 했다. 경성이형과의 약속 때문이었다.

그래 건축기사2급 자격증에 도전해 보자. 자격증을 취득하면 건축 설계 일을 계속 할 것이고, 취득 하지 못하면 공무원 시험에 도전해 보겠다며 배수의 진을 쳤다.

6개월 동안 열심히 공부했다.
결과는 합격이었다.

합격으로 나의 미래는 정해졌고, 앞으로 설계 일을 계속 하려면 몸이 건강해야 한다는 목표를 세우고, 지난 2년여 동안 전국의 산이란 산은 거의 다 다녀봤다.

등산에 미쳐있었다. 내 폐의 건강을 위해 답은 산에 있음을 깨달았기 때문이다. 몸도 많이 좋아졌고, 건축설계일도 점점 만족감이 높아졌다.

1990년 내 나이 24살 때에 나는 운명적 만남으로 삶의 대전환이 있었다. 여름휴가 때가 되면 친구들과 항상 등산을 다녔는데, 그해 여름에는 바다에 가고 싶었다.

나는 바다를 싫어한다. 사랑하는 큰형을 바다에서 잃었고, 나도 바다에 빠져 죽을 뻔했기 때문이다. 그런데 바다에 가고 싶었다. 그것도 강릉 경포대 해수욕장에 가고 싶었다.

친구들은 산으로 가자고 하는데, 나는 이번에는 바다에 한번 가보자고 친구들을 설득했다. 하지만 설득이 쉽지 않았다. 그래서 우린 경포대 해수욕장에서 1박, 오대산에서 1박을 하자고 합의를 하고 강릉행 새벽 버스에 몸을 실었다.

민박집을 구하는데 방이 없었다. 한 건어물집 사장님의 도움으로 민박집 마당에 텐트를 칠 수 있었다. 민박집에는 우리 또래의 여자분 3명이 휴가를 즐기고 있었고, 우리는 수돗가에서 처음 인사를 나눴다.

유독 눈에 들어오는 아가씨가 한사람이 있었는데, 쾌활한 성격에 얼굴도 예쁘고 매우 고급스러웠다. 이름이 이신영이라고 했다.

우리는 여기에서 만난 것도 인연인데 함께 놀자고 제안을 했고, 아가씨들은 흔쾌히 받아 들었다.

신영씨는 수영도 참 잘했다. 나는 수영도 못하고 물도 좋아 하지 않아서 깊은 물에는 들어가지도 못했는데, 신영씨는 멀리까지 왔다 갔다 헤엄을 잘도 쳤다. 수영을 배워 보려고 신영씨가 알려 주는 대로 헤엄을 쳐봤는데, 꼬르록, 꼬르록 맥주병이었다.

땅거미가 짙을 무렵 신영씨와 나는 모래사장에 앉아 이런 저런 대화를 나눴다. 고향이야기, 직장이야기, 연애이야기, 친구들이야기. 신영씨 남자친구는 군대 갔다고 했다. 나는 많이 아쉬웠다.

저녁에는 술과 수박을 사들고 신영씨네 민박집에서 다 같이 파티를 했다. 술을 못 마시는 나는 신영씨 하는 얘기에 매우 즐거웠다. 목소리도 매력적이었다.

다음날 오전에 우리는 자전거를 탔다.
내 자전거 뒤에는 신영씨가 타고 있었다. 자전거를 타지 못타는 신영씨는 내 허리를 붙잡고 무서워하는 것 같았다. 하지만 나는 무척 행복해서 입이 찢어졌다.
오대산으로 출발해야 할 시간이 다가왔다. 왜 그렇게 발걸음이 무겁던지, 좋은 추억으로 간직하자 인사하며, 서로 연락처도 없이 나는 버스에 올라탔다.

여름휴가를 보내고 1주일이 지났을까, 신영씨한테 전화가 왔다. 나는 깜짝 놀랐다.

신영씨.
우리 집 전화번호는 어떻게 알았어요?

친구 놈 한 녀석이 알려준 모양이었다. 동인천역에 왔다고 지금 시간 되냐고 묻길래, 난 총알같이 달려갔다. 신영씨 친구 한명도 같이 왔다. 난 두 아가씨를 레스토랑으로 모셨다. 셋이 앉아 우린 4시간을 수다를 떨었다. 굉장히 행복한 시간이었다.

그렇게 우린 서로를 알아갔고, 신영씨는 제주도집에 내려갔다. 많이 보고 싶어서 그리운 마음을 담아 편지를 자주 보냈다. 세 번 정도 편지를 보내면, 한번 답장이 왔다. 글씨도 잘 쓰는 멋진 아가씨였다.

신영씨는 점점 내 이상형으로 가슴에 들어왔고, 나의 구애의 연애편지는 자주 제주도를 향해 날아갔다.

다음해 봄 신영씨는 서울로 상경했다. 나는 신영씨의 거처를 알아봤다. 개봉동에 보증금 100만원에 월20만원 월세 방을 얻었다.
신영씨는 출판사에 취직을 했고, 주말에는 행복한 데이트를 즐겼다.

나는 신영씨와 결혼을 결심했다. 우리 부모님께도 인사드리고, 인천에서 데이트를 많이 했다.
어느 날 공원에서 데이트를 하다가, 우주에서 가장 아름다운 꽃에게 청혼을 했다. 밝은 신영씨는 내 청혼을 받아줬다.

제주도에 계신 신영씨 부모님께 인사드리러 갔다. 처음으로 비행기를 타봤는데, 하늘에서 바라본 제주도는 정말 아름다웠다.

신영씨네 집은 예쁜 초가집이었다. 부모님께 큰절 드리고, 마주 앉았는데 어찌나 식은땀이 나던지, 제주도 말도 알아듣지도 못하고, 네. 네. 대답만 하고, 옆에서 신영씨는 통역해주는데 재미있었다.

인천에 올라와서 신영씨와 전세 집을 얻어서 동거를 하기로 했다. 간석동에 전세 600만 원짜리가 있었다. 내 통장에 300만원이 있었고, 어머니께서 300만원을 지원해 주셨다.

스물다섯에 길성이는 신영씨와 함께 새로운 세상을 향해 꿈을 꾸며, 행복한 시간을 보내게 되었다.

그해 크리스마스이브 날, 우리의 사랑은 절정에 달했다. 수컷의 욕정이 불을 뿜었고, 길성이와 신영이는 우주를 하나 만들어냈다.

26년의 세월동안 가장 행복한 순간이었다. 나도 이제 아빠가 되는구나, 무한한 책임감과 행복이 동시에 밀려왔다.

어머니도 신이 났다. 할머니가 된다는 사실에 흥분 된 모습이었다.

먹고 싶은 거 있으면 다 사줘라이.

어머니에게는 무당 친구가 있었다. 그 무당 친구에게 가서 딸인지, 아들인지 물어 본 모양이었다.

길성아.
무당이 그러는데 딸이란다.
첫째는 딸이 좋다이.
딸은 살림 밑천이여.
난 우스갯소리로 한귀로 듣고 한귀로 흘러 보냈다.

그때는 병원에서 태아 성별을 알려주지 않았다. 알려주면 불법이었다. 남아 선호사상 때문이다.

아내의 배는 점점 올라왔고, 입덧이 심해졌다. 나는 이것저것 사다 주었지만, 대부분 내 입으로 다 들어갔다.

하루는 아내가 딸기가 먹고 싶다고 했다. 그 것도 한밤중에 가게 문도 다 닫혔을 텐데 어디서 사나.

신영아 내일 내가 사가지고 올게.

다음날 퇴근 후 시장을 돌아다니며, 크고 싱싱한 딸기를 사다줬다. 몇 개 집어먹더니 구토하기 시작했다. 걱정이 이만 저만이 아니었다. 어머니께서 잘 먹어야 한다고 하셨는데, 입덧 때문에 낭패였다.

사랑하는 사람의 입으로 맛있는 음식이 들어가는 것이 얼마나 행복한 것인지 깨달았다.

입덧 때문일까? 나 때문일까?
아내는 점점 신경이 예민해졌다.
퇴근 후 집에 들어가면 음악을 틀어 놓고 여기 저기 청소는 모습을 보았다. 음악 듣는 것을 참 좋아했다.
특히, 함영재의 <커피한잔과 당신>이라는 노래를 좋아했다.

퇴근 후 꽃무늬 임신복을 입고 노래를 듣고 있는 아내를 보고 있으면 너무 행복했다. 내 인생에 가장 행복했던 순간 1순위다.

여름이지나 가을이 왔다. 한 달 후면 나의2세가 이 세상에 나온다. 만날 준비를 해야 했다. 가장먼저 이름을 짓기로 했다. 딸일 때와 아들일 때를 염두에 두고 상상의 나래를 폈다.

나는 예쁜 한글 이름을 짓고 싶었다.
동인천 대한서림에 가서 예쁜 한글이름을 찾을 수 있을까 해서 이 책 저책 뒤적였다. 시집 몇 개가 눈에 들어왔다. 시집에는 예쁘고 멋스런 문장들이 많았다. 시집 두 권을 사서 정독을 했다.

아내와 함께 몇 개의 이름 후보들을 적어봤다. 아람 우주 가람 다정 다감 이중에 난 다정다감이 맘에 들었다. 딸이면 다정이, 아들이면 다감이. 부부의 연을 맺었으니 평생을 다정다감하게 살자는 의미였다.

1992년 10월 20일 오전 10시경 다정이는 제왕절개 수술로 이 우주에 등장했다.

가장 먼저 아내와아이의 건강이 궁금했다. 의사 선생님께 수술은 잘 되었는지, 산모와 아이는 건강한지 물었다.

산모도 아이도 건강해요.

수술도 잘 되었다고 했다. 걱정이 절반으로 줄었다.
다정이와의 첫 만남은 정말 설레었다. 태아의 모습은 처음 본지라 눈코입이 어떻게 생겼는지, 손가락 발가락 개수는 10개씩 맞는지. 정말 내가 아빠가 되었구나, 눈으로 확인하며 기뻤다.

다정아.
너는 우주의 집중으로 피어난 꽃이다.

1994년 2월 27일 양가 부모님을 모시고 결혼식을 올렸다. 다정엄마의 뱃속에는 둘째가 자라고 있었다.

아버지 김 영자 열자
어머니 조 순자 임자
장　인 이 만자 권자
장모님 윤 태자 숙자

나아주시고 키워주신 부모님들께 감사의 마음을 담고, 혹여나 내가 치매가 와서 이름을 기억 못 할까봐 적어보았다.

결혼식이 끝나고 우리 4식구는 제주도로 신혼여행을 갔다. 비행기를 타고 거의 도착 할 때 쯤 먹구름을 지날 때 비행기가 요동을 쳤다. 두세 번 요동을 치는데 무서웠다.

이러다 우리 4가족 비행기 추락사 하는 거 아냐.

순간 비행기가 쭈욱 가라앉는 느낌이었다. 아이고. 비행기 추락하는 거 아냐 하는데, 기장의 안내방송이 나왔다. 비행기가 난기류를 만나서 잠시 흔들린 거라고 안심하시라는 것이다.

이 거대한 비행기가 하늘을 날아다니는 것이 참 신기했다. 비행기를 조종하는 능력도, 인간의 기술이 대단 하다는 생각이 들었다.

처가 집에 도착하니 장인어른이 반갑게 맞아주셨다. 다정이를 안아주시면서 예쁘다, 예쁘다 좋아 하셨다.

처가 집은 바닷가에 있었다. 1분만 걸어가면 바다가 보인다. 바람도 많이 불고 파도도 거셌다. 제주도 바다는 인천 바닷물은 비교도 못할 만큼 물이 깨끗하고 싱싱해 보였다.

내가 용산동에서 전쟁놀이 하고, 냇가에서 물장구 칠 때, 다정엄마는 이 바닷가에서 놀았겠구나 생각하니, 사람의 인연이 참 경이로웠다.

제주도의 싱싱한 회도 먹고, 여기저기 관광도 하고, 다정엄마 형제들과 정도 나누고, 제주도 말도 배우고, 이렇게 3박4일의 신혼여행을 마쳤다.

1994년 8월 26일 우리 집 둘째가 태어났다. 아들이었다. 너무 너무 귀여웠다. 눈이 참 예뻤고, 이마가 짱구였다. 짱구는 머리가 좋다고 했는데, 이 녀석은 커서 뭐가 될까 무척 궁금했다.

범진아.
너는 우주의 집중으로 피어난 꽃이다.

또 어머니 친구 무당 아주머니가 맞췄다. 이때는 좀 놀랬다. 아무리 확률 싸움인 점쟁이의 말이 이렇게 척척 들어맞지?

우리 아들 이름을 다감이로 지으려고 하니까, 아버지께서 우리 집 족보를 보여주시면서 아들은 김해김씨 삼현파 항렬로 이름을 지어야 한다고 하셨다. 듣고 보니 아버지는 영자돌림이고, 내 형제들은 성자 돌림이었다. 그리고 내 자식은 범자 돌림이었다.

김수로왕 72대손 뼈대 있는 집안인데, 아버지 말을 듣는 것이 옳다는 생각이 들어 범자 돌림으로 이름을 지었다.

항렬을 따를 때는 부모 항렬이 끝에 있으면 자식은 이름 중간으로 배열하고 부모 항렬이 중간에 있으면, 자식은 이름 끝에 배열해야 했다. 내 이름이 김길성으로 성자돌림인데 끝에 배열 했으니 내 아들은 범자 항렬을 이름 중간에 배열 하는 것이다.

범자는 법 범자 항렬이었다. 나는 참진 자를 써서 김범진으로 이름을 지었다. 김수로왕 73대손 김범진. 범진이 아들이 태어나면 74대손으로 "강"자 돌림이다.

나는 가끔 우리 범진이가 파일럿이 되었으면 좋겠다는 생각 했었다. 범진이는 엄마 뱃속에 있을때 처음 비행기를 탔었고, 나도 신혼 여행 때 비행기를 처음 타봤기 때문에 파일럿에 대한 직업이 멋져 보였기 때문이다.

이렇게 우리 가족은 행복하게 살고 있었는데, 1997년 대한민국은 대혼란에 빠졌다. IMF라는 외환위기가 왔다. 부도 난 기업들이 넘쳐나고, 직장에서 해고당해 생활고에 시달리는 사람들로 넘쳐났다. 나도 예외는 아니었다. 건설업계도 여기저기 부도가 나고, 건축사사무소에서 설계실장으로 일하고 있었던 나도 속된 말로 짤렸다. 그것도 하루아침에 예고 없이 짤렸다.

삶이 막막했다. 아이들은 삐약삐약 병아리들인데, 어떻게 살아가야 할지. 어디 취직 할 때도 없었다. 대부분 국민들이 힘들었고, 일자리도 없었다. 아내가 일자리를 알아보더니 보험 설계사를 해보겠다고, 발 벗고 나섰다.
다들 먹고 살기도 힘든데, 누가 보험을 들어줄까 걱정이 많았지만 다른 대안이 없었다.

나도 무언가를 해야 하는데, 몸도 건강치 못해서 어디 가서 몸 쓰는 일은 엄두도 낼 수 없었다.

물병 하나 들고 동네 약산에 올라갔다
돌아가신 큰형님이 생각났다. 맘속에서 형님을 불러봤다.

형 나 어떻게 해야 할까?

집에 쌀이 떨어지니까, 돌아가신 형님이 보고 싶어졌다. 벤치에 앉아 한참을 멍 때렸다.

어차피 일자리 구해봤자 요즘 세상에 누가 사람을 쓰겠어. 그럼 난 무언가를 해야 해. 2보 전진을 위해서 1보 후퇴 전략을 선택했다. 공부를 하자.

그래. 건축사시험을 준비하자.

다정엄마와 상의를 하니까 동의를 해주었다. 내가 지금 가장 잘 할 수 있는 내 전공분야 공부를 하는 것이 최선이라고 생각했다. 돌아가신 경성이 형님이 답을 주신 느낌이었다.

있는 돈 털어서 학원에 등록했다. 나의 이 도전에 우리 4가족의 운명이 걸려 있었다.

2개월쯤 지나 한참 공부에 탄력을 받고 있을 때, 난 각혈을 하고 말았다. 기관지확장증 지병이 도졌다. 다행이 심하지 않아서 입원치료 없이 항생제로치료 할 수 있었다.1주일정도 약물 치료하고 좋아졌다.

난 다시 학원 수업에 나가 뒤쳐진 학습량을 체크해서 정리하면서 새벽 2시까지 공부했다.

공부 시작한지 6개월 정도 지났을 때, 친구한테서 연락이 왔다. 자기네 사무실에 팀장을 구한다고, 입사 할 생각 있냐고 물었다. 난 바로 OK사인을 보내고 면접을 보러갔다. 인천에서 꽤 규모가 큰 건축사사무소였다.

먹고사니즘을 먼저 해결해야 했기 때문에 주저 할 수가 없었다. 면접에서 합격 후 생계문제가 해결되어서 다행이었다.

문제는 건축사 시험 준비가 난관이었다. 한번 시작한 공부인데, 여기서 멈추면 그동안 했던 공부가 수포로 돌아 갈수 있어서 포기 할 수 없었다.

난 두 마리 토끼를 잡기로 했다. 사무실에는 공부 한다는 것을 비밀로 하고
새벽2시까지 공부 할 수 있도록, 시간표를 다시 만들었다.

가장 큰 문제는 내 건강이었다. 1차 시험 전까지 아프면 안되는데 고민이 많았다. 그때 생각한 것이 약을 매일 복용하면 될 것 같았다. 피가 나지 않도록 미리 약을 먹는 무리수를 두었다.
병원에 가서 계속 피난다고 거짓말을 하고 약을 타다 매일 복용했다.

작전은 성공이었다. 몸이 파김치가 되어도 피는 나지 않았다. 항생제 오남용으로 나중에 문제가 생길 수 있다는 것을 나는 알고 있었다. 하지만 나에게는 또 다른 선택지는 없었다.

가을이지나 겨울에 혹독한 시간들을 보내고, 1998년 봄 건축사 1차 필기시험일자가 돌아왔다. 나는 긴장되지 않았다. 결과보다는 과정을 중요시는 성향으로 난 최선을 다 했기 때문에 어떠한 결과가 나오든 후회는 없다는 심정이었다.

결과는 합격이었다.
1차 시험에 합격하고 나니 자신감이 생겼다. 나는 솔직히 2차 실기시험 보다는 1차 시험이 더 부담이 되었기 때문이다.

형편이 어려워 대학을 가지 못했기 때문에 시험 난이도가 대학에서 배우는 수준이라는 것을 잘 알고 있었다. 실기시험은 10년 동안 그려왔던 경험과 기술이 있었기 때문에 주제별 드로잉 연습만 하면 충분히 가능성이 있다고 판단이 들었다.

나는 고민했다.
일을 그만두고 2차 시험을 준비 할까, 아니면 일과함께 실기시험을 준비 할 까. 실기시험 날자는 6개월 정도 남았다. 고민 끝에 일을 그만두고 준비하기로 결정하고 승부수를 띄웠다.

부모님 댁으로 제도판과 책상을 옮겼다. 우리 집은 방도 좁고 도면을 그리면 아이들도 있고 해서 집중력이 떨어질 것 같았다.

매일 도면을 그리는데, 육체적으로 힘이 들었다. 쉬고 싶을 때마다 내 가족을 생각하며 밀어 붙었다.

그런데 또 복병이 나타났다. 가래에서 피가 나왔다. 피가 한번 나면 1주일 정도는 쉬어야 했다. 어머니는 또 보신탕을 끓이셨다. 피가 난 이유가 내가 무리 했다는 생각이 들었지만, 아버지의 담배도 영향이 있을 것 같아서 아버지에게 나 시험 끝날 때 까지만, 담배를 밖에 나가서 피우시면 좋겠다고 말씀 드렸더니 도와주셨다.

드디어 2차 실기시험 날이 되었다. 문제지를 받아 정독했다. 주제는 노유자시설 어린이집이었는데 경사진 대지 위에 어린이집을 설계하는 문제였다.

난이도가 높았다. 나는 20분정도 설계 구상에 들어갔다. 주변에서는 벌써 도면 그리는 소리가 들렸다. 2차 시험은 시간과 싸움이 크다.

하지만 나는 5분 정도 더 구상하는데 시간을 배분했다. 경사진 대지라는 조건이 나를 당황시켰다. 구상을 마무리 하고 도면을 그리기 시작했다. 도면을 그리기 시작하면 거의 무아지경에 빠질 정도로 집중한다.

평면도를 완성하고 잠시 점검시간을 갖고 주변을 살펴봤다. 속도들이 굉장히 빨랐다. 나도 속도를 높였다, 시간이 넉넉하지 않아서 시간과의 싸움이 중요하다는 것을 알고 있다.

단면도와 입면도를 완성하고 마지막 단계인 투시도를 그리기 시작했다. 그런데,

아뿔싸.

난 실수를 하고 말았다. 어린이집 설계 조건에 놀이터가 있었다는 것을 까마득하게 잊고 있었다. 순간 아. 아무리 대지를 찾아봐도 놀이터를 만들 장소가 없었다.

샤프를 놓고 당황했다. 평면도부터 다시 점검했다.
순간 아이디어가 떠올랐다. 어린이놀이터를 옥상에 만드는 아이디어였다. 난 신이 났다.

그래 바로 이거다.
평면도에 비상계단을 하나 만들고, 단면도를 수정해서 옥상에 놀이터를 그렸다. 단면도에도 어린이들의 추락방지를 할 수 있게 난간높이를 1.5M로 수정했다. 투시도를 멋지게 완성하고 모든 시험을 마무리 했다.

그런데 도면을 제출하면서 다른 사람들 도면을 살펴보는데, 모두 어린이놀이터를 지상에 조성했다. 얼굴이 어두워졌다. 그래. 내년에 다시 보면 되지 하면서 집으로 향했다.

난 최선을 다 했어 수고했어.
길성아 그동안 고생했다.

이렇게 나의 긴 도전은 끝이 났고, 가족들과 휴식시간을 보내면서 99% 떨어졌다는 생각을 하면서 결과 발표를 기다렸다.

어느 날 어머니한테 전화가 왔다. 어머니가 또 무당 아주머니에게 시험 합격했는지 떨어졌는지 물어본 모양이었다.

길성아 무당이 그러는데, 너 합격했다고 한다. 나는 코웃음을 치며 한귀로 듣고 한귀로 흘려보냈다.

최종 합격자 발표일이 되었다.
결과는 합격이었다.
31살 내 인생에 큰 이정표를 남겼다.
함께 고생해준 아내 이 신영에게 영광을 돌리고 싶다.

다정이가 5살 때인가 6살 때인가, 어느 날 텔레비전을 보는데 다정이가 눈을 살짝 찌푸리며 보고 있었다. 텔레비전도 1m도 안 되는 거리에서 보고 있었다.

다정아 너 왜 눈을 찌푸리고 텔레비전을 보니? 물어보니 텔레비전이 흐리게 보여요 라고 말했다. 어? 시력이 나쁜가?

안과에 가서 시력 검사를 해보니 난시가 심했다. 선천성이었다. 다정이가 태어나서 몇 년 동안 온전한 세상을 흐릿하게 보며 살았었다고 생각하니 가슴이 미어졌다. 안경을 맞추고서야 세상이 잘 보인다고 좋아했다.

나는 궁금했다. 선천성이면 유전적인 것인데 엄마 아빠가 시력이 좋은데 왜 자식이 시력이 나쁜지 이해가 가지 않았다. 의사 선생님께 물어보았다.

선천적으로 시력이 나쁜 것은 유전인데 한 세대를 건너뛰어서 유전 현상이 나타난다는 답을 주셨다. 우리 친가에서는 안경 쓴 사람이 한명도 없었다. 하지만 외가 쪽에는 시력이 나쁜 사람이 있다고 했다. 내 아내는 시력이 좋으니까 부모님이나 할아버지 할머니 세대에서 시력이 안 좋았다는 추론을 하면서, 그렇다면 다정이 자식은 시력이 좋을 수도 있겠다는 생각에 조금은 안도를 했다.

범진이가 4살 때의 일이다. 어느 날 범진이는 그림책을 보다가 나한테 토끼를 그려 달라고 했다. 나는 못 그리는 그림 실력으로 토끼를 그려주었다. 동그란 얼굴에 눈 코 입을 그리고 큰 귀 두개를 그려 주었다.

그랬더니 범진이는 토끼 꼬리가 없다며 떼를 쓰기 시작했다. 토끼 꼬리를 그려 달라는 것이다. 나는 옆으로 몸통을 그리고 발과 꼬리를 그려주었다. 모양이 괴상했다 얼굴은 정면인데 몸통은 옆모습이었기 때문이다.

범진이는 좋아했다 한 마리 더 그려 달라고 했다. 이번에는 얼굴도 옆모습으로 온전하게 그려줬다 범진이는 좋아하며 자기도 볼펜으로 그려보는 것이다. 마음에 안 들었는지 나보고 또 그려 달라고 떼쓰기 시작했다.

범진이의 토끼사랑은 멈추지를 안했다. 할머니네 가서도 토끼 그려줘 토끼 그려줘 하며 보챘다. 그려주면 좋아서 방그르르 웃곤했다. 할머니한테 자랑하며 좋아했다.
어느 날 한번은 내가 장난을 쳤다. 토끼 귀를 안 그려줬다. 그랬더니.

토끼 귀가 없잖아!

하면서 울기 시작했다. 할머니는 나보고 오사하네 하면서 왜 귀를 안 그렸냐고 범진이의 재롱을 받아주셨다.

범진이는 시도 때도 없이 토끼를 그려 달라고 떼를 썼다. 밤에 잠자다가도 토끼를 그려 달라고 떼쓰고, 조금만 늦게 그려주면 울면서 토끼 그려 달라고 애걸복걸을 한다. 나는 점점 범진이의 토끼 그려 달라는 소리가 귀찮아졌다.

그래서 다른 장난감을 사줬다. 그림 퍼즐 맞추는 보드를 사줬다. 범진이는 바닥에 앉아 퍼즐 맞추기에 온 정신이 팔렸다. 그렇게 나는 토끼 그림에서 탈출 할 수 있었다.

다정이가 초등학교 4학년 때 일이다.
하루는 학교에 다녀와서 시무룩한 표정으로 침대에 앉아 있었다. 엄마가 무슨 일 있냐고 물었다. 학교에서 괴롭히는 친구가 있어서 힘들다고 했다

다정이가 한 아이한테 왕따와 괴롭힘을 당하고 있었다. 요즘 같으면 학교에 찾아가 상담을 해야 할 사건이지만, 그 당시만 해도 그렇게 큰 문제란 인식을 못했던 시기였다.

나도 국민 학교 다닐 때 괴롭힘과 왕따를 밥 먹듯 당했기 때문에 다정이의 마음을 이해 할 수 있었다. 난 다정이에게 내 경험담을 이야기 해줬다.

"아빠가 중학교 1학년 때 반 한 놈이 날 괴롭히는 짝이 있었어. 시도 때도 없이 화를 내면서 불만을 토로하고 자기 쪽으로 조금만 넘어가면 밀쳐버리고 했어, 덩치가 나보다 큰놈이라 싸우면 질 것 같아서 찍소리도 못 했고, 한 학기가 다 지날 때까지 괴롭혀서 아빠가 폭발했어,"

"한판 붙어야겠다고 큰맘 먹고 팔꿈치로 그놈 어깨를 패버리고 발로 또 어깨를 차서 넘어뜨렸어, 넘어지길래 위에 올라타서 두둘겨 패버렸어,"

"그랬더니 다른 친구가 말려서 그놈이 달아났어. 아빠는 멈추지 않고, 의자를 집어서 뛰어 도망가는 그놈을 향해 던졌어 다행히 그놈 머리통 바로 옆으로 지나가 교실 벽에 부딪혔어."

"교실은 난리가 났어. 선생님이 오셔서 야단을 치시는데, 반 친구들이 길성이는 잘못이 없다고 지원사격을 해줬어. 다행이 그놈이 크게 다치지 않아서 훈방조치로 끝났다."

다정아!
그놈이 또 너 괴롭히면 두들겨 패버려.
그놈 다치면 치료비 아빠가 다 물어줄게. 아빠 믿고 한 판 붙어.

다정이는 초등학교 때부터 조숙해서 웬만한 남학생보다 덩치가 컸다. 그래서 싸우면 이길 거라 생각해서 다정이한테 특단의 처방을 주문했다. 그 이후 다정이는 괴롭힘으로부터 자유로워졌다.

건축사에 합격 후 난 17년 동안 일에 매진했다. 건축사사무소를 운영 하다 보니 스트레스에 시달렸다. 공인중개사, 건축업자, 공무원 등을 상대하며 스트레스는 극에 달했다.

설계계획안을 잡아 건축주에게 보여주면 건축주는 내가 제시한 설계비보다 더 저렴한 건축사에게 찾아가 설계를 맡기는 상황이 많았다.

사업적 마인드도 부족하여 사람관리 하는 것이 가장 힘들었다. 어머니가 하신 말씀이 생각났다. 길성이 너는 공무원이나 해야 할 사람이다.

어머니 말씀에 격하게 공감 되었다. 난 사업체질이 아님을 이때 깨달았다. 하지만 내 나이가 새로운 길을 개척하기에는 늦었고, 건축사로써 자부심도 강했기에 방향을 틀 자신이 없었다.

일은 많지 않아 돈벌이가 시원치 않았다. 몸도 점점 안 좋아지고, 결정적일 때 지병인 기관지확장증이 나를 괴롭혔다.

아내가 일을 하기 시작했다. 고급 한정식당에서 서빙을 하기 시작했다. 성격이 활발하고 유머감각도 있어서 사람 상대하며 홀 서빙도 잘 해냈다. 사장님한테 인정받아 몇 개월 만에 매니저까지 오르며 승승장구 했다.

아내의 능력에 나도 감탄했다. 무에서 유를 창조하는 능력자였다. 몸은 좀 힘들었지만, 즐겁게 일을 해 내는 아내가 자랑스러웠고 미안했다.

다정이는 무용과 춤을 전공했고, 범진이는 애니메이션을 전공했다. 학원비도 많이 들어가다 보니 둘이 함께 벌어야 했다.

나는 일하면서 가사일, 아이들 뒷바라지까지 열정적으로 살아왔다. 하지만 나의 열정이 아이들에게 독이 되었다는 것을 깨닫지 못 했다. 나는 우리 다정이와 범진이를 어떠한 상황에서도 있는 그대로 받아들이고 사랑 할 것이다.

가장 큰 문제는 내 건강이었다.
항생제를 너무 많이 먹어서 먹는 항생제도 제한적이었다. 담당교수는 먹는 항생제가 별로 없다고 아프면 입원 치료를 해야 한다고 했다. 나는 너무 괴로웠다. 도시 생활이 지겨웠다. 만사가 귀찮았다.
그냥 죽고만 싶은 우울증에 빠졌다.
난 또 경성이형을 찾는다.

"형 나 너무 힘들다."

지병 악화로 사업은 힘겨워지고 내 꿈은 점점 멀어져만 갔다. 경성이형이 돌아가신 이후에 내 삶은 고난의 연속이라는 좌절감에 자꾸만 포기 하고 싶은 마음이 생겼다.

도시에 있는 것 자체가 너무 싫어서 산속으로 숨고만 싶었고, 가족 누구도 나의 마음을 이해 해 주는 사람 없었는데 나는 돌아가신 경성이형만 부르고 있었다.

경성이형이 돌아가시고 형 몫까지 내가 오래 살겠다는 형과의 약속이 나를 짓누르고 있어서 이러지도 저러지도 못한 채 밤마다 눈물로 시간을 보냈다.

결국 어떻게든 버텨보자며 나를 다독여 본다.

19장. 숲에서 공부하기

병든 호모사피엔스는 무작정 숲으로 떠났다.

독자들의 메모장

당신의 의견을 적어 보세요.

19.숲에서 공부하기.

내 나이 48세. 몸도 마음도 지쳐 있었다. 인생에 전성기를 맞이해야 할 때, 난 쓰러지기 일보 직전이었다.

집안에서 나오는 화학물질, 도시의 공해들, 스트레스, 전자파, 미세먼지, 인간관계, 내 지병을 공격하는 모든 적들이 동시 다발적으로 나를 공격해왔다.

무엇보다 나를 힘들게 했던 것은 이러한 적들의 공격을 항생제로 버텨 왔는데, 먹는 항생제가 내성이 와서 쓸 항생제가 하나밖에 없다는 것이다.

나를 괴롭히는 것들로부터 벗어나고 싶었다. 그냥 죽어 버릴까? 수도 없이 머릿속에서 맴돈다. 그때마다 신영이, 다정이, 범진이 그리고 돌아가신 큰형이 나의 발목을 잡는다.

나는 다시 산에 가고 싶었다. 스무 살 때 나를 일으켜 세워 주었던, 산과 숲속이 생각났다. 인터넷을 뒤져가다 편백나무를 알게 되었다. 편백나무에서 나오는 피톤치드가 폐 건강에 좋다는 기사를 읽고, 전국에 있는 편백나무 숲을 검색하기 시작했다.

경기도 가평의 편백나무 숲, 완주 편백나무 숲, 장성의 축령산, 남해 편백 자연 휴양림등이 검색 되었다. 지도를 보면서 하나씩 살펴보는데, 장성에 있는 축령산이 눈에 들어왔다. 내 고향인 전라북도 고창군과 인접한 곳이었다. 그래 여기다.

축령산의 이미지들을 검색 해 보니 편백나무 군락이 어마어마했다. 바로 숙소를 알아봤다. 월60만원에서 100만원이었다. 아내에게 말하고 단출한 가방을 하나만 챙겼다.

10월 13일 축령산으로 출발했다. 내려가면서 다짐했다. 축령산에서 죽으리라. 내 마지막을 고향근처에서 마무리 한다는 것도 나쁘지 않았다. 내가 도착한 곳은 전남 장성군 모암리, 한적하고 작은 마을이었다. 3일정도 민박을 하면서 월세 방을 알아보기로 하고, 주인장께 이것저것 물어보았다.

주인장은 자기네 방이 월60만원인데 월50만원에 주겠다고 했다. 원룸 형 민박집이 있었다. 알아본 방중에 가장 저렴했다. 주인은 숲속에 펜션도 운영하고 있었는데 월100만원이라고 했다.

나의 축령산 생활은 이렇게 시작되었는데, 문제가 생겼다. 아침에 일어나면 가래가 안 좋았다. 몸도 피곤하고 무거웠다. 방 인테리어도 편백나무로 마감을 해서 좋아 했는데, 가래가 안 좋아지는 것이 이해가 안 갔다. 그런데 산에 가면 가래가 좋았다.

역시 편백나무 숲이 좋긴 좋았다. 그러려니 하면서 난 산에 열심히 다녔다. 아침 먹고 산에 가고, 점심 먹고 산에 가고, 저녁 먹고도 랜턴 들고 산에 갔다.

나의 하루 일과는 이게 전부였다.
여기에서도 건강이 안 좋아지면 산에서 죽어야 한다는 마음으로 숲속에 내 몸을 맡겼다.

한 달 정도 지났을까, 숲속 펜션에 폐암 수술을 받은 한분이 들어왔다. 서울에서 푸드 트럭으로 다코야끼 장사를 하셨다고 했다. 처음에는 혼자 힘으로 걷지도 못해서. 와이프와 함께 지내고 있었다. 한 달 지나더니 내 방 옆으로 숙소를 옮기셨다. 몸도 좋아져서 천천히 함께 산에도 다녔다.

나도 월세가 부담스러워서 주인장께 혹시 전세도 되냐고 물어보았다. 전세 5천만 원에 줄 수 있다고 해서 아내와 상의를 했다. 제주도에 100평 되는 땅 팔아볼까, 아니면 대출을 받아볼까 고민을 했다.

일단 제주도 땅을 부동산에 내놓고 시세가 얼마인지 알아봤다. 6천만 원에서 7천만 원선이라고 했다. 우린 대출을 받기로 했다. 서류를 챙겨서 서울에 있는 은행으로 가고 있었는데, 제주도 부동산에서 전화가 왔다. 땅을 사겠다는 사람이 나타났다고 팔 의향이 있냐고 물었다. 우린 고민 끝에 팔기로 결정했다.

축령산 생활은 완전히 신선놀음이었다. 정말 팔자 좋은 생활이었다. 사람들은 나보고 건강해 보이는데, 어디가 아파서 왔냐고 묻는다. 만나는 사람들은 전부 암환자들이었다.

주인장이 그러는데, 여기에 와서 요양한 사람들 중에 반은 죽고 반은 살아서 간다고 했다. 나는 살아서 갈수 있을까? 스스로 되물으며 하루하루를 똑같은 일상으로 채워 갔다.

겨울이 오고 축령산에는 눈이 많이 왔다. 밤 산행을 중단해야 했다. 편백나무에 내린 설경은 참 아름다웠다. 신영이가 생각났다. 신영이도 이 맑은 공기와 풍경을 보면 좋아 할 텐데.

겨울 산행은 곤욕이었다. 산행하다 땀이 나면 추워졌다. 덜덜 떨면서 내려온다. 하지만 난 영하 강추위에도 산행을 멈추지 않았다. 이 산에 있는 피톤치드가 돈이 얼마인데, 난 최대한 피톤치드를 마시려고 한 겨울에도 산에서 살다시피 했다. 참으로 힘겹고 외로운 나와의 싸움이었다.

겨울이 지나고 봄이 왔다. 산속 연못에 올챙이들이 바글바글 했다. 살다 살다 이렇게 많은 올챙이들은 처음봤다. 와 이 우렁찬 생명력들 보소 번식능력이 상상을 초월했다.

폐암 수술을 받고 내방 옆에 입소한 형님은 수술 경과가 좋아져서 산행시간을 조금씩 늘려갔다. 나는 편백나무가 많은 코스로만 산행을 하는데, 그 형님은 이곳저곳 다니면서 길을 읽혔다. 나도 산행코스를 다시 점검했다.

축령산은 해발 600m인데, 매일 정상을 찍고 내려오는 코스를 정하고 체력을 끌어 올리는 산행으로 바꿨다. 성취감이 많이 높아지고 다리 근력도 좋아졌다.

축령산의 편백나무 숲은 암환자들이 찾는 산이었다. 만나는 사람마다 전부 암수술한 사람들이었다. 어제 봤던 사람이 어느 날 갑자기 보이지 않을 때는 며칠 후 죽었다는 부고소식을 듣게 된다. 그럴 때마다 삶이란 무엇인가? 죽는다는 것은 현실이고, 남의 일이 아니었다.

삶에 지치고, 병마에 시달리면 많은 사람들은 숲을 찾는다. 숲은 어머니품속처럼 포근하고 평화롭다. 왜일까? 아마도 진화론적으로 볼 때, 우리 인간은 식물의 존재로 삶을 영위 할 수 있기 때문에 본능적으로 시스템이 작동하는 것이라고 생각한다.

하루는 치유프로그램에 참여를 해봤다. 숲 해설가의 인솔 하에 10여명의 암환자들과 편백 숲을 경험했다. 이곳 축령산에 편백나무를 심은 분은 임종국 선생님이라고 했다. 그분이 수목 장으로 묻혀있는 곳도 가봤다. 얼마나 고마우신 분인지 감사의 인사도 드렸다.

편백나무에 대해서 많은 공부를 할 수 있었다. 편백나무는 따듯하고 습도가 높고 흙에 수분이 많은 곳에서 잘 자란다고 들었으며 주로 남부지방에서 잘 자란다고 했다.

편백나무가 내뿜는 피톤치드는 삼나무, 소나무, 구상나무에서도 나온다고 배웠다. 이중에 피톤치드는 편백나무에서 가장 많이 나온다고 한다.

편백나무 잎의 뒤를 보면 Y자모양의 하얀 무늬가 수없이 많은데, 그곳에서 피톤치드가 나온다.

이런 피톤치드가 풍부한 숲에서 하루 3시간씩 3개월만 머물면 우리 몸속 면역세포인 NK페포수가 3배나 증가 한다는 연구 결과도 있다고 하였다. 그래서 너도 나도 숲으로 향하는 것인가 보다.

편백나무도 피톤치드를 광합성을 통해서 내 뿜는데, 오전10시에서 오후2시 사이에 가장 왕성하게 나온다. 특히 피톤치드를 가장 많이 마실 수 있는 날씨는 날씨가 흐린 저기압일 때가 좋다.

날씨가 흐린 날에 숲은 뿌연 안개로 가득하다. 이유는 기압이 낮아 수중기와 피톤치드 산소들이 하늘위로 날아가지 않고 밑에 머물기 때문이다. 뿌연 편백 숲을 거닐 때는 내 기관지와 폐가 깨끗하게 청소 되는 기분이 든다.

이렇게 편백나무에 푹 빠져 산행 하던 어느 날, 난 평소와 마찬가지로 야간 산행을 하고 있었다. 컴컴한 숲속에 불빛이 하나 보였다. 누군지 궁금해서 불빛을 따라 가보았다.

앙상하게 마른 한 중년 남성이 누워 있었다. 그냥 지나치기에는 미안한 마음이 들어 말을 걸어 보았는데, 너무 힘이 없어보였고 목소리도 가냘팠다.

췌장암 말기 환자였다. 수술도 못하고 6개월 시한부 선고를 받고, 마지막으로 편백숲에 의지 해 보려고 내려왔다고 했다. 미국 시카고에서 근무하다가 췌장암이 와서 마지막을 고국에서 죽으려고 왔다고 했다. 아이고. 이양반도 곧 죽어 나가겠구나. 생각하며 발걸음을 돌렸다.

숙소 옆방 형님과 난 자주 산행을 같이 했다. 그동안 형님은 체력이 많이 좋아져서 매우 만족한 요양 생활을 하고 있었다. 와이프가 옆에 계시니 먹는 것도 건강식으로 잘 먹고 케어를 잘 받고 있었다.

하루는 산행하다 배가 고파서 산채비빔밥을 먹으려고 식당에 들어갔는데, 시카고에서 오신분이 계셨다. 한번 마주치면 우연이요, 두번 마주치면 인연이라면서 난 합석해 식사를 같이 했다. 6개월 시한부 판정을 받은 사람 같지 않은 여유로움이 있었다.

모든 마음의 준비를 마친 것처럼 평화로워 보였다. 별다른 병원치료는 안하고 비타민 주사만 맞는다고 했다. 비타민은 암세포 전이를 막아 준다며 숲과 비타민에 의지 하고 있었다. 기운이 없어서 산행은 못하고 숲에 돗자리 깔고 누워 있는 게 일이었다.

하루는 숲속 임도에 차를 주차하고 쉬고 있는데, 시카고 아저씨가 찾아왔다. 내 차를 보더니 근사한 호텔이라며 좋아 하셨다. 내 차는 그랜드 스타렉스 밴이다. 뒤 화물칸을 방으로 꾸며서 잠도 자고 쉬기도 한다.

시카고 아저씨는 내차에서 하룻밤만 자면 안 되겠냐고 묻길래 그렇게 하시라고 빌려주었다. 한번 만나면 우연이요, 두 번 만나면 인연이요, 세 번 만나면 필연이라 했다. 나는 시카고 아저씨를 형님이라고 부르기로 했다.

다음날 아침을 먹고 걸어가면서 시카고 형님과 통화했더니 너무 좋다며 아침으로 누룽지를 먹고 있다고 했다. 우리는 숲에서 많은 대화를 했다.

6개월 후면 돌아가실 분이라 최대한 배려해 주었다. 그래서 내차에서 1주일정도 더 주무시라고 했더니, 정말 좋아 하셨다. 시카고형님 차를 내가 쓰고, 내차를 기꺼이 내 주었다.

3일정도 되었을까, 숙소 사장님한테 전화가 왔다. 숲에서 차박하면서 취사를 하면 안 된다고 뭐라 하시는 거였다. 그분이 6개월 시한부 판정을 받고 마지막으로 숲에 오신분이니 양해 좀 해달라고 했는데도 안 된다고 야박하게 거절을 했다.

우리는 할 수 없이 철수를 하였고, 숲속 한적한 곳을 찾아 시카고 형님이 편하게 쉴만한 장소를 찾아보았다. 다른 마을 쪽으로 올라가다보니, 시냇물이 졸졸 흐르는 냇가가 보였다.

그 냇가 건너편에는 편백나무가 군락을 이룬 한적한 곳이 있었다. 땅을 평탄하게 고르고 돗자리를 깔아보니 근사했다. 바로 옆에 냇물도 흐르고 있어서 쉬기에는 안성맞춤이었다.

시카고형님은 그곳에서 마지막을 보내야 할 것 같다고 하셨다. 무거운 마음이 들기 시작하고 돌아가신 형님이 생각났다. 죽음이란 현실 앞에 선 사람들의 마음은 어떤 심정일까! 나는 여기서 살아서 나갈 수 있을까! 숲은 우리에게 기적을 가져다 줄 수 있을까!

6개월이 넘었다. 시카고 형님은 아직 살아 내고 계셨다. 체력도 조금 좋아진 것 같았다. 산행도 조금씩 할 수 있었다. 숲에 대한 무한한 신뢰가 쌓이고, 자연의 위대함을 느꼈다. 그래. 숲에는 무언가가 있구나. 분명 숲에는 우리가 알 수 없는 무언가가 존재한다는 것을 알게 되었다.

그렇게 시카고형님은 1년을 견뎌냈다. 병원에 가서 검사를 해봤는데, 암세포가 전이가 안 된 상태로 그대로 있다고 했다. 시카고형님은 숙소를 옮기셨다. 교회에서 방을 무료로 쓰라고 내주었다고 했다.

경제적으로 압박이 온 듯 했다. 시카고에서 형수님이 오시고 생활이 좀 안정되어 보였다. 산행도 제법 열심히 다니다가 어느 날 부턴가 오전 산행을 멈추고, 오전에 두 시간 정도 업무를 봐야 한다는 거다.

난 좀 걱정이 되기 시작했다. 일을 하면 안 된다고 난 막 나무랬다. 나와 생활 패턴이 바뀌어 산행을 같이 못하게 되었다.

겨울이 오고 난 또 추위와 싸워야 했다. 어느 날 산행을 하고 집에 와서 가래를 뱉는데, 피가 나왔다. 한동안 안 나오던 피를 보자 좌절감이 몰려왔다. '이 또한 지나가리라'라고 생각하며 난 또 괴로워했다.

병원에 가서 약타먹고 1주일동안 꼼짝을 못했다. 정말이지 암환자가 부러웠다.

옆방 형님이 찾아왔다. 손에는 매생이국 한 그릇이 들려 있었다. 눈물이 났다. 난 돌아가신 형님 생각에 오열을 했다. 밤새 소리 없이 흐느꼈다. 이렇게 좋은 곳에 왔는데도 피가 계속 나오는 것에 난 희망이 없음을 느끼고 있었다.

잠시 눈 붙이고 일어나 카레 밥 한 그릇 먹고 차를 몰고 산속으로 향했다. 햇빛 잘 들어오는 곳에 주차를 하고 운전석에 앉아 잠이 들었다.

깨어보니 추워졌다. 양지바른 곳에서 왔다 갔다 시간을 보냈다. 그냥 산행을 해 버릴까! 피가 멈춘 지 1주일 밖에 안 되어서 산행 하다가 또 피가 날까봐 걱정이 되었다.

한 3일정도만 더 기다려 보기로 하고 난 양지 바른 곳에 돗자리를 깔았다. 혈관이 터져 피가 나고 그 터진 곳을 세포가 재생하려면 시간이 필요 하다는 것을 나는 잘 알고 있다.

피가 안 나면 멀쩡하다가도 피만 나면 중환자가 되어버리는 나는 정말 암환자가 부러웠다. 암은 한 번의 수술로 완치까지 5년만 이겨내면 되지만, 기관지 확장증은 평생 고생을 해야 한다.

완치도 안 되고 나이를 먹을수록 좋아지지는 않고, 나빠지지 않게 관리하는 것이 최선이다. 그냥 공기 좋은데서 힘든 일 안하고 잘 먹고 지내야 하는 고급 병이다.

겨울을 두 번 보내고 봄이 또 왔다. 옆방 형님은 몸이 너무 많이 좋아졌다. 옆에 형수님도 와계시니 관리도 잘 하고 계셨다. 내가 축령산 다람쥐라고 별명도 지어 주었다.

그런데 어느 날, 옆방 형님은 다꼬야끼 장사를 하고 싶다고 사업구상을 하고 계셨다. 경제적인 압박이 온 모양이다. 나는 그러면 안된다고 조언을 해주었다. 5년 동안은 관리를 철저히 해야 한다는 것을 본인도 잘 알 텐데, 좀 답답했다.

봄이 되니 여기 저기 암환자들이 모여들기 시작했다. 이렇게 죽어나간 사람들의 공간을 나른 사람들이 채워 나갔다.

축령산에 있으면 있을수록 삶에 대한 공허한 마음이 들 때가 많았다. 누구는 살아 나가고, 누구는 죽고 그런데 죽는 사람이 더 많아 보였다.

시카고형님이 생각났다. 어떻게 지내는지 전화를 해보았다. 죽어가는 목소리였다. 산행은 못하고 숲에서 쉬기만 한다고 했다.

직감이 왔다. 오래 버티기 힘들겠다는 생각에 식사한번 하자고 했다. 얼굴이 많이 수척해 보여 마음이 아팠다.

나도 1년 후면 전세 계약이 끝나기 때문에 살 곳을 마련하고 싶어서 땅을 알아보기 시작했다.

땅도 알아보고 또 다른 펜션도 살만한 곳이 있는지 알아보고 다니다가 한 한의사 한분을 만나게 되었다.

미국에서 한의사를 운영하고 계신 분이었다. 침을 참 잘 놓는 분이었다. 이분도 땅을 알아보고 계셨다. 우린 같이 다니며 땅을 알아봤다.

이런 좋은 환경이 조성된 곳에 양 한방 병원이 있으면 좋겠다는 의견도 나누고 건강에 대한 정보도 교환하기도 하고 참 유익한분이었다.

시카고형님이 돌아 가셨다는 소식이 들렸다. 장례식장에 가보고 싶었는데 부고소식이 나한테는 오지 않았다.
그렇게 또 한분이 가셨다.

축령산이 싫어졌다. 축령산에 있으면 매년 죽어 나가는 사람들과 인연을 맺어야 하는 현실이 싫어졌다. 내가 만난 사람이 총 5명이었는데, 3명은 죽고 2명만 살아남았다.

산에서 인연을 맺는 것에 대한 거부감이 생겼다. 나는 축령산을 떠나야겠다는 생각이 들어서 다른 지역을 물색하기 시작했다.

인천에서 가까운 곳이 좋겠다는 생각에 아내와 함께 강원도와 충청북도 쪽으로 알아보았다. 아내와 함께 여행도 하면서 땅을 알아보러 다녔다. 그런데 땅값들이 너무 많이 올라서 물건을 잡기가 쉽지 않았다.

여전히 인천 집에만 오면 가래도 안 좋아지고, 피도 자주 났다. 나는 원점에서 다시 검토해야 한다는 생각이 들었다. 법정스님의 무소유정신으로 최대한 저렴하고 작은 땅을 사야 한다는 마음으로 가격이 저렴한 남쪽 지역으로 발길을 옮겼다.

나는 법정스님의 "무소유"란 책을 읽어 보았다. 책을 읽기 전에는 사람이 물질의 소유 없이 어찌 이 시대를 살 수 있단 말인가.
약간은 의아해 하며 책을 읽었으나, 무소유의 진정한 의미를 알고부터 바둥바둥 살아 왔던 내 자신을 반성 하게 되었다.

법정 스님은 나이 50이 될 때까지도 상자(제자)를 곁에 두지 않았다는 일화가 있다. 일상의 모든 노역을 스스로 해결 하면서 정진 하셨다는 뜻이다. 매우 존경스러운 언행이며 진정한 불자의 길을 가셨다는 생각이 들었다.

20장. 나는 지금 여기에.

1,600억 년의 억겁의 시간을 뒤로 하고
나는 지금 여기에 있구나.

독자들의 메모장

당신의 의견을 적어 보세요.

20.나는 지금 여기에.

2017년 4월 아내와 난 경상남도 남해군으로 향했다. 그곳에 편백숲이 있어서다. 예전에는 혼자 외롭게 다녔는데, 이때는 아내와 함께 다니게 되어 행복했다.

너 자신을 등불로 삼고,
너 자신에게 의지 하라.

석가모니의 가르침에, 나의 모든 번뇌는 내 스스로 해결해야 한다는 생각은 예나 지금이나 변함이 없었으나, 아내가 옆에서 케어를 해준 덕에 나는 외로움이란 굴레에서 벗어 날수 있었다.

이제껏 내 지병과 싸울 때 항상 혼자였었는데, 아내의 합류는 심리적 안정과 육체적 풍요로움을 가져다주었다.

남해 편백 자연 휴양림에 도착해서 편백나무 군락지를 들러보았다. 축령산에 비해 좀 협소했지만, 관리를 잘 해서 그런지 매우 편안함이 느껴졌다.

무엇보다 경상남도는 눈이 많이 내리지 않고, 미세먼지가 적은 곳이라 마음에 들었다.

휴양림 인근에 민박집을 알아보았는데 달방으로 월60만원이었다.
아내와 난 일단 그곳에 베이스캠프를 치기로 했다.

먼저 우린 휴양림에서 편백나무 산림욕을 하면서 그동안 쌓였던 피로와 스트레스를 풀었다.

축령산에서 숲의 위대함을 경험한 나는 편백나무에 대한 깊은 신뢰와 나무의 소중함과 숲이 주는 행복감이 얼마나 귀중한 보물인지 깨달았기 때문에, 아내와 함께 하루하루 숲에서 보내는 시간들이 천국 그 자체였다.

우린 남해군을 탐방 하면서 땅을 알아보았는데, 땅값이 너무 비쌌다. 해안가를 돌면서 느끼는 비경은 제주도의 70%정도라 할까! 비쌀 만 했다,

아내와 난 싼 땅들을 찾아 내륙으로 돌아 다녀봤다. 여전히 나의 예상치를 웃도는 땅값이었다. 어쩌다 가격이 저렴한 매물을 보면 맹지(도로에 접하지 못해 진입로가 없는 땅)뿐이었다.

우린 지쳐갔다.
달방 계약 마지막 날은 다가오고 참 땅 구하기 힘들구나. 하면서 한탄하고 있던 어느 날 잠이 오지 않아 새벽 2시경에 인터넷을 보다가 하동군에도 편백 숲이 있다는 기사를 보게 되었다. 나는 바로 검색해 보았다.

경상남도 하동군 옥종면에 편백 숲이 조성되어 있는 곳이 있었다. 김용지라는 선생님께서 조성한 숲이었다. 우린 바로 하동군으로 달려갔다.

하동군 옥종면에 도착한 아내와 나는 편백 숲으로 향했다. 둘러보니 편백나무가 많았다. 축령산보다는 규모가 작았지만, 편백나무 한 종류로만 보면 최대 군락지였다.

축령산은 편백나무와 삼나무가 어우러진 넓은 곳이라면, 하동 편백 숲은 편백나무 한 종으로만 조성되어 있었다.

우린 옥종면에 있는 부동산으로 향했다. 물건이 나와 있는 곳이 몇 개 있다고 해서 한 마을에 도착했는데, 마을이름이 내 이름과 비슷해서 정감이 갔다.

도착한 곳은 온통 쑥밭이었고, 좀 못생긴 땅이었다. 땅값은 평당 15만원이었고, 이제까지 전국을 돌면서 본 땅 중에 가장 저렴했다. 나는 땅 중앙에 서서 동서남북을 체크해 보았는데, 방향이 정확히 남동 향이었다.

건축학적으로 보면 집터로는 최고였고, 앞은 틔여 있었으며 1km전방에 편백 나무숲이 보였다. 뒤로는 바로 산이었으며, 동쪽 서쪽으로는 지면으로부터 약 50m정도의 낮은 산이 나를 감싸고 있었다.

어버이와 같은 지리산의 남동쪽에 위치한 이곳은 풍수지리학적으로 대한민국의 최고였으며, 자연재해(지진 태풍)와 환경(미세먼지, 추위, 폭우, 눈)등을 고려해 볼 때 이곳은 최고였다.

나는 내가 살아가야 할 터의 조건이 몇 가지 기준이 있다.

1.깊은 산속이 아닌 곳.
2.편백 숲이 있는 곳.

3.경사진 땅이 아닌 곳.
4.마을과 약간 떨어진 곳.
5.남향인 곳.
6.풍수지리학적으로 편안함을 주는 곳.
7.계곡 옆에 인접한 곳.
8.따뜻한 곳.
9.눈이 적게 오는 곳.
10.미세먼지가 적은 곳.
11.병원이 30분~40분 안의 거리에 있는 곳.

위 11한가지의 조건 중에 2가지를 제외하고 모두 충족하는 땅이었다. 나는 아내에게 물었다.

"여보 어때?"
"좋은데!
"나도 좋아"
"여기로 할까?"
"그래 하자!"

우린 부동산에 들러 땅주인을 만나 평당 14만원에 가계약을 하고, 군청에 들러 토지 이용 계획 확인원과 지적도 토지대장을 떼서 건축과에 들러 건축허가 가능여부를 체크 한 후 인천으로 올라왔다.

이곳은 나의 기관지 확장증 치료 관리를 위한 최적의 장소임에 틀림이 없었다. 나는 서재에 앉아 법정스님의 무소유정신에 부합하는 작은 컨테이너 하우스 계획 설계 도면을 그렸다.

아내와 나는 부동산 양수 계약 서류와 도면을 들고 다시 하동으로 향했다. 하동 편백 숲에 도착해서 산행을 하다가 작은집 하나가 보이길래 깜짝 놀라서 들어가 보고 싶었다.

아니, 이렇게 좋은 편백 숲에 집이 있다니 너무 부러웠다. 쥔장을 만나고자 발걸음을 옮기는데, 머리에 수건을 두르고 개밥을 주고 있는 주인장과 마주쳤다.

75세정도 되어 보이는 어르신에게 공손히 인사드리고, 여기에 사시냐고 했더니 자기 집이라고 하셨다.

"어르신 참 좋은데 사십니다."
"저는 몸이 좀 안 좋아서 쉴 곳을 찾아 전국을 떠돌다가 이곳 편백 숲까지 오게 되었습니다."
"잘 오셨습니다. 몸 어디가 안 좋습니까?“
"기관지 폐가 안 좋습니다."
"폐는 여기가 최고입니다. 잘 오셨습니다."
"집 좀 구경해도 됩니까?“
"네 들어가 보세요."

집에 들어가는 순간 아내가 편백 향이 진동을 한다고 놀랬다. 나는 선천적인지 후천적인지 모르지만 냄새를 못 맡는다. 지독한 똥냄새도 맡을 수 없다.

편백 향을 맡을 수가 없으니 그냥 가슴으로 느낄 뿐이다. 방안은 온통 편백나무로 마감이 되어 있었다. 벽, 천장, 심지어 방바닥까지
편백나무로 도배가 되어 있었다.

화장실도 편백나무로 되어 있었고, 방안의 침대며 옷장 등 모든 가구들이 편백나무로 만들어져 있었다.
니스나 다른 화학물질이 전혀 없는 생나무로 마감이 되어 있었고, 방바닥까지 편백 루바로 마감 되어 있다는 게 새로웠다.

집 구경을 마치고 밖으로 나와서 와. 울창한 편백나무 숲 안에 편백나무로 지은 집에 감탄사를 연발하며, 사장님한테 다가가 농담조로 사장님이 집 한 달만 빌려주시면 안 될까요? 했더니

"쓰세요." 하시는거다.
"어? 승낙하시는 거예요?"
"네."
"와. 정말 감사합니다."
"정말요?"
"방값은 얼마 드려야 됩니까?"
"그냥 쓰세요."
"네. 그냥 쓰라고요?"
"아이 그건 아니죠."
"이렇게 좋은 집을 그냥 쓰다니요!"
"괜찮아요. 그냥 써도 됩니다."

아니 이게 무슨 횡재인지 몰라서 일단 아내와 난 숲속의집에 짐을 풀고 장을 보고 와서 숲속 생활을 시작했다.

나중에 알고 보니 나에게 공짜로 쓰라고 했던 이유가, 처음에 나를 만났을 때, 그동안 여기 있으면서 편백 숲의 소중함을 알고 찾아온 사람이 내가 처음이라고 했다.

아버지 김용지(2018년에 돌아가심) 선생님께서 고향 하동에 편백나무를 심게 된 이유가 6.25전쟁 이후 벌거숭이가 된 고국의 산을 보고 이러면 안 되겠다 싶어 나무를 심으셨고, 아들 김동광(쥔장나이 70세) 형님께서 관리를 해 오셨다고 하셨다.

아내와 난 땅 등기이전을 마치고, 컨테이너 시공업체를 찾아 제작을 의뢰했는데, 차일피일 제작일자가 늦어지고 있었다.

2017년 9월안에 공사를 마무리 하려고 했으나 계획은 틀어졌고, 화가 난 나는 컨테이너 제작공장까지 찾아가 독촉하고 평면도에 개구부위치와 문 여는 방향과 개구부 크기까지 다시 체크해주고, 전기콘센트 위치까지 표시해 준 후 제작완료 일자를 못 박고 돌아왔다.

계절은 여름이 지나 가을로 접어들었다. 숲속 집은 난방시스템이 되어 있지 않아서 조금씩 추워졌고, 우리는 전기라지에타를 틀고 지냈다.

우리 땅 뒤에는 마을 이장 손 씨 가문의 선산이 있어서, 전통관례에 따라 조촐하게 제도 올렸다.

9월말까지 들어오기로 했던 컨테이너 하우스는 10월12일에서야 현장에 도착했다. 나는 분노를 삼키며 현장에 갔고, 수평을 잡아 컨테이너 하우스를 앉힌 뒤 안으로 들어가서 여기저기 체크를 하다가 기침이 나서 가래를 뱉는데 지병이 도져 피가 터지고 말았다.

"제기랄."

나는 약을 먹고 누워 있는데, 방이 너무 추웠다. 비가 와서 공사는 중지되고 설상가상으로 숲 속 집에 누전이 되어 전기도 차단이 되었다.

나는 완전히 비상사태가 발생했다.
피가 터진 상태에서 춥게 자면 최악의 상황까지 갈수 있는데 딱히 방법이 없었다.

아마도 스트레스에 추위까지 느끼고 있어서 병이 도진듯하다. 오늘 밤을 잘 넘겨야 한다.

역시나 다음날 아침에 일어났는데, 피가 대량으로 터졌다. 아내와 난 병원입원 준비를 해서 인천으로 향했다. 운전하고 가다가 인천까지 가는 게 무리다 싶어서 전에 입원했던 광주전남대 병원으로 방향을 틀었다.

응급실에 도착해서 계속 피를 토하고 색전 술로 응급조치를 한 후 입원 수속 밟고 병실에 도착해서야 위기를 넘겼다는 생각이 들었다.

아내에게 너무 미안했다. 내 삶은 왜 이렇게 고난의 연속일까? 나 같은 놈 만나서 고생하는 아내를 보면 그냥 죽고만 싶었다.

나는 또 한달 넘게 병원에 있어야 한다.
아내도 많이 힘들어 보이고, 회복은 더디고 신경은 예민해졌다.

하동에 공사는 잘 되고 있는지, 참 말도 안 되는 상황이 벌어지고 있었다. 입원3주차가 되었을 때 아내가 어깨도 아프고 많이 힘들다고 했다.

나는 아들에게 전화해서 간병요청을 했고 아들은 짐 싸들고 광주로 내려왔다. 아내는 하동에 가서 공사 진행 상황을 확인하며 휴식을 취했다.

터진 혈관이 원상회복 되려면 아직도 더 시간이 필요하다. 앞으로 10일 정도는 병원에 있어야 한다는 것을 경험상으로 알 수 있다.
다행이 공사는 마무리 단계여서 퇴원 후 입주는 가능 할 것 같았다.

앞 병상에 폐암말기 환자가 입실했다.
나는 폐암 말기 환자가 정말 부러웠다. 이제 삶을 마무리 할 수 있다는 것이 얼마나 좋을까! 긴 번뇌에서 벗어날 수 있다는 것이 얼마나 행복할까!

암환자들은 암 덩어리를 제거한 후, 5년을 잘 버티면 되는데 나는 평생 고생을 해야 하는 지병이라 지쳐버렸다.
가끔 죽고 싶어질 때가 많았는데, 돌아가신 형님과의 약속 때문에 다독여 보지만 나는 지쳐갔다.

퇴원 후 아들과 함께 하동으로 향했다.
집은 완공이 되어서 편하게 쉴 수 있어서 좋았고, 아내도 몸 상태가 좋아져서 평온함을 느꼈다.

이렇게 하동에 똬리를 튼 우리는 우여곡절 끝에 무언가를 해냈다는 만족감이 컸다. 무엇보다 아내와 함께 합의하에 이뤘다는 것이 무엇보다 만족스러웠다.

그러나 그 행복감은 오래가지 못했다
한 괴팍한 노인네 때문이었다. 이 노인네는 우리 아지트 바로 인근에서 농사를 짓는 인간이었는데, 한순간 원수가 되어 버렸다. 원래 성품이 괴팍한 놈으로 유명한 인간이었다.

외지에서 들어오는 사람들과 처음에는 잘 지내다가도 나중에는 왠수가 되어서 이사를 간다는 소문이 자자했다.

이장도 그 인간들에게 말조심하라고 충고를 해 줄 정도였다. 나는 개의치 않고 잘 대해 주었다. 무슨 문제가 있으면 그 인간하고 먼저 상의 할 정도로 바짝 엎드렸다.

하루는 나에게 전화를 해서 나와 보라는 것이다. 마을 어떤 사람이 하우스를 철거 한다고 해서 그 철거하는 하우스 대를 가져다가 쓰라고 했다.

그러면서 나한테 하우스 대를 펴야 하니 좀 잡아달라는 것이었다. 나는 열심히 도와줬고, 점심시간이 되어서 옥종 나가서 점심 먹고 오자고 했는데 이 인간은 일을 마무리해야 한다고 자기 집에 가서 연장을 가져와야 한다며 가버렸다.

나는 배가고파서 빨리 집에 가서 시리얼 한 그릇을 먹고 있는데, 전화가 왔다. 어디 갔냐고 묻길 래 배가고파서 간식 좀 먹으로 집에 왔다고 했더니 화를 내면서 빨리 오라고 지랄 지랄하는 것이었다.

나는 어이가 없어서 "알았다." 시리얼을 먹다말고 튀어 갔는데, 일하다 말고 혼자 밥 먹으러 갔냐고 궁시렁궁시렁 하길래 그냥 한귀로 듣고 한귀로 흘려버렸다.

그 사건 이후 이 인간은 나를 대하는 태도 완전히 180도 달라졌다. 말은 퉁명스러워졌고, 인사도 안 받고 하길래, 나도 더 이상 그 인간하고 상대 안 할려고 그림자 취급했다.

점점 우리 사이는 멀어졌고, 그 인간은 나에게는 또라이 취급당했다. 오며 가며 마주칠 때마다. 우리는 언쟁은 다반사였다.

이후부터 또라이는 나에게 직접적으로 피해를 주기 시작했다.
우리 땅 축대 돌을 몰래 몰래 빼서 무너트리질 않나, 진입로가 자기네 땅이라고 길을 막질 않나, 농수로를 막아서 물이 우리 밭으로 넘치게 하질 않나, 심지어는 우리 집 하수구에서 냄새난다고 민원을 넣질 않나, 우리 밭 진입로 공사를 면사무소에서 해주는데, 공사를 못하게 물리적 행사를 하지 않나 등등.

나는 온갖 스트레스에 시달렸고 저 또라이를 죽여 버리고 싶은 마음까지 들 정도로 시골생활의 피로감이 쌓여만 갔다. 정리하고 인천으로 올라가고 싶었지만, 아내는 반대하고 나는 인내해야만 했다.

그렇게 시골생활은 지겨웠지만 나의선택지는 없었고, 이장한테 이 문제를 공식적으로 개선해 주십사 부탁을 드렸지만 달라지는 건 없었다.

나는 그냥 오로지 산에 왔다 갔다 하고, 사무실에 왔다 갔다 하고, 과학 공부하고, 텃밭 가꾸며 하루하루를 채워 갔다. 무엇보다 과학 공부 하는 것이 재미가 있었다.

기관지확장증에 대한 집중적인 공부를 하기 시작했다. 내 몸속이 어떻게 생겨 먹었길래 허구한 날 알 수없이 피가 자꾸 나는지 궁금했다.

폐와 기관지 구조부터 공부했고, 어떤 상황에서 피가 났었는지 기록해 보았고, 하나하나 상황별로 원인분석을 해 보았다. 의사한테 물어봐도 답을 찾을 수가 없었다.

집에서 나오는 새집냄새 포름알데히드나 라돈이 함유된 공기를 마시면 피가 났고, 힘쓰는 일을 해도 피가 났고, 열성약재를 먹어도 피가 났고, 허리 굽혀 취나물이나 고사리를 장시간 뜯어도 피가 났고, 술 마셔도 피가 났고, 추위에 노출되어도 피가 났고, 매운 음식 먹어도 피가 났고, 컴퓨터 앞에 앉아서 며칠 설계를 해도 피가 났고, 텔레비전을 봐도 피가 났고, 컴퓨터로 영화한편 봐도 피가 났고, 스트레스 받으면 피가 났고, 어떨 땐 잠자다가도 일어나면 피가 났고, 글씨 쓰다가도 피가 났다.

이 모든 문제를 해결하기 위해서는 내 몸속 기관지와폐 사이의 벽속 혈관에 대해서 알아야 한다는 결론에 도달해서 공부를 하기 시작했다.

너 자신을 등불로 삼고
너 자신에게 의지 하라.

부처님의 말씀을 되새기며, 난 양자역학 공부에 매진했다. 듣도 보지도 못한 용어들이 나를 가로막았다. 참으로 힘겨운 싸움이었다. 누가 알려 주지도 않고 물어볼 사람도 없었다.

오로지 핸드폰으로만 공부했다.
양자역학의 정의부터 용어를 메모하면서 암기를 했고, 거시세계
미시세계의 개념정리부터 닐스보어 하이젠베르크, 슈뢰딩거, 아인슈타인 등 인물공부도 하고, 분자, 원자, 전자, 양성자, 중성자, 퀘크, 힉스, 불확정성의 원리 스핀, 보손 등, 참으로 알아들을 수 없는 용어들을 암기하며, 개념정리를 해 나가는 과정은 초등학생이 고등수학을 공부하는 느낌이었다.

이렇게 6개월을 공부하고 나니 좀 개념이 눈에 들어왔다. 나는 유튜브에 떠도는 양자역학에 대한 영상을 찾아서 공부하기 시작했다.
그런데 또 피가 났다.

2시간이나 걸리는 전남대병원에 가서 항생제를 처방받아 먹었는데, 피가 멈추질 않았다. 항생제 내성이 왔다. 나는 제약사들을 찾아서 전화를 걸어 항생제 공부를 하기 시작했다. 더이상 먹는 항생제는 없었다.

병원에 또 입원을 해야 하나! 피가 대량 출혈이 아니라 병원까지 갈 사안이 아니었는데, 병원에 입원 할 생각을 하니 미쳐버릴 것만 같았다

순간, 떠오르는 아이디어가 생각났다.
예전에 항생제에 대해서 공부하기 위해 인터넷검색을 한 적이 있었는데 그때 읽었던 글이 생각났다.

다른 계열의 항생제를 섞어먹으면 항생제 효과가 다섯 배로 늘어나서 웬만해서는 내성이 오질 않는다는 내용의 글이었다.

나는 전남대병원에서 처방받은 세페신과, 예전에 처방 받아 놓았던 크라비트를 섞어서 먹는 극약처방을 내렸다. 잘못하면 간과 콩팥 손상이 올수 있다는 부작용이 발생 할수 있었지만, 나는 무리수를 선택했고, 의사처방 없이 약을 섞어 먹었다.

그랬더니 이틀 만에 피가 멈췄다. 대성공이었다. 휴식을 취하면서 5일을 먹고 난 후 회복이 되었다.

하동생활도 참으로 힘겨운 삶이었다.
터는 좋으나, 사람들이 안 좋다는 이장의 말이 딱 맞았다. 나는 서서히 하동생활을 정리 하고 싶었다.

그러던 어느 날 2023년 2월 3일 아들한테 전화가 왔다. 누나가 자꾸 자해를 한다는 것이었다.

칼로 손목을 긋고 발목도 글어서 응급실 치료를 여러 번 했다고 했다.

우리가 걱정 할까봐 말 안하고 있었는데, 요즘 더 심해진다고 했다.

청천벽력 같은 말을 듣고 난 믿어지지가 않았다. 우리 딸은 몸도 마음도 건강하게 자란 아이였는데, 이게 무슨 일인지 믿기지가 않았다.

다음날 아내와 난 짐을 챙겨서 인천으로 올라갔다. 딸의 손목 발목을 보니 온통 칼자국이었다. 딸은 경계성성격장애를 앓고 있었다.

도대체 그동안 무슨 일이 있었던 거니!
이지경이 될 때까지 우리가 모르고 있었다는 게 개탄스러울 뿐이었다.

나는 딸과 함께 정신과 의사와 상담을 해봤다. 경계성성격장애가 무슨 병입니까? 물어보았다.
어려서부터 성장과정에서 올수 있는 성격장애라고 하였다. 성격적인 부분이라 완치가 어렵다고 했다.

어려서부터 시작된 병이라면 부모에게도 원인이 있었다는 것을 알 수 있었다. 나는 애들한테 정말 헌신적으로 대해 주었는데, 이해 할 수가 없었다.

아무튼, 우리에게 무슨 문제가 있었으니까 아이가 이렇게 된 것을 받아들이기로 했다. 그럼 어떻게 케어를 해야 하나 내가 어떻게 행동을 해야 하지!

성격적이니까 딸의 마음을 읽어가는 것이 중요 하다는 생각이 들었고,

딸이 행복해 하는 것을 이해하고 지지해주고 응원해 주어야겠다는 생각을 하게 되었다.

그리고 이 넓은 세상을 여행하면서 다른 사람들의 삶을 살피고 딸의 마음속에 새로운 무언가가 자리해서 나쁜 생각들이 비집고 들어가지 못하게 해야겠다는 생각을 했다.

내 딸을 위해서 내가 할 수 있는 모든 것을 해야겠다는 생각밖에 없다. 나도 무언가를 하고 싶었다.

무엇을 할까 고민하다가 예전부터 써보고 싶은 책이 있었는데, 그 작업을 해야겠다고 마음먹고, 글을 쓰기 시작했다. 너무 글재주가 없어서 머뭇머뭇 거리기를 수년째 미루다가 지금 해야겠다는 결정을 내렸다.

집에서 이것저것 자료준비 하면서 며칠을 보내는데, 감기가 왔다. 나 같은 기관지확장증 환자들은 계절이 바뀔 때 온도변화를 조심해야 하는데 감기를 앓고 말았다.

감기니까 약 먹고 쉬면 좋아지겠지 했지만, 감기는 폐렴으로 진행되었고, 결국 피가 나고 말았다. 남은 항생제가 몇 개 남지 않았는데, 남은 항생제로 치료가 되어야 하는데 좀 걱정이 되었다.

다행이 피는 멎었고 1주일정도 회복 후 정상 생활로 돌아왔다. 다음날 딸과 나는 우리 애완견 겨울이의 방광염치료를 위해 병원에 갔다 왔다.

딸은 외출했고, 나는 다음날 안성 건축사협회 정기총회 참석하기 위해 입고 갈 외출복을 준비 하고 있었다.
저녁을 먹고 아내랑 얘기하고 있는데.

저녁 7시 40분경 119로부터 긴급한 전화 한통이 걸려왔다.

"김다정씨 어머니 되시나요?"
"네 맞습니다."
"김다정씨가 양화대교에서 투신자살을 시도 했습니다."
"투신을요? 의식은요?"
"네 의식은 있습니다."
"발을 너무 많이 다쳐서 지금 이대 목동병원 응급실로 이송중이니까 빨리 오세요."

이게 무슨 날벼락인지 나한테도 이런 일이 벌어졌다는 게 믿어지지가 않았다. 우린 입원준비를 한 후 이대 목동병원으로 향했다.

응급실에서 마주한 딸의 얼굴을 보면서 살아 있다는 게 다행이라고 했다. 딸은 추워서 온몸을 떨고 있었고 오른쪽 발목은 틀어져 있었다. 투신하면서 교각 콘크리트바닥에 떨어져 오른발이 크게 다쳤다. 발뒤꿈치는 뼈가 산산조각이 났고, 이게 치료가 가능 할까 싶었다.

빨리 응급 수술을 해야 하는데, 이대 목동병원에는 지금 수술할 의사가 없다고 했다. 전원을 해야 한다고 했다. 딸의 발목을 대충 맞추고, 긴급 수술을 할 다른 병원을 찾아보았지만, 대부분 투신했다는 이유로 거부를 하고, 수술할 의사가 없다고 했다. 수도권에 있는 모든 대학병원에 연락을 취해 봤지만, 찾지를 못하고 있는데, 정형외교 의사가 와서 전원 할 대학병원은 힘들 것 같다며, 다른 병원한군데를 추천해 주었다.

새벽2시경 어렵게 광진구에 있는 병원으로 전원을 해서 수술을 할 수 있었고, 8개월이 지난 현재 정상 걸음은 아니지만, 조금씩 일도 할 수 있을 정도로 회복이 되었다.

나는 생각이 많아졌다.
내 지병도 악화되고 먹던 항생제도 단종이 되어 남아 있는 약이 다 떨어지면 이제 먹는 항생제는 없다. 지금은 이마져도 내성이 온 상태라 피가 조금만 나와도 병원에 입원을 해야 할 지경까지 왔다.

내 삶의 마지막 단계까지 와 있음을 직감했다. 나의 마지막 삶을 어떻게 마무리해야 할지 결정을 한 후, 나는 유언장을 썼다.

유 언 장

사랑하는 신영이 에게!
사랑하는 다정이 에게!
사랑하는 범진이 에게!

나는 느낀다.
내 삶의 끝이 어디쯤인지를,
그 끝이 언제인지는 정확히 알 수는 없지만,

그 끝이 내 시야에 들어 온 것은 분명하다. 내가 가지고 있는 모든 에너지를 쏟아 부어야 하는 시점에 와 있다. 이 또한 분명하다.

최대한 제한적으로 업무를 볼 것이고,
기관지확장증에 대한 대처를 그동안 쌓아온 축적된 정보와 경험을 총 동원해서 관리 해 나갈 것이다. 그래서 내 목표는 70살까지 사는 것이다.

그러나 예기치 못한 사고나, 지병악화에 대한 준비도 해야 한다는 생각에서 유언장을 쓴 것이니 꼭 참고 해주길 바란다.

내 건강을 위해서 그동안 모든 인간관계를 단절이라는 극약처방으로 스트레스에서 벗어나려고 노력했지만,

나는 다시 사람들과의 부딪힘으로 들어가야 한다.

나는 우리 가족을 위해서, 최선을 다해서 살아 낼 것이다.

그리고 국가에서 나에게 준 건축사로써의 소임을 다하고 자부심을 갖고, 명예롭게 삶을 마무리 하고 싶다.

내가 죽거든 절대로 장례의식은 치르지 마라, 그리고 그 누구에게도 나의 죽음을 알리지 마라. 부모 형제에게도 절대로 알리지 마라.

내 가족이 장례 치르느라 밤새우는 것이 싫고, 격식 차리는 거 난 무척 싫어한다. 조용히 아무도 모르게 우주 먼지로 돌아가리라.

김길성(푸루미아)이가 몇 년, 몇 월, 며칠, 몇 시에 사망 했다는 의사의 판단과 결정이 나오면, 그 사망 진단서를 가지고 장례 지도사를 찾아가 가장 저렴한 관을 준비하고, 내가 좋아 하는 하얀 내복 한 벌만 입혀서 가까운 화장터에서 승화시켜 주기 바란다.

승화절차가 모두 마무리 되면 나의 유골함을 집으로 옮겨서 3일만 슬퍼 해 주길 부탁한다. 그리고 겨울이 에게 나의 죽음을 알려서 함께 슬퍼해 주면 좋겠다.

나의 뼛가루는 유골함체 땅에 묻지 말고 내가 좋아 하는 편백나무(다감이)친구에게 뿌려서 내 삶을 마무리 했으면 좋겠고,

그 누구에게도 내가 묻힌 곳을 말해서도 안 된다.

이렇게 나와 모든 이별을 마쳤으면, 행정관청에 사망신고를 하고, 부모형제에게 나의 부고소식을 알려주면 좋겠다.

나의 유품들은 내가 쓴 책과 노트북, 외장하드만 남기고, 모두 정리해 주기를 바란다.

내가 보고 싶으면 다감이 한 테 가서
안부를 묻고, 내가 쉬었던 의자에 앉아서 잠시 머물다 가거라.

2023년 10월 13일
김길성(푸루미아)

21장. 샛별과 지구.

지구가 기후위기로 금성처럼 변해간다.

독자들의 메모장

당신의 의견을 적어 보세요.

21.샛별과 지구.

어릴 적부터 "샛별"이라는 이름을 참 많이 들어봤다. 시에도 많이 나오고 나도 편지를 쓸 때 아름답게 묘사도 해봤다. 매우 예쁘고 특별해 보이는 이름이다.

샛별은 새벽에 동쪽하늘에 매우 밝게 보이는 별이라는 뜻이고, 어느 분야에 새로 등장한 실력 있는 신인을 이르는 말이기도 하다.

그래서 어느 가수의 이름도 되고, 음악회 같은 공연을 할 때도 "샛별"이라는 이름을 자주 인용하기도 한다. 샛별은 우리 태양계에서 두 번째에 있는 금성이라는 행성이다.

금성을 보면 황토 빛 무늬가 예뻐 보이기도 하지만, 그 안으로 들어가면 어마 무시한 극한 상황이고 생명체는 절대로 존재 할 수 없는 환경이다.

금성의 기압은 지구의 90배이고, 표면온도는 영상 500도시이며, 시도 때도 없이 황산비가 내린다.

기압이 지구의 90배면, 바다 속 1,000미터 깊이에서 받는 압력이다. 이 정도의 압력에 인간이 노출되면 몸이 찌그러져 내장이 다 터진다. 이 정도의 극한상황만 가지고도 과히 지옥이라고 할 수 있을 텐데,

표면온도가 500도시라니, 무기물질들의 세계가 무서움을 넘어 경이롭기까지 하다. 게다가 사람의 몸을 다 녹여버리는 황산비가 쏟아진

다고 생각하니 이제는 우리가 상상해 왔던 지옥의 존재를 보는 듯하다.

샛별의 이 모든 환경의 주범은 이산화탄소다. 인간이 숨을 쉬고 내뱉는 이산화탄소, 금성 대기의 96%가 이산화탄소다.

과거 미국과 소련은 수차례에 걸쳐 금성에 탐사선을 보내 보았지만, 1시간을 버티지 못하고 파괴되고 말았다. 미국 나사는 지금 현재 또 다른 프로젝트를 준비하고 있다.

언젠가는 금성의 모든 실체는 밝혀지겠지만, 이 태양계의 행성 중에 지구와 가장 가까운 행성인 금성이 지옥의 불구덩이 환경이라는 것이 나의 심기를 불편하게 한다.

그렇다면, 미래 지구의 모습은 어떤 모습일까? 무기물질들의 화학반응으로 우주의 태동과 성장 그리고 소멸의 과정의 연속인 무주공간의 생태계로 볼 때, 이 지구도 언젠가는 저 금성처럼 극한 상황을 걸쳐 소멸의 단계에 접어들 것으로 예측 할 수 있다.

우리 인류는 지구와 같은 독특한 행성을 찾기 위해 무단히 애를 쓴다. 이 아름다운 지구와 같은 행성을 찾기 위해 수십 년에 걸쳐 망원경으로 우주를 샅샅이 찾아보았지만, 아직 반가운 소식은 없다.

이 아름다운 지구가 언제 금성처럼 될까?

WMO(세계기상기구)는 2022년 이산화탄소 농도가 전년보다
2.2ppm 증가한 417.9ppm을 기록했다고 밝혔다.

이산화탄소는 온실가스중 기후 온난화 유발효과의 64%를 차지한다.

이어 16%를 차지하는 메탄농도는 지난해 16ppb 증가한 1923ppb. 7% 비중인 아산화질소 농도는 전년보다 1.4ppb 늘어난 335.8ppb 였다. 오존층을 파괴하는 아산화질소의 연간농도 증가폭 1.4ppb는 관측이 시작 된 이래 가장 높은 수치다.

이런 속도로 이산화탄소 농도가 늘어난다면 곧 450ppm도 넘을 수 있고, 그렇게 되면 지구온도도 섭씨 2도 높아져 생태계에 심각한 타격이 올수 있다고 과학자들은 전망 하고 있다.

페테리 탈라스 WMO 사무총장은 "과학계가 수십 년간 경고하고, 수십 건의 국제 기후회의가 열렸는데도 불구하고 우리는 여전히 잘못 된 방향으로 가고 있다"며 지금 수준이면 이번 세기 말까지 파리협정 목표를 훨씬 넘어서는 기후상승이 예상 된다고" 밝혔다.

이어 "이산화탄소를 제거 할 마법의 지팡이는 없으며, 속히 화석연료 소비를 줄여야 한다고" 경고 했다.

WMO의 이러한 경고에도 불구하고 우리 호모사피엔스는 대안이 없다. 당장 인간의 삶을 영위하기 위해서는 화석연료 사용은 불가피한 현실이고 이를 대체 할 만 한 에너지가 없기 때문에 기술개발이 있을 때까지는 피할 수 없는 현실이 된다.

우리 인류는 앞으로 30년 후면 지구환경 변화에 직면하게 된다.
온난화라는 환경은 80억 명이 살아갈 수 있는 식량문제를 야기 할 것이며, 홍수와 가뭄 지진 화산폭발과 같은 환경에 적응해야 하는 혹한기를 맞이할 것이다.

중요한 것은 이러한 환경변화가 앞으로는 매우 빠르게 변해 갈 것이기에 인간의 대처능력은 한계에 봉착 하고, 극한에 노출되는 호모사피엔스는 종족번식이 멈출 수도 있다.

우리 인류에게 가장 우려스러운 상황은 지구대기와 표면온도의 상승은 맨틀대류의 활성화를 부추겨 조산운동에 의한 지각 판이 요동치는 대규모 지진일 것이다.

6,600만 년 전 공룡이 지구상에서 사라진 대사건은 우리 인간에게도 시사하는 바가 크다. 공룡멸종의 원인으로 과학계에서는 소행성 충돌로 인한 기후변화를 꼽지만,

소행성 충돌로 인한 지구지각에 엄청난 변형이 와서 화산폭발이 동시다발적으로 일어나 지구환경이 급격하게 변화한 나머지 식물이 죽고 초식동물들이 살수 없는 환경에서 멸종 했으며, 이어 최상위 포식자 공룡도 사라진 것으로 추측 할 수 있다.

작금의 환경위기는 과거의 공룡멸종의 원인과는 다르지만, 식물의 생태계에 영향을 준다는 측면에서 인간의 식량문제는 피할 수 없는 현실임에는 틀림이 없다는 것이다.

인간의 멸종은 아니더라도 최소한 과거의 자연환경과는 다른 형태의 지구환경에서 살아가야 하는 인류의 문명은 큰 위기로 접어들었다는 것은 분명해 보인다.

호모사피엔스로 진화한 인간은 자신들의 편리함과 삶을 위해서 진보하는 만큼, 지구는 환경오염이 되고 그로인한 지구의 생태리듬이

어떠한 형태로 인류를 공격 할지 우리는 예측 할 수 있지만, 앞서 멸종한 공룡과는 달리 호모사피엔스는 눈부신 과학의 발달로 멸종은 피할 수 있을 것이다.

지구 환경 변화에 대한 인간의 대응은 속수무책이 될 것이지만, 결론적으로 인류는 지구 어딘가에 땅속에서 생존을 위한 처절한 삶을 살수밖에 없고, 일부는 지구를 탈출해서 다른 행성으로의 이주가 마지막 선택지가 될 수 있다는 추측도 해 본다.

지난 46억년의 지구 역사 동안 5번의 대멸종 사건이 발생 하였지만, 이는 호모사피엔스와는 관계없는 멸종 사건 이였고 현재 진행중인 지구 기후위기는 6번째 대멸종의 징후이며 그 대상은 호모사피엔스를 포함하고 있는 것이다.

호모사피엔스의 역량으로 극복 해 내야만 하는 이 위기는 그 동안 5번의 대멸종 사건과 다른, 지구가 경험 해 보지 못했던 위기라는 측면에서 그 대응이 쉽지 않기에 우리 자연에서 일어나는 모든 물질들의 화학반응과 현상에 대해서 이해하고 학습하는 자세가 급선무라고 할 것이다.

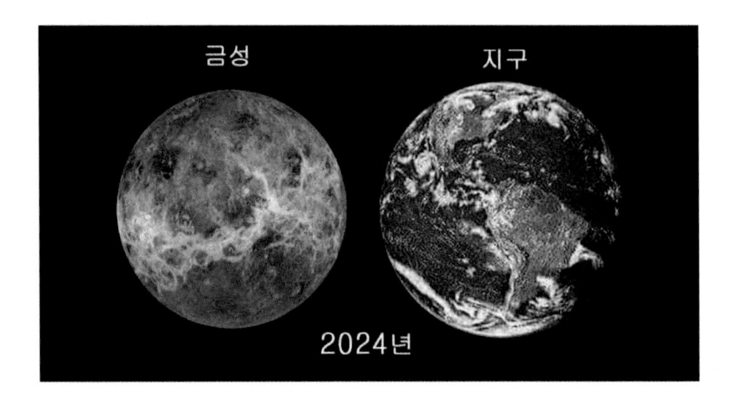

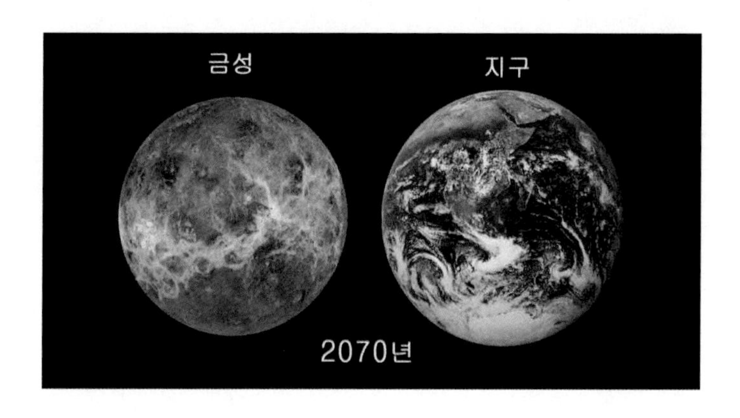

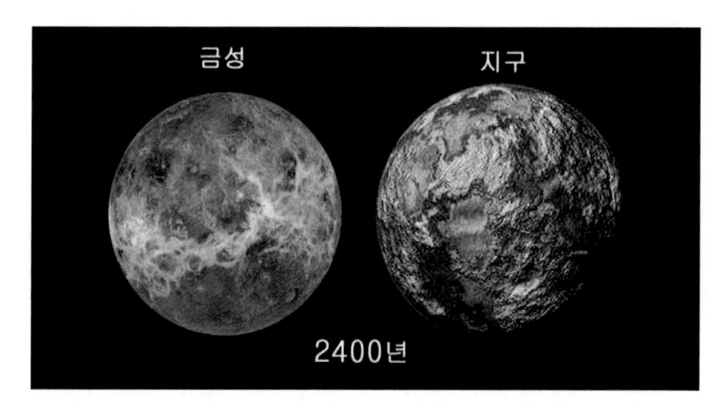

금성을 지옥으로 만든 주범은 이산화탄소,
지구에도 이산화탄소가 증가 하고 있다.

22장. 지구온난화에 대한 인류의 대처.

호모사피엔스여! 발등에 불 떨어졌다.

독자들의 메모장

당신의 의견을 적어 보세요.

22.지구온난화에 대한 인류의 대처.

지금 우리 인류는 가장 위험한 시기로 접어들었다. 인류의 진화는 환경파괴라는 반대급부를 낳았고, 인간의 편리함을 추구 할수록 지구의 환경오염은 기하급수적으로 확산 되고 있음을 인지하고 있다.

46억년의 긴 지구의 역사 중에 겨우 400만 년 전에 등장한 인류로 인하여 지구는 병들고, 그 안에서 최상위 포식자가 된 호모사피엔스는 어떤 아종으로 진화 할지는 모르겠지만, 위기에 직면 해 있다는 것은 자명한 사실이다.

지구환경파괴의 주범은 이산화탄소다. 19세기 중엽부터 본격적으로 채굴된 석유는 많은 탄소를 함유하고 있으며 산소에 노출되면 이산화탄소로 산화되어 지구대기에 축적된다.

인류생존에 필요한 에너지와 인간생활에 사용되는 대부분의 물건들은 석유에서 축출해 만들어지고, 근현대 200년 동안 화석연료들은 인류의 주된 에너지원으로 쓰이고 있다.

수많은 과학자들의 경고에도 불구하고 우리 인류는 이를 멈출 수가 없는 상태에 도달해 있으며, 80억 명의 인간은 화석연료로 살아가고 있고, 매년 25억 톤의 쓰레기를 생산하고 있다.

그동안 지구는 탄생이후 지구상의 동식물들은 5번의 대멸종 사건으로 지구 생태계는 대 변혁기를 경험 했다.

제1차 대멸종사건은 4억8,000만 년 전 오르도스기말 지구빙하기로 인한 대멸종이다. 대기 중에 이산화탄소가 급감하여 온실효과가 사라지면서 온 세상이 꽁꽁 얼어버리고 지구상에 60%~70%종이 멸종했다.

지금은 이산화탄소가 너무 많아서 환경위기가 왔는데, 아이러니 하게도 오르도스기에는 이산화탄소가 부족해서 대멸종 사건이 발생했다는 것이 나는 불편하다.

제2차 데본기멸종 사건은 3억7,000만 년 전, 어류시대로 불릴 만큼 해양생명체가 풍부했던 데본기 후기에 발생 했다.

오르도스기 대멸종 사건이 발생 한 후 1억1,000만 년 후에 또다시 빙하기로 접어든 지구는 생명체의 75%가 멸종 했다. 빙하기가 왔다는 것은 대기의 이산화탄소 농도가 현저히 부족하여 대기 온실효과가 없어서 발생한 것이기에 현재 우리 인류에게 시사하는 바가 크다.

제3차 대멸종사건은 2억9,000만 년 전 페름기에 시베리아 트랩에서 발생한 화산폭발로 인한 대멸종사건이다. 그 당시 지구 대륙은 판게아라는 하나의 지각 판이 형성 되어 있었는데, 지구맨틀이 지각 판에 갇혀 맨틀대류가 이루어지지 못하고 지구 내부는 뜨거워지기 시작했다.

결국 지금의 러시아 중앙부에 위치한 시베리아 트랩에서 대규모 화산 폭발이 일어나 지구 대륙의 절반을 화산재가 덮어버렸다. 이때 화산재의 양은 지구대륙 전체를 7미터 높이로 덮을 수 있는 엄청난 양이었다. 지구생명체의 96%가 멸종하였다.

이러한 화산폭발은 7,000년 동안 이어지면서 지구 생태계는 완전히 reset 되었다.

제4차 트라이아이스기 대멸종사건은 2억1,000만 년 전 중생대초 트라이아이스 말기에 페름기 대멸종과 같은 대규모 화산폭발로 발생했다.

트라이아이스기 대멸종은 여러 곳에서 동시 다발적으로 발생하였고, 초 대륙이라는 판게아 대륙이 갈기갈기 쪼개지는 전 지구적 재앙이었다. 이로 인해 80%의 생명종이 멸종 하였다.

제5차 백악기 대멸종 사건은 공룡시대였던 쥐라기 백악기를 지나 백악기 말인 6,600만 년 전에 지름 10km 크기의 소행성이 지금의 멕시코 유카탄 반도에 충돌 하면서 제5차 대멸종 사건이 발생 하였다.

운석 충돌로 인한 화산폭발로 파편과 먼지들이 지구 대기를 뒤덮었고 태양빛이 차단되고 기온이 급격히 낮아짐에 따라 많은 식물들이 죽었다. 이후 먹잇감이 부족해진 초식동물들이 모두 굶어죽고 연쇄적으로 육식공룡들 또한 죽음을 맞이하면서 생물종의 76%가 멸종 하였다.

이렇게 지구는
1차 빙하기
2차 빙하기
3차 화산폭발
4차 화산폭발
5차 소행성 충돌 및 화산폭발

5차례의 대 변혁기를 경험하고도 지구는 아직까지는 푸른 행성으로 우리 인류의 안식처가 되어 주고 있다. 하지만 앞으로의 미래는 우리 인류에게 6차 대멸종이라는 또 다른 시련기가 도래 할 것이 확실시 되고 있다.

지구 대기권에 이산화탄소가 부족하면 온실효과가 사라져 빙하기가 오고, 반대로 이산화탄소가 너무 많으면 온실효과로 인하여 환경파괴가 발생하는 지구의 생태계는 지난 5번에 걸친 대멸종사건과는 다른 형태의 위기라는 측면에서 인류의 대처가 쉽지 않아 보인다.

무엇을 어떻게 대처해야 할까?
답을 알고 있으면서도 대처 하지 못하는 호모사피엔스는 그 자정능력을 상실 했다고 본다.

기후위기는 이미 시작되었고, 화석연료를 사용 할 수밖에 없는 구조적 한계 때문에 탄소를 줄여 나가는 인간의 활동은 극히 제한적일 수밖에 없다.

그렇다면 인류종말의 가상 시나리오는 어떻게 될까?
현시점에서 인류종말의 가상시나리오를 예측 해 봄으로써 우리가 취할 수 있는 대응책을 모색해 볼 수 있을 것 같다.

1차적으로는 기온상승으로 인한 폭염, 가뭄, 산불, 홍수, 폭설 등 기상이변이 발생 할 수 있고, 이는 현재 진행되고 있는 상황이다. 2차적으로는 기상이변으로 인한 식물 생태계 변화로 세계적인 식량위기가 오고 있다.

3차적으로 오존층이 파괴되어 태양풍으로부터 날아오는 자외선과 방사선이 유입되고 동물에게 암을 유발시키며, 농작물의 수확량을 감소시키고 해양 생태계를 교란시켜 식량난을 가중 시킬 것이다.

4차적으로는 북극과 남극의 빙하가 녹아 해수면이 60m가 상승하게 되어 세계지도가 바뀌게 될 것이며, 농경지가 사라지고 10억 명의 난민이 대이동을 해야 한다.

이렇듯 지구대기의 온도 상승이 30년 정도 지속되면 지구 맨틀대류(플룸)로 인한 지각 판의 뒤틀림으로 대규모 지진과 화산폭발의 일어나 인류에게 큰 치명상을 줄 수 있다.

이러한 조산운동은 지구 내부에 있는 탄소들이 대기로 분출되면서 온난화는 더욱 심해져 농사를 지을 수 없는 환경 속에서 결국 인간의 80%는 식량난과 질병, 대기오염으로 서서히 멸종단계로 접어들 것이다.

결론적으로 우리 인간에게 닥친 제6차대멸종 사건은 이산화탄소의 과잉으로 대기 온도가 상승하여, 폭염, 폭설, 홍수, 역대 급 태풍, 식량위기, 해수면 상승, 이는 지구맨틀 대류의 활성화로 이어져 대규모 조산운동으로 인한 지진과 화산폭발이 수반되는 시나리오를 예측해 볼 수 있다.

2024년 현재부터는 지구환경은 급속도로 진행 될 것이기에 인류는 최대한 시간을 벌고, 과학의 기술을 통해 문제를 해결 할 수 있는 방법을 찾아야 할 것이다.

이러한 다급한 현실 속에서 각 국가가 공동의 노력조차 하지 않고 또 다른 행성을 찾는 것에 시간을 낭비 한다면 2070년에서 2100년쯤, 인류는 대혼란에 빠지고 멸종의 위험에 노출 될 수밖에 없을 것이며, 제6차 지구 대멸종 사건은 현실화 된다. 지구가 금성의 전철을 밟지 않기 위해서는 지금 인류가 할 수 있는 것부터 찾아서 지금 즉시 행동해야 한다.

미국을 비롯한 선진국은 우주 개척에 들어가는 비용을 지구 살리기에 투자를 해야 한다. 지구의 대재앙 앞에 우주개척은 우선순위가 될 수 없다. 환경문제에 있어서 미온적인 태도를 취하고 있는 미국은 서방 선진국들을 설득해서 지구대재앙을 막아야 할 1차적인 책임이 있다.

각 국가는 화석에너지를 대체 할 친환경 에너지 사업으로 태양광발전 사업을 촉진해야 하며, 나노기술로 태양광 집열판의 크기를 줄이고 효율을 높일 수 있도록 기술력 확보에 총력을 다 해야 한다.

수소에너지 사업은 현재 화석연료에 의지하기 때문에 적지만 탄소발생은 불가피하며 화석연료가 다 소진되면 궁극적으로 물을 전기분해 해서 수소를 얻을 수밖에 없는 구조적 한계로 화석연료를 소진 하듯 한정된 물의 자원도 소모 될 수밖에 없다.

물을 전기분해 해서 수소를 포집하는 과정에서 포집되지 못한 소량의 수소는 대기 중에 있는 산소와 재결합해서 물로 환원이 되지 못하고 대기 중으로 날아가 우주 밖으로 빠져 나간다. 전기분해 된 일부 수소와 산소가 재결합을 하려면 에너지와 압력이 필요하기 때문인데 자연적인 대기상태에서는 에너지와 압력이 발생 하지 않기 때문에 물로 환원이 안 된다는 것이다.

이 우주에 있는 모든 물질들은 결합과 분해를 하는 과정에서는 각기 일정부분의 에너지와 압력이 필요로 한다. 현재 지구 대기권의 자연 상태에서는 물이 자연적으로 수소와 산소가 분해되지 못 하고, 전기 에너지와 압력이 가해져서 분해가 이루어지듯이 수소와 산소가 결합 할 때도 자연 상태에서는 어렵고 태초 우주에서 물질들이 결합 할 때처럼 주변 환경에서 에너지와 압력이 형성 될 때에 결합도 가능해진다. 이 처럼 한번 분해된 물은 자연 상태에서는 수소와 산소가 재결합을 할 수 없기 때문에 물을 지속적으로 소모하는 구조가 된다는 것이다. 그래서 수소에너지 사업은 물을 소모하게 되는 결과를 초래 한다는 뜻이다.

또한 물을 전기분해 한 후 물로 환원 하지 못한 잉여산소로 인해서 대기권의 산소 포화도는 증가 하게 되고 이는 폐호흡을 하는 생명체에게는 체내 활성산소 증가로 건강에 악영향을 줄 수 있다.

결국 우리 인간에게는 지구 생태계를 최적의 상태로 유지하기 위해서는 태양열을 이용한 지속 가능한 에너지 확보 기술이 궁극적인 목표가 되어야 한다. 인류가 지구라는 행성에서 에너지를 얻기 위한 모든 기술 행위는 자원의 낭비를 수반 할 수밖에 없는 구조적인 한계가 있다.

각 국가는 농사목적이나 수익을 내기 위한 산림 벌목을 더 이상 하지 말고 추가적으로 나무를 꾸준히 심어야 한다. 위와 같은 사업들을 추진하려면 막대한 자금이 들어가는 만큼, 각 국가는 군비경쟁을 멈추고, 그 돈으로 지구를 살리는데 써야 인류위기를 극복 할 수 있을 것이다.

어느 특정국가나 몇몇 국가만의 노력으로는 절대로 극복 할 수 없는 전 지구적 문제이기 때문에, 국가별 GDP소득수준과 탄소배출량에 따라 예산을 편성해서 각 국가가 가지고 있는 기술력을 총 동원시켜 대재앙을 꼭 막았으면 하는 기대를 해본다.

현재 인간의 기술력으로 취 할 수 있는 방법은 대기 중에 있는 이산화탄소를 포집기로 포집을 해서 지하 깊숙한 곳에 영구적으로 묻는 방법이 최상인데 막대한 자금이 들어가고 대한민국의 경우 국토가 협소하여 지하 1,000m 깊이에 묻을 만한 장소가 없다는 것이 문제다. 결국 우리의 선택지는 획기적인 포집기술을 개발해서 포집한 이산화탄소를 에너지로 사용 할 수 있는 방법을 찾는 것이 가장 이상적인 대안이 될 것으로 보인다.

문제는 시간이다. 대기 중 이산화탄소는 증가하는 속도보다 인간의 기술 개발이 더디고 국가별 참여의지도 부족 한 것이 가장 큰 문제라고 할 것이다.

이를 극복 해 낼 수 없다면 인간은 공룡과 같이 다른 동물들과 다를 바 없으며, 공룡의 전철을 밟을 수도 있다는 위기감을 갖고 이 위기를 지혜롭게 돌파해야 한다. 이 지구상에서 400만년을 살아 온 호모사피엔스는 기후위기라는 중대한 현실 앞에 서 있으며 시간이 많지 않다는 현실을 직시 하고 좀 더 체계적인 메뉴얼을 마련해야 한다.

23장. 호모사피엔스의 진화.

가장 지혜로운 호모사피엔스로 진화를 하고 있는
대한민국 국민들

독자들의 메모장

당신의 의견을 적어 보세요.

23.호모사피엔스의 진화.

400만 년 전에 등장한 인류의 시조격인 오스트랄로피테쿠스가 기적 같은 진화에 진화를 거치면서 지금의 호모사피엔스(지혜로운 사람)로 살아가고 있다. 세계 전체인구가 80억 명에 달 할 정도로 종족 번식에 성공 하였으며, 눈부신 문명의 발전과 문화적 성숙을 이루고 있다.

80억 명의 모습은 각기 다른 모습을 하고 있으며, 그 성격도 매우 복잡한 형태로 지적생명체로써 다양성을 유지하며 역동적인 삶들을 만들어 나가고 있다. 하지만 그 이면에는 정신적인 진화에 실패하고 병들어 가는 호모사피엔스들도 등장하고 있는 추세다. 그들은 삶에 대한 희망보다는 다 함께 폭망 하자는 괴물로 진화하고 있으며 우리 주변에서 흔히 찾아 볼 수 있는 보편적인 성향의 평범한 사람들이기도 하다.

지난 수세기 동안 인류는 물질문명의 진보를 향한 도전에 함몰 되어 있었고 상대적으로 정신문명은 퇴보하는 길을 선택하였으며 추악해 지는 인간들이 점점 많아지는 현대 사회에서 매우 불안한 하루하루를 살아가고 있다.

저녁에 해만 떨어지면 사람들은 밖에 돌아다니는 것이 무서울 지경이며 언제 어디서 나를 공격하는 사람들이 나타날지 하는 두려운 경계심은 사람의 마음을 매우 불편하게 한다. 특히 치안이 부족한 국가에서 살아가는 사람들 중에 여성들은 그 피로감이 극에 달해 있다.

필자는 작년에 이스라엘의 역사학자 유발 하라리가 지은 호모사피엔스라는 책을 읽어 본적이 있다. 하라리는 책에서 인간이 환경파괴로 스스로 멸망의 길을 가게 된다면 인공지능의 혁명으로 호모사피엔스가 새로운 아종(사이보그인간)에 밀려 수세기 안에 사라질 것으로 예측한바 있다. 물론 하라리의 위 주장은 환경을 파괴하고 있는 인류에게 일침을 가하는 목적으로 호모사피엔스의 한계를 지적하고자 하는 것으로 이해를 했다.

필자역시 유발 하라리의 주장에 100% 동의하는 것은 아니지만 지구 환경이 호모사피엔스가 살아 갈수 없는 조건이 된다면 인류는 처절한 무한 생존의 늪에 빠진다는 것은 확실 해 보인다는 것에 동의 한다. 인간의 빈자리를 죽지 않는 사이보그 인간이 탄생해서 인류를 대체 할 수도 있다고 주장 하지만 이것은 우리 인류가 원하는 방향은 아니다.

고대 메소포타미아의 영웅 "길가메시"는 영원히 죽음을 없애버리려는 시도를 하였고 당시 대중의 인기를 한 몸에 받은 인물이다. 지적생명체인 인간이 보았을 때 평균수명이 40살 정도 밖에 되지 않았던 것에 상당한 고뇌가 있었던 "길가메시"는 죽지 않고 영원히 살 수 있는 방법을 찾기 위해 연구를 많이 하였다. 요즘으로 말하면 생명공학 전문가라고 할 수도 있다.

필자는 여기서 유발 하라리 라는 인물에 주목한다. 하라리가 쓴 호모사피엔스라는 책의 맥락을 보면 인류에게 긍정적인 메시지를 보내는 것이 아니라 부정적인 결과로 이어지는 호모사피엔스의 한계를 지적하면서 "너희들은 어쩔수가 없어"라는 메시지를 읽을 수가 있다.

기후위기에 효과적으로 대응 하지 못하는 호모사피엔스를 보면서 위기감을 느끼고 있을 것이고 하라리가 태어난 이스라엘의 상황은 지난 2,000년 동안 전쟁의 소용돌이에서 헤어나질 못하고 있는 실정이어서 인간들의 싸움에 치를 떨고 있을 것으로 생각 한다. 그만큼 하라리의 머릿속에는 호모사피엔스의 삶들이 고달픈 역사의 연속이라는 번뇌가 있을 것이다.

나 역시 하라리 처럼 우리 인류 문명에게 좋은 점수를 줄 수가 없는 것도 사실이다. 인류가 진화해 가는 과정에 심각한 오류가 발생하여 지속 가능하지 못한 방향으로 가고 있음을 깨달았기 때문이다.

지난 몇 십년간 인류는 전쟁으로부터 좀 더 자유로워졌으며 과거에 비해 가장 평화로운 시대를 살고 있다. 코로나를 격어 오면서 전염병에 대한 대응 능력도 한층 높아지고 인간의 능력이 최상위 포식자다운 면모를 보이고 있는 것도 사실이다.

이처럼 인류는 자신들의 능력을 극대화 시키는데 필요한 모든 지구적 요소들을 희생시켰으나 기후위기라는 암초를 만나서 그 해결책을 찾지 못한 채 미래에 대한 두려움에 떨고 있다.

우주적 현상에 대한 인간의 대응은 한없이 부족함에도 오만했던 호모사피엔스는 이 평화가 지속 가능 할 것처럼 행동하며 오늘을 살아간다. 유발 하라리는 이러한 인간의 오만함을 지적하며 호모사피엔스의 대멸종을 주장 하고 있다.

하지만 내가 보는 호모사피엔스는 매우 긍정적으로 보고 있다. 인류는 기후위기에 대한 해결책은 알고 있으나, 세계적으로 다 함께 행동을 할 수 있는 방법론적인 접근을 찾지 못하고 있을 뿐이라는 것이다. 현재 그 대안으로 대기 중에 있는 이산화탄소를 포집해서 지하 깊숙이 매장하는 방법이 지금으로서는 최선의 방법이지만, 과학의 발전으로 더 효과적인 방법을 찾을 수 있을 것으로 생각 한다. 여러 대안들을 찾아 상용화에 성공 할 수 있다는 긍정적인 이야기들을 듣고 있다.

쉼 없이 달려온 호모사피엔스는 철기시대를 거치면서 생존에 필요한 도구들이 무엇인지 잘 알고 있다. 그러나 서두에서도 언급 했지만 인간의 물질문명에 비해 퇴보한 정신문명을 발전시키기 위해서는 생존에 필요한 것이 도구 뿐 만 아니라 국가별 연대도 필요하다는 것에 이의를 달 사람은 없을 것이다.

여기서 연대란 높은 인류애와 시민의식이 있어야 가능하기에 상대적으로 높은 인류애와 시민의식을 겸비한 국가의 등장은 위기에 직면한 호모사피엔스들에게는 하나의 구심점이 될 것이다.

이러한 측면에서 관심 있게 봐야 할 국가가 있는데 바로 대한민국이라고 생각 한다. 지구에서 살아가는 생명체 중에 호모사피엔스라는 지적 생명체에 가장 부합하게 진화에 성공한 종족을 찾아보라 하면 나는 단연 대한민국 국민이라고 말 할 수 있다.

그동안 2,000년 동안 세계를 리드 해온 집단이 서양 문명이었다면 앞으로 세계를 리드 할 집단은 물질문명과 정신문명이 골고루 발달된 동양문명이 되어야 한다는 생각을 하고 있다.

그 중심에 "대한민국"이 있다는 것에 나는 자부심을 갖는다. 대한민국이라는 나라는 단일민족이다 세계에서 유례를 찾아 볼 수 없는 나라이고 짧은 기간 동안 눈부신 경제발전을 이룩하였으며, 성숙된 시민의식을 지닌 진정한 호모사피엔스로 진화 해 왔다고 생각 한다.

세계는 지금 대한민국이라는 나라에 대해서 새롭게 관찰 하고 있다. 높은 교육열과 근면 성실한 국민성, 빠른 것을 추구하는 기질까지 빠른 정보처리가 요구 되는 21세기 트랜드에 가장 부합하는 민족으로써 "정"과 "효"를 중시하는 문화가 세계를 감동시키고 있다.

많은 서양 선진국 사람들이 한국을 방문한 후 이구동성으로 하는 얘기가 있다. 그것은 높은 시민의식과 치안이 좋고 남을 배려하는 정이 넘치는 국민성에 감동 하는 것이다. 이는 하루아침에 이룰 수 있는 것이 아니며, 5,000년 역사 속에서 켜켜이 쌓여진 진정한 호모사피엔스의 생물학적 진화라 할 수 있다.

어느 나라든 그 나라를 대표하는 신화가 있다. 우리 대한민국의 뿌리는 고조선의 단군 신화가 있다. 단군은 나라를 다스림에 있어 널리 인간을 이롭게 하는 "홍익이념"을 핵심으로 하는 건국이념을 따랐다. 이 홍익이념은 반만년의 역사를 관통해 현재까지 우리민족의 뼈 속에 자리 잡고 있다.

세계 어느 나라도 흉내 낼 수 없는 대한민국 국민들의 높은 시민의식은 홍익이념을 바탕으로 고려시대에는 불교를 중심으로 성장 하였고, 조선시대에는 "효"를 중시하는 유교사상으로 어른을 공경하는 이타심을 배워왔다.

이처럼 대한민국의 국민들은 물질문명의 진보를 이루기전에 이미 정신문명의 진보를 이루었으며 지금은 물질문명의 진보까지 이루고 있는 진정한 선진국가라고 할 수 있다.

작금에 선진국이라고 하는 미국을 한번 보자. 역사가 300년 밖에 되지 않는다. 아메리카 대륙에서 살고 있었던 인디언 족 1억 명을 살상하고 건국한 나라가 미국이다. 300년 밖에 되지 않은 미국은 그동안 260여 차례나 되는 크고 작은 전쟁에 참여 했다.

260여 차례 전쟁을 참전하면서 미국은 단 한 번도 본토를 공격 받은 적이 없다. 그럼에도 미국은 매년 한 번꼴로 전쟁을 한 나라다. 세계 경찰국이라고 자평을 하면서 분쟁지역에 개입을 하였고, 정치적으로 경제적으로 막대한 이득을 취해왔다. 결국 미국은 지구상에서 초강대국으로 성장 했으며 누구도 넘보지 못하는 군사대국이 되었다.

이러한 미국이 지구 기후위기 앞에서는 미온적인 태도를 취하고 있다. 매우 안타까운 현실이다. 미국을 중심으로 하는 서양 선진국들은 이 기후위기 앞에 자유로울 수 없다. 산업혁명 이후 주요 선진국들은 지구 환경을 담보로 막대한 부를 축적 해 왔다. 지구 기후위기 앞에 주요 선진국들은 발 벗고 나서도 부족한 실정인데 뒷짐만 지고 있는 것은 선진국의 태도가 아니다. 과연 미국이라는 나라가 선진국이라고 할 수 있을까? 유럽의 선진국이라고 하는 나라들이 진정한 전진국이라고 할 수 있을까?

지구상에서 기적같이 등장한 호모사피엔스가 기적처럼 진화에 성공하였던 것은 수많은 엔트로피의 결과물이며 이들은 또 한 번 진화의 문턱에서 위기를 맞고 있다. 멸종이냐 생존이냐 갈림길에서 호모사피엔스는 축적된 지식과 지혜로 이 위기를 무사히 넘길 수 있을지 귀추가 주목 된다. 호모사피엔스의 진정한 진화가 유발 하라리가 예견한 물질문명(AI)의 진화가 아닌, 정신문명(의식)의 진화로 이어지길 기대 해 본다.

때는 바야흐로, 서양을 중심으로 발전 해 왔던 세계문명은 동양의 철학과 시민의식을 바탕으로 물질문명이 진보하는 새로운 시대정신이 움트고 있다.

그 중심에 대한민국이 있다.

5,000년의 역사를 자랑하는 대한민국은 925번의 외침을 받았음에도 단 한 번도 먼저 이웃 국을 침략하지 않았으며 홍익이념과 불교사상, 그리고 유교사상으로 성장해온 국민들의 시민의식은 과히 세계를 놀라게 하고 있다.

평균아이큐 105로 세계에서 가장 똑똑한 한국민들, 대학교 졸업자가 70%가 넘는 높은 교육열, 근면 성실한 국민성, 치안도 세계 최고 수준이며, 빠른 것을 좋아 하는 기질, IT강국, 남의 것을 탐하지 않는 높은 시민의식, 세계 6위의 군사대국, 한마디로 세계 어느 나라를 찾아보아도 대한민국을 따라 올 나라 없다.

서구 물질문명과 개인주의 그리고 이기심이 팽배한 작금의 호모사피엔스 사회는 지적 생명체로써 한계를 보여주고 있으나 대한민국의 국민들은 타인에 대한 공경심과 이타심으로 그 한계를 뛰어 넘는 높은 시민의식을 보여주고 있다.

대한민국이 한반도 통일만 이룬다면 과히 세계를 이끌 강대국으로 발 돋음 할 수 있는 진정한 선진국이 될 수 있을 것이다. 대한민국 국민으로써 자부심을 갖고 이 위기를 기회로 만들어 홍익이념을 실천 해 나갔으면 한다.

통일 된 대한민국은 정치, 경제, 문화, 교육, 군사, 복지 선진국으로 성장하여 세계인으로부터 존경 받는 유일무이한 나라가 될 것이다.

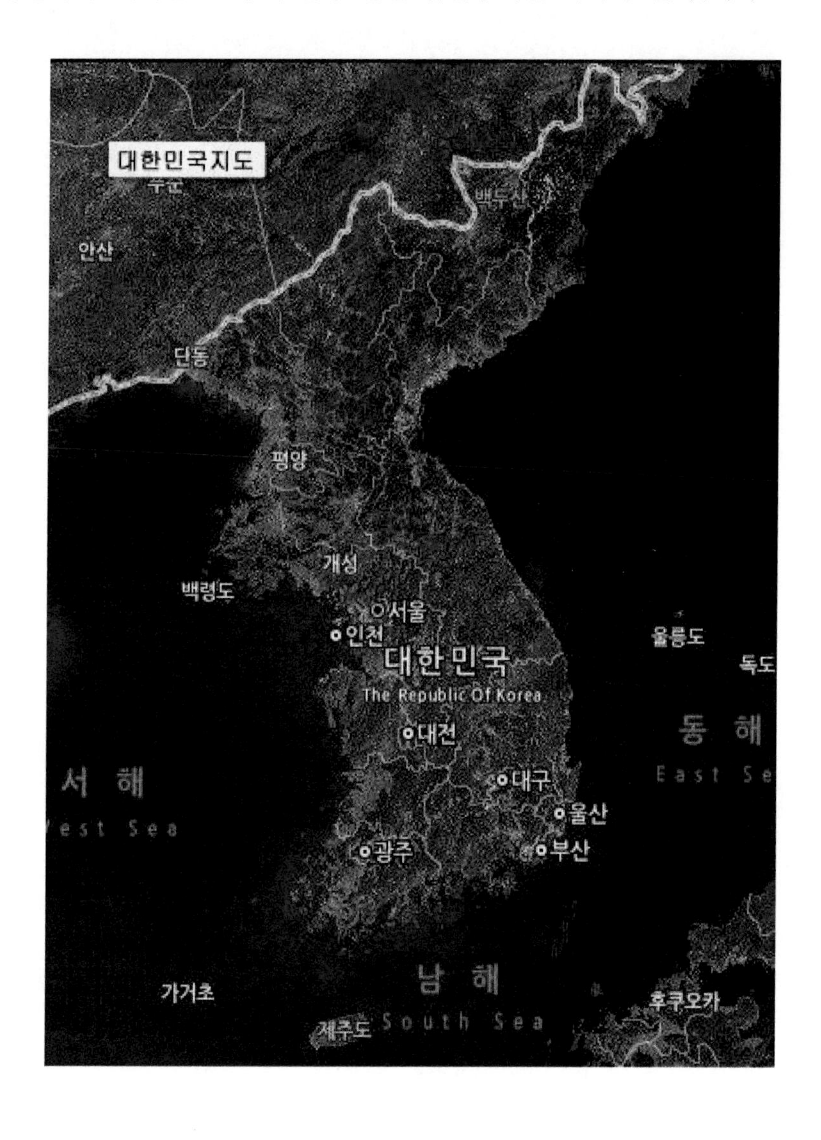

24장. 후기.

"알지"를 마무리 하며

독자들의 메모장

당신의 의견을 적어 보세요.

24.후기.

나는 38년 동안 우주만물의 법칙을 추적하였고, 지난 9년 동안 과학에 대한 탐구를 통해서 이 책을 완성 하였다. 책 제목을 “알지”로 선정한 것은 두 가지 이유가 있다.

우주를 만들어 내는 가상의 근본물질을 “알지”로 이름을 지은 것도 있지만, 기원전 2,200년 전 김 씨의 뿌리를 있게 해준 훈(흉노)족의 휴도 왕 왕비였던 연지부인을 “알지”라고 지칭했던 역사적 사실에 근거 하여 책 제목을 선정 하였다. 두 가지 이유 모두 근본물질과 근본뿌리라는 공통점이 있다.

나는 이 책을 집필 한 후 이 세상의 본질과 46억년이란 억겁의 시간들을 이해했고, 나의 존재는 무엇이고, 내가 어디서 와서 어디로 가야 하는지를 깨달았다. 그리고 이 지구라는 행성이 얼마나 기적같이 탄생하게 되었는지를 알 수 있었으며, 지구 안에서 우리 호모 사피엔스가 또 얼마나 많은 기적 같은 사건들로 진화 해 왔는지를 알았다.

옛 말에 이런 말이 있다.
"집 떠나면 고생한다."

우리 호모사피엔스들도 태생적으로 지구를 떠나게 되면 고생을 하게 되어 있다. 우주는 본질적으로 무기물질의 세상이지 유기생명체들의 세상이 아니다. 무기물질의 세계인 저 무주(無宙) 공간은 생명체가 살아가기 힘든 곳이다. 이 지구와 같은 작고 매우 독특한 행성은 찾기 힘들 것이고, 설령 찾는다 해도 우리 인간이 그곳까지 가는 것은 과학이 아무리 발달 한다 하여도 죽음을 감내해야만 하며, 그 곳에 정착 한다고 하더라도 지구환경에 최적화 되어 있는 인간이 적응하기란 뼈를 깎는 고통이 따를 것이다.

금성은 지옥이요, 지구는 아직 까지는 천당이다. 금성을 지옥으로 만든 주범은 이산화탄소고, 우리 지구도 금성의 전철을 밟지 말라는 보장은 없다.

태초 인류가 탄생한 이후 호모사피엔스는 가는 곳곳마다 살기위해 살상하고, 전쟁으로 빼앗고, 자신들의 삶을 위해, 자신들의 신념을 위해, 주변을 닥치는 대로 파괴하며 진화와 영역을 확장 해왔다.

철기시대에 접어들면서 무기의 진보가 있을 때마다, 인류는 그것을 이용해서 정복전쟁을 하였고, 3,000년이 지난 지금까지도, 1차 세계대전과 2차 세계대전을 치렀으며, 2024년 지금도 러시아와 우크라이나전쟁이 진행 중이고, 가자지구를 둘러싼 유대인과 팔레스타인은 2,000년 동안 종교전쟁을 벌이고 있다.

그리고 21세기에 들어선 호모사피엔스는 우주정복에 나서기 시작했다. 남성 호르몬의 필연적인 운명이다. 서기 2024년, 우리 인류는 지금까지 걸어온 발자취(history)를 되돌아보아야 한다.

앞으로 인류가 어떻게 살아가야 할지를 모두 함께 머리 맞대고 고찰해야 한다. 지구라는 우리 인류의 "공동의 집"이 망가지고 있기 때문이다.

기후협약, 해양쓰레기 투기 금지협약, 핵확산 금지조약, 온실 협약 등 인류의 생존을 위해 머리 맞대고 방법을 찾아야 한다.

그럼에도 불구하게 이 지구는 호모사피엔스의 안위를 위해 인내하지는 못할 것이다. 지구는 생명체가 아니기 때문이다. 지구가 우리들의 어머니처럼 한없이 사랑으로 호모사피엔스들을 품어 줄 수 있다면 얼마나 좋을까!

지구는 무주만물의 법칙에 따라 화학반응을 일으킬 것이라는 것을 우리 인류는 알아차리고 있지만, 이기적인 인간의 한계 때문에 효과적인 방법을 찾지 못 하고 있다. 그냥 변화 하는 지구환경에 적응하며 또 새로운 종으로 진화하면서 살아 가야한다. 호모사피엔스에서 어떤 종으로 진화 할까! 아니면 멸종의 길을 갈까!

앞으로의 인류는 물질문명의 진보를 지양하고, 2,500년 전 화려했던 호모사피엔스 정신문명을 발전시켜서 "집단의 힘" 으로 이 위기를 극복해 나가야 한다.

인간의 물질문명의 진보는 지구 생태계를 교란한다. 이러한 생태계 변화는 "인류의 멸종"을 앞당길 뿐이다. 자본과물질의 진보를 추구하는 호모사피엔스는 대변혁기 앞에 서 있다.

인간의 발길이 닫는 곳마다 파괴와 오염은 필연적이다.
우주에 대한 인류의 도전은 계속 될 것이나, 그 끝은 "지구로의
회귀"일 것이라고 난 확신하고 있다.

지구를 구성하고 있는 물질들의 소중함을 깨닫고, 우리 인간의 생활의 터전인 독특한 이 지구를 더 이상 오염시키지 말고, 더 이상 서로 싸우지들 말고, 공동의 노력으로 위기를 극복해서 평화롭게 살다 갔으면 좋겠다.

3,000년 전 철기시대부터 피의시대를 살아온 호모사피엔스는 2,500년 이후부터 석가모니, 예수, 공자, 소크라테스들에 의해서 정신문명이 발전하였지만, 산업혁명 이후 물질문명을 진보시키며 정신문명은 퇴보하였다. 물질문명과 정신문명을 조화롭게 발전시킬 수 있는 방법을 찾아 호모사피엔스가 위기에서 헤쳐 나가길 바란다.

지금까지 우주의 본질에서부터 지구의 탄생과 인류가 진화 해 온 46억년이라는 억겁의 시간을 나의 과학적 지식과 철학적 관점에서 살펴보았다. 또한 나의 자서전을 통해서 호모사피엔스의 삶을 기록해 보았고 태초 우주의 시작부터 현재까지 물질의 세계를 이해함으로써 우주만물의 법칙을 깨달았다.

무주(無宙) 시공간에서 "알지"라는 알 수 없는 물질로부터 시작해서 호모사피엔스가 살아가고 있는 현재까지 이 억겁의 시간은 참으로 위대한 거시세계의 웅장한 여정이었으며, 앞으로 우리 인류가 이룩할 문명은 어디까지인지 그 끝이 궁금해진다.

마지막으로 우주 만물의 법칙을 깨달은 후, 지은 한 편의 시를 소개하면서, 우주 역사 1,600억 년(살)의 이야기 "알지"를 마무리 한다.

불이(不二)

김 길 성

무주(無宙)와 우주(宇宙)가 둘이 아니듯,
없다와 있다 도 둘이 아니다.

시간과 공간이 둘이 아니듯
물질과 의식도 둘이 아니다.

빛과 어둠이 둘이 아니듯,
양(+)과 음(-)도 둘이 아니다.

차가움과 뜨거움이 둘이 아니듯,
안과 밖도 둘이 아니다.

강과 바다가 둘이 아니듯,
사람과 나무도 둘이 아니다.

무주(無宙) 만물은 모두 둘이 아니다.

알지

발　행 | 2024년 3월 15일
저　자 | 김길성
펴낸이 | 한건희
펴낸곳 | 주식회사 부크크
출판사등록 | 2014.07.15.(제2014-16호)
주　소 | 서울특별시 금천구 가산디지털1로 119 SK트윈타워 A동 305호
전　화 | 1670-8316
이메일 | info@bookk.co.kr

ISBN | 979-11-410-7653-5

www.bookk.co.kr